Netzwerk

Deutsch als Fremdsprache

Arbeitsbuch

Mit Audio-CDs

B1

Stefanie Dengler
Paul Rusch
Tanja Sieber

Klett-Langenscheidt

München

Von
Stefanie Dengler, Paul Rusch, Tanja Sieber

Projektleitung: Angela Kilimann
Redaktion: Sabine Franke
Gestaltungskonzept, Layout und Cover: Andrea Pfeifer, München
Illustrationen: Florence Dailleux
Satz und Repro: kaltner verlagsmedien GmbH, Bobingen

Audio-CDs
Aufnahme und Postproduktion gesamt: Christoph Tampe, Plan 1, München
Regie: Sabine Wenkums

Verlag und Autoren danken Margret Rodi und allen Kolleginnen und Kollegen, die Netzwerk begutachtet sowie mit Kritik und wertvollen Anregungen zur Entwicklung des Lehrwerks beigetragen haben.

Netzwerk B1 – Materialien

Teilbände	
Kurs- und Arbeitsbuch B1.1 mit DVD und 2 Audio-CDs	605014
Kurs- und Arbeitsbuch B1.2 mit DVD und 2 Audio-CDs	605005
Gesamtausgaben	
Kursbuch B1 mit 2 Audio-CDs	605002
Kursbuch B1 mit DVD und 2 Audio-CDs	605003
Arbeitsbuch B1 mit 2 Audio-CDs	605004
Zusatzkomponenten	
Lehrerhandbuch B1	605006
Netzwerk digital B1	
mit interaktiven Tafelbildern (DVD-ROM)	605007
Intensivtrainer B1	605009
Testheft B1	605146

In einigen Ländern ist es nicht erlaubt, in das Kursbuch hineinzuschreiben. Wir weisen darauf hin, dass die in den Arbeitsanweisungen formulierten Schreibaufforderungen immer auch im separaten Schulheft erledigt werden können.

Besuchen Sie uns auch im Internet: www.klett-sprachen.de/netzwerk

Audio-Dateien zum Download unter www.klett-sprachen.de/netzwerk/medienB1
Code: nW9a&D5

1. Auflage   1 6 5 4 3 | 2018 17 16 15

Gesamtherstellung: Print Consult GmbH, München

ISBN 978-3-12-605004-3

MIX
Papier aus verantwortungsvollen Quellen
FSC® C084279

Netzwerk – das Arbeitsbuch

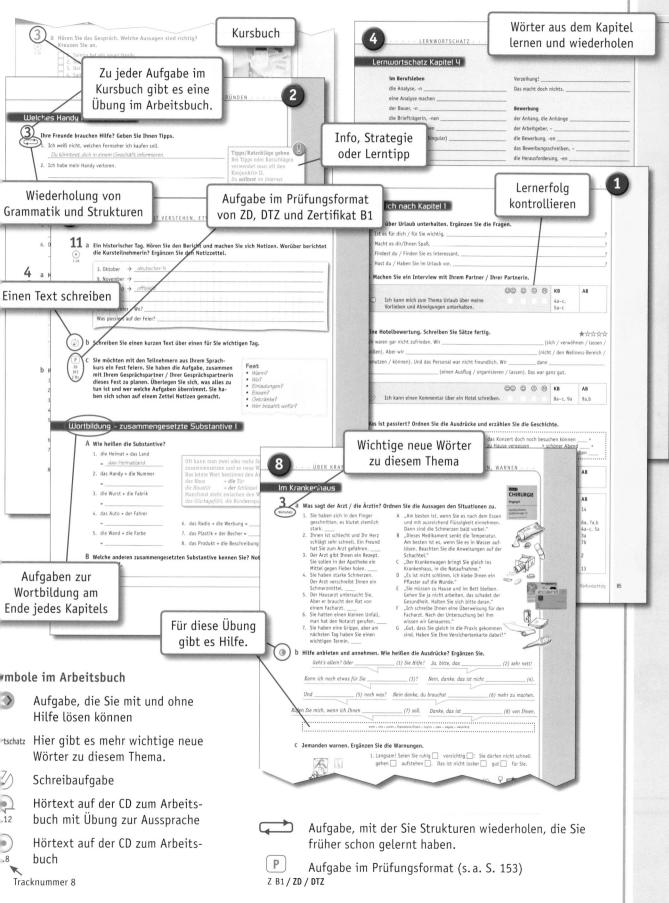

Kursbuch

Zu jeder Aufgabe im Kursbuch gibt es eine Übung im Arbeitsbuch.

Wörter aus dem Kapitel lernen und wiederholen

Info, Strategie oder Lerntipp

Wiederholung von Grammatik und Strukturen

Aufgabe im Prüfungsformat von ZD, DTZ und Zertifikat B1

Lernerfolg kontrollieren

Einen Text schreiben

Wichtige neue Wörter zu diesem Thema

Aufgaben zur Wortbildung am Ende jedes Kapitels

Für diese Übung gibt es Hilfe.

Symbole im Arbeitsbuch

Aufgabe, die Sie mit und ohne Hilfe lösen können

Wortschatz Hier gibt es mehr wichtige neue Wörter zu diesem Thema.

Schreibaufgabe

Hörtext auf der CD zum Arbeitsbuch mit Übung zur Aussprache

Hörtext auf der CD zum Arbeitsbuch

Tracknummer 8

Aufgabe, mit der Sie Strukturen wiederholen, die Sie früher schon gelernt haben.

P Aufgabe im Prüfungsformat (s. a. S. 153)
Z B1 / **ZD** / **DTZ**

Inhalt

Gute Reise!

1

a **Urlaub in der Natur. Ergänzen Sie die passenden Wörter.**

das Netz, Netze

der Pilz, Pilze

giftig

das Insekt, Insekten

der Insekten-schutz

im Freien übernachten

Es ist ja ganz schön, _im Freien_ zu _übernachten_ (1). Aber man braucht

unbedingt einen Schutz gegen _Insekten_ (2). Ich gebe immer einen

Insektenschutz (3) auf die Haut. Aber noch besser ist ein

Netze (4) vor dem Eingang ins Zelt. Im Sommer und im Herbst

kann man draußen _Pilze_ (5) sammeln. Lecker! Aber man muss gut

aufpassen, dass sie nicht _giftig_ (6) sind.

b **Was brauchen die Personen für ihren Urlaub? Hören Sie die Gespräche und schreiben Sie die Dinge auf die Notizzettel.**

1.2–3

eine Bootstour machen
Insektenschutz, Sonnen Kreme, Bücher, Spiele

surfen an der Ostsee
Surfanzug, regen Kleidung, sonnen brille mit band, tropfen für augen, lippenschutz

2

Nachrichten aus dem Urlaub. Was fehlt? Ergänzen Sie.

Essen • frustriert • nass • Natur • notwendig • tanzen • übernachten • ~~unterwegs~~ • verrückt • Zelt

Home	Blog

„Es gibt kein schlechtes Wetter, es gibt nur schlechte Kleidung." Das stimmt

aber nicht, wenn man hier an der Ostsee _unterwegs_ (1) ist. Der dritte

Tag mit Wind und Regen, alles ist _____ (2). Und wie! Heute

_____ (3) wir in einem netten, kleinen Hotel. Noch eine

Nacht mit nassen Kleidern in einem nassen _____ (4) auf

dem Campingplatz – das ist sogar für uns zu viel. Und der Wetterbericht sagt

nichts Gutes. Wir sind _____ (5) – mehr als nur ein bisschen!

Seit drei Tagen fahren wir mit dem Boot durch Mecklenburg-

Vorpommern. Ulli findet es wahnsinnig entspannend. Nur Wasser und

_____ (6) und Vögel und sonst nichts. Aber ich werde

_____ (7) von so viel Ruhe. Deshalb waren wir gestern

in einer Kneipe: warmes _____ (8) und viele andere Leute.

Und dann noch in einer Disko _____ (9). Das war dringend _____ (10)!

3

P
ZD

Rund um den Urlaub. Lesen Sie zuerst die 10 Überschriften. Lesen Sie dann die 5 Texte und entscheiden Sie, welcher Text (1–5) zu welcher Überschrift (A–J) passt. Tragen Sie die Lösungen unten ein.

A **Kinder erleben Alltag auf dem Bauernhof**

B *Immer weniger Deutsche fahren nach Mallorca*

C **Elf Tage Urlaub sind genug**

D **Frühes Buchen ist am billigsten**

E **Wer früh bucht, der hat die Wahl**

F **Billiger Reisen in der Hauptsaison**

G **Neuer Trend: Österreicher machen lieber mehr kürzere Urlaube als einen langen**

H Mit Schulkindern wird der Urlaub teurer

I **Ein Drittel macht Urlaub im eigenen Land**

J **Kinder lernen auf dem Bauernhof alles über Tiere**

1. Die Sommersaison geht zu Ende, es ist nicht mehr so heiß und weniger Touristen sind unterwegs. Anfang September ist Urlaub nicht nur richtig schön, sondern auch billiger. Familien mit Schulkindern können diese Vorteile nicht nutzen. Wenn die Kinder Schulferien haben, ist überall Hochsaison mit den höchsten Preisen. Eltern mit Kleinkindern oder kinderlose Personen buchen ihre Urlaube lieber dann, wenn die Saison vorbei ist und es in den Ferienorten wieder langsam ruhig wird.

2. „Viele Kinder wissen nicht, woher die Milch kommt", hört man immer wieder. Ob das stimmt oder nicht, ist nicht so wichtig: Aber dass 80% aller Kinder mit wenig Kontakt zur Landwirtschaft aufwachsen, das stimmt. Im Urlaub auf dem Bauernhof können sie miterleben, wie das Leben auf dem Land funktioniert. Sie können sehen, wie die Tiere aussehen, und erfahren, dass die Arbeit hart und anstrengend ist. Aber nicht nur Kinder genießen den Urlaub auf dem Bauernhof.

3. 2012 war der „richtige Urlaub" im Durchschnitt nur noch 11 Tage lang. Nur 20 % der Österreicher waren 14 Tage oder länger unterwegs. Tourismusexperten nennen drei Gründe, warum der Haupturlaub immer kürzer wird. Erstens können in vielen Firmen die Mitarbeiter nicht länger als zwei Wochen Urlaub machen. Zweitens wollen viele Österreicher auch Winterurlaub machen und sparen deshalb Urlaubszeit an. Der dritte Grund: Jeder Zweite würde gern länger Urlaub machen, aber dafür fehlt das Geld.

4. Wann buchen Sie Ihre Reise? Reisebüros bieten spezielle Rabatte an, wenn man den Sommerurlaub schon im Winter davor bucht. Die sogenannten „Frühbucher" bezahlen aber für ihren Urlaub mehr als Last-Minute Reisende, die ganz kurz vor dem Urlaub erst buchen. Dafür ist das Angebot für Frühbucher noch viel größer. Wer lieber Last-Minute-Reisen bucht, muss bei der Reisezeit und beim Reiseziel sehr flexibel sein.

5. Wo machen die Deutschen am liebsten Urlaub? Sofort denken viele an Mallorca, die Türkei oder Österreich. Aber das beliebteste Ziel der Deutschen ist – Deutschland! Mehr als jeder Dritte (37%) bleibt für den Urlaub im eigenen Land, und das aus zwei Gründen: Weil die hohen Reisekosten wegfallen, ist der Urlaub billiger. Und Urlaub im eigenen Land ist beliebt, weil hier Sauberkeit und Service stimmen und die Sprache vertraut ist.

Text	1	2	3	4	5
Überschrift					

Die Urlaubsplanung

4 **a** **Was passt: *möchten, wollen, dürfen, können* oder *müssen*? Ergänzen Sie die Modalverben in der richtigen Form. Manchmal gibt es zwei Möglichkeiten.**

◆ Komm mal her! Ich __will / möchte__ (1) dir etwas

zeigen. Ist das nicht cool?

◆ Ich hab' jetzt keine Zeit! _____ (2) ich das

wirklich sehen? Was ist es denn?

◆ Ein Hotel auf Usedom. Das _____ (3) du dir

einmal genauer ansehen.

◆ Wirklich? Gib mir das Tablet. Sonst _____ (4)

ich nichts sehen. Aber das ist doch ein Leuchtturm!

◆ Und ein Hotel! Mit nur einem Zimmer. Und du

_____ (5) dich freuen, denn da

fahren wir hin! Ein ganzes Wochenende. Nur wir!

◆ Ich weiß nicht, ob das den Kindern gefällt.

Die _____ (6) da ja nichts machen.

◆ Da fahren wir alleine hin, Kinder unter 15 Jahren

_____ (7) gar nicht mitkommen. Und es gibt nur Platz für zwei Personen.

◆ Ich weiß nicht ... Eigentlich _____ (8) ich lieber mit der ganzen Familie wegfahren. Und

das mit dem Leuchtturm ist bestimmt sehr teuer!

◆ Ist es nicht! Und wir _____ (9) auch nichts mehr bezahlen. Das habe ich schon gemacht.

Wir fahren in zwei Wochen hin, von Freitag bis Sonntag.

◆ Aber das geht nicht! Wir _____ (10) doch die Kinder nicht allein lassen. Das

_____ (11) du doch auch nicht, oder?

◆ Sie _____ (12) übers Wochenende bei Ines bleiben. Das habe ich schon mit ihr besprochen.

◆ Na, das ist ja eine Überraschung! Ich _____ (13) es noch gar nicht glauben!

b **Was haben Anna und Paula gemacht? Ergänzen Sie das Verb und ein passendes Modalverb im Präteritum.**

> entscheiden • erholen • finden • helfen • ~~planen~~ • suchen • unternehmen

1. Anna und Paula __wollten__ ihren Urlaub __planen__ .

2. Paula _____ sich im Urlaub einfach nur _____ .

3. Anna _____ lieber ganz viel _____: Kultur, Ausgehen, Sport.

4. Anna und Paula _____ keine gemeinsame Lösung _____ .

5. Aber sie _____ sich schnell _____ , weil sie schon bald Urlaub hatten.

6. Die Verkäuferin im Reisebüro _____ ihnen mit guten Tipps _____ .

7. Aber sie _____ lange nach einem guten Angebot für beide _____ .

c Lesen Sie noch einmal den Skype-Dialog von Anna und Paula im Kursbuch. Welcher Ausdruck passt: a oder b? Kreuzen Sie an.

1. ☐a Anna und Paula haben keine Lust,
   ☒b Anna und Paula finden es schwer,

   ... einen gemeinsamen Urlaub zu planen.

2. ☒a Für Anna ist es wichtig,
   ☐b Anna findet es total anstrengend,

   ... im Urlaub viel zu unternehmen.

3. ☐a Paula macht es keinen Spaß,
   ☒b Paula hat vor allem vor,

   ... sich im Urlaub gut zu erholen.

4. ☒a Anna hat erst am nächsten Tag Zeit,
   ☐b Anna hat vergessen,

   ... mit Paula ins Reisebüro zu gehen.

5. ☒a Die beiden Freundinnen versuchen,
   ☐b Für Anna und Paula ist es nicht wichtig,

   ... im Reisebüro ein Angebot für beide zu finden.

d Wo passt welches Verb? Ergänzen Sie die Verben in der richtigen Form. Markieren Sie dann den Infinitiv + *zu*.

> ~~anfangen~~ • ~~aufhören~~ • ~~erlauben~~ •
> ~~(sich) freuen~~ • ~~hoffen~~ • ~~verbieten~~

> **Infinitiv oder Infinitiv + zu?**
> Bestimmte Verben und Ausdrücke verwendet man mit Infinitiv + zu. Lernen Sie diese immer mit einem kurzen Satz.
> *Ich habe vergessen zu unterschreiben.*
> *Wir haben keine Lust zu sparen.*
>
> Nach Modalverben steht immer der Infinitiv ohne *zu*:
> *Er kann nicht mitkommen.*

1. Schade, dass du nicht kommst. Ich habe mich so _gefreut_, mit dir ins Konzert zu gehen.

2. Kannst du mir helfen, bitte? Ich habe erst vor drei Wochen _angefangt_, hier zu arbeiten.

3. Leider muss Eva zu Hause bleiben. Der Arzt hat ihr _verboten_, heute zu trainieren.

4. Meine Eltern haben mir nicht _erlaubt_, klettern zu lernen. Sie hatten Angst, dass etwas passiert.

5. Kommst du morgen zum Konzert? Ich _gehofft_, dich dort zu sehen.

6. Leider hat Peter _aufgehört_, Musik zu machen. Er hat so schön Gitarre gespielt.

5

a Sie und Ihr Urlaub. Setzen Sie die Sätze fort. Schreiben Sie dann drei eigene Sätze mit Infinitiv + *zu*.

1. Mir macht es einfach Spaß, _wann ich sport zu spielen_

2. Im Urlaub ist es für mich wichtig, _wann ich kann entspannen zu machen_

3. Ich habe einfach keine Lust, _heute Klasse zu gehen_

4. Ich möchte dieses Jahr im Urlaub anfangen, _wann ich fertig mit schule zu gehen_

5. Ich finde es interessant, _am buche zu lesen_

6. Deshalb habe ich vor, _mit meinen freunde zu treffen_

7. _Ich möchte eine Urlaub, denn würde ich entspannen zu machen_

8. _Ich finde es interessant, am lange auto fahrts zu gehen_

9. _Mir macht es einfach Spaß, eine gute Buche zu lesen_

b Familie Wieser fährt in den Urlaub. Ergänzen Sie die passenden Adjektive.

Herr Wieser findet es völlig _normal_ (1), an einem Tag 1.400 km zu fahren. „Für eine Familie mit 3 Kindern

ist es zu _teuer_ (2), mit dem Zug oder Flugzeug zu reisen. Mit dem Auto ist es viel günstiger.

Außerdem finde ich es einfach _praktisch_ (3), am Urlaubsort ein Auto zu haben. Wir fahren damit einkaufen, an den Strand, machen Ausflüge. Man liest

zwar immer wieder, dass es _notwendig_ (4) ist, so lange Auto zu fahren. Aber ich kann das, ich bleibe konzentriert." Für die Kinder ist es natürlich

langweilig (5), so lange im Auto zu sitzen, sie können nicht viel machen. Frau Wieser würde ja auch gern einen Teil fahren. Aber ihr Mann sagt, er ist nicht müde und findet es nicht

gefährlich (6), sich einmal auszuruhen.

gefährlich • gut/praktisch • langweilig • normal • notwendig • teuer

Im Reisebüro

6

1.4

a Gespräch im Reisebüro. Was passt? Ordnen Sie die Aussagen rechts zu. Hören Sie dann zur Kontrolle.

1 _F_ Hallo, guten Tag. Was kann ich für Sie tun?

2 _G_ Was machen Sie denn gern im Urlaub? Was für Wünsche haben Sie denn?

3 _E_ Da kann ich Ihnen eine neue Anlage auf Usedom empfehlen. Da haben wir schöne, moderne Ferienwohnungen. Sehen Sie hier.

4 _C_ Ach so, Sie möchten lieber in einem Ort sein. Kennen Sie Ückeritz? Da gibt es einen schönen alten Ortskern. Aber da sind Sie nicht direkt am Meer.

5 _H_ Weit ist es nicht zum Strand, zwei Kilometer etwa. Wie gefällt Ihnen dieses Haus? Mit nur drei Ferienwohnungen, frisch renoviert.

6 _D_ Ückeritz. Da können Sie surfen, Tennis spielen, schöne Ausflüge mit dem Fahrrad machen und noch einiges mehr. Wann wollen Sie denn hinfahren?

7 _B_ Da würde ich Ihnen aber empfehlen, schnell zu buchen, denn für diese Zeit sind viele Wohnungen schon belegt.

8 _A_ Ich gebe Ihnen noch ein paar Prospekte mit, und das ist meine Nummer. Sie können mich jederzeit anrufen.

A Ah, vielen Dank. Auf Wiedersehen!

B Ja, ich verstehe. Ich möchte das meiner Freundin zeigen und dann entscheiden wir uns ganz schnell.

C Das macht nichts, wenn es nicht zu weit weg ist. Wir haben die Fahrräder dabei.

D Das wissen wir noch nicht genau, aber wahrscheinlich in der letzten Juni-Woche.

E Das sieht ja ganz nett aus. Aber es ist auch so groß. Ich hätte lieber etwas mitten im Ort, nicht außerhalb.

F Guten Tag. Ich möchte mal an der Ostsee Urlaub machen und suche für mich und meine Freundin eine kleine Ferienwohnung.

G Also, wir möchten nah am Meer sein. Für meine Freundin ist es auch wichtig, dass sie viel Sport machen kann.

H Oh ja, das gefällt mir viel besser. So habe ich mir das vorgestellt. Und was für Sport kann man da machen, in Ü...,Ück...?

b **Was ist aus Jans Urlaubsplänen geworden? Ergänzen Sie die Sätze. Was brauchen Sie: Infinitiv oder Infinitiv + *zu*?**

„Ich fahre nach Berchtesgaden."   1. Jan wollte _nach Berchtesgaden fahren._

„Ich mache jeden Tag eine Bergtour."   2. Er hatte vor, _jeden Tag eine Bergtour zu machen._

„Wahnsinn! 6 Stunden lang wandern!"   3. Es war sehr anstrengend, _6 stunden lang zu wandern_

„Ich gehe noch ein bisschen aus."   4. Am Abend hatte er Lust, _noch ein bisschen auszugehen_

„Ich stehe früh auf!"   5. Am Morgen hat er versucht, _früh stehe zu auf_

„Ich schlafe doch lieber aus."   6. Aber er war zu müde und wollte _doch schafe auszuleben_

„Heute nur faulenzen!"   7. Es war einfach besser, _heute nur zu faulenzen_

„Morgen besichtige ich Salzburg."   8. Am nächsten Tag wollte er _besichtige nach Salzburg fahren_

„In die Stadt fahren? – Nein!"   9. Aber er hatte keine Lust, _in die stadt fahren_

7

a **Fragen und Antworten. Was passt zusammen? Ordnen Sie zu.**

A Am besten am Samstag, dem 6. April. Früher geht es nicht.

1. Was können Sie mir empfehlen?

2. Wo liegt das Hotel?

3. Was ist im Preis inbegriffen?

4. Kann ich auch nur mit Frühstück buchen? Ohne Halbpension?

5. Wann möchten Sie denn fahren?

6. Wann müssen Sie zurück sein?

B Flug, Transfer vom Fughafen Usedom Heringsdorf zum Hotel und zurück, und Halbpension – das ist alles inklusive.

C Etwa 300 m vom Strand, aber wirklich sehr ruhig.

D Ich muss spätestens am 21. April zurück sein.

E Waren Sie schon mal auf Usedom? Da gefällt es Ihnen bestimmt.

F Dieses Angebot gibt es nur mit Halbpension.

b **Noch mal nachgefragt. Schreiben Sie zu jeder Markierung eine passende Frage.**

Sachsen-Anhalt: Harz – Neudorf

Ferienhaus „Waldruh"
Ruhige Lage am Waldrand, mit großer Wiese und Bäumen, 3km vom Ort entfernt, max. 5 Personen, Preis pro Woche 497,- €
Bettwäsche inklusive
Nichtraucher, keine Haustiere, Aufenthalt mindestens 4 Tage.

Nordsee – St.-Peter-Ording Hotel Nordmann *

Alle Zimmer gemütlich, mit Du/WC und Sat-TV. Freundlicher Gastraum für Frühstück und Abendessen!

Preis pro Person:
• EZ 45–50 € mit Frühstück
• DZ 35–40 € mit Frühstück
• Halbpension 15 € Zuschlag, Haustiere auf Anfrage.

Hostel *Hummel* in Hamburg

9 Doppelzimmer in Altbau, Nähe U-Bahn-Station Gänsemarkt, Linie U2.
Eine große Küche mit Waschmaschine und Geschirrspüler für alle Gäste.
Großes Bad mit Wanne, Dusche und WC für alle Gäste auf dem Gang.
Preis pro Person: 39–54 €.

Wie weit ist das Ferienhaus vom Ort entfernt?

Was ist das preis pro person für Frühstück?

Wo liegt das Ferienhaus?

Welche bahn muss ich nehmen?

Wie viele personnen kann ins Ferienhaus?

Was ist das preis pro person?

Was ist im Preis inbegriffen?

Service im Hotel

8

a Was machen die Leute selbst, was lassen sie machen? Schreiben Sie je zwei Sätze.

die Haare waschen und schneiden

Marian wäscht seine Haare selbst.

Aber er lasst seine mutter zu schelden

das Auto putzen und reparieren

Herr Mair hat er Auto putzen

Aber er hat eine Mechaniker zu reparieren

SMS und längere E-Mails schreiben

Die Chefin in der Firma schriebt SMS

Aber ihnen Geschäftsführerin hat längere E-Mails schreiben

b Was lassen Sie machen oder möchten Sie gerne machen lassen? Schreiben Sie fünf Sätze und vergleichen Sie mit Ihrem Partner / Ihrer Partnerin.

> *Ich lasse meine Haare schneiden.*

- Ich lasse meine nägel schneiden   - Ich lasse mein Handy reparieren
- Ich lasse meine bucke kaufen   - Ich lasse meine Kinder frühstück haben

9

a Langes Wochenende mit Freundinnen. Was haben die Frauen gemacht? Schreiben Sie Sätze mit *lassen*.

1. *Wir haben uns am Donnerstag zum Wellnesshotel am Bodensee bringen lassen.*
   (wir / am Donnerstag / zum Wellnesshotel / am Bodensee / bringen / lassen)

2. _____
   (beim Abendessen / wir / können / verwöhnen / uns / lassen)

3. _____
   (für Freitag / ein Programm / wir / organisieren / lassen)

4. _____
   (am Samstag / uns / im Beauty-Salon / verwöhnen / wir / lassen)

5. _____
   (uns / am Sonntag / wir / abholen / lassen)

b Aufenthalt im Hotel Adler. Schreiben Sie eine Bewertung.

Empfehlung bekommen	*Ich habe von Freunden eine Empfehlung bekommen. Auf meine*
Anfrage – freundliche Antwort	*Anfrage*
anreisen mit dem Zug	
am Bahnhof abholen lassen	
Zimmer groß und sauber	
Personal sehr freundlich	
sich verwöhnen lassen	
nicht billig, aber Qualität stimmt	

Glück gehabt

10 Welches Wort passt? Schreiben Sie.

Wortschatz

> die Botschaft • die Grenze • das Konsulat • das Visum • der Zoll

1. Wenn man von einem Staat in einen anderen fährt, überquert man die ...   _ _ _ _ _ _

2. Für manche Länder braucht man nicht nur einen Reisepass, sondern auch ein ...   _ _ _ _ _

3. Staaten haben in anderen Ländern, meistens in der Hauptstadt, eine ...   _ _ _ _ _ _ _ _ _ _

4. Wenn man im Ausland den Pass verliert oder ein Problem hat, kann man hier Hilfe bekommen.   _ _ _ _ _ _ _ _

5. Es kann sein, dass man ... bezahlen muss, wenn man Produkte in ein anderes Land bringt.   _ _ _ _

11 **a** Was hören Sie: *n, ng* oder *nk*? Kreuzen Sie an.

1.5

1. [n] – [ng]   2. [ng] – [nk]   3. [ng] – [nk]   4. [ng] – [nk]   5. [n] – [nk]   6. [ng] – [nk]

_____   _____   _____   _____   _____   _____

b Hören Sie noch einmal und notieren Sie das Wort in 11a.

1.5

c Hören Sie und ergänzen Sie die Lücken.

1.6

1. Viele_ Da_ _, lieber Fra_ _, für dei_e Gesche_ _e.

2. A_ _ela begi_ _t mit ihren Freundi_ _en zu si_ _en.

3. Frau Mü_ _el aus Si_ _en liest gerne Zeitu_ _en.

4. A_ _e und A_ _e sind seit La_ _em Freundi_ _en.

5. I_ _e hat Hu_ _er und bri_ _t einen Schi_ _en.

6. Die kra_ _e Frau Fra_ _e tri_ _t viel Tee.

d Hören Sie noch einmal zur Kontrolle und sprechen Sie nach.

1.6

Unterwegs: Ohren auf!

12 Welches Wort passt nicht? Streichen Sie durch.

1. der Bahnhof – der Schalter – der Fahrgast – das Gleis

2. der Zug – das Gepäck – das Fahrrad – die Straßenbahn

3. die Ankunft – die Abfahrt – die Vorsicht – die Weiterfahrt

4. das Bordrestaurant – der Anschluss – die Verspätung – die Durchsage

13 Liz macht eine Reise. Bringen Sie zuerst die Ausdrücke in eine passende Reihenfolge und schreiben Sie dann eine Geschichte.

_____ den Anschluss in Hamburg verpassen   _____ in Köln den Zug nach Hamburg nehmen

_____ mit 20 Minuten Verspätung ankommen   _____ mit dem Taxi direkt zum Konzert

_____ gerade noch rechtzeitig geschafft   _1_ nach Kiel fahren, ihre Freundin Sara besuchen

_____ Sara anrufen   _____ Ankunft eine Stunde später   _____ Sara hat Karten für ein Konzert

_____ SMS von Sara: „Überraschung!"

Liz wollte ihre Freundin Sara besuchen und ist am Freitag nach Kiel gefahren.

Urlaub oder Arbeit?

14 Sie hören drei Aussagen. Lesen Sie zuerst die Sätze a bis f.
Entscheiden Sie dann beim Hören, welcher Satz zu welcher Aussage passt.

1.7–10

P

DTZ

a Ich wollte im Urlaub Geld verdienen, weil ich nächstes Jahr weit wegfahren will.

b Ich habe nur ein paar Tage Urlaub gemacht und dann wieder in der Firma gearbeitet.

c Ich helfe gern eine Woche in einem Projekt, weil es mir selbst sehr gut geht.

d Eine Woche lang bin ich bei meinen Eltern und helfe ihnen.

e Ich bleibe im Urlaub gern zu Hause und mache nichts. Wegfahren ist auch Stress.

f Ich fahre weg, weil sonst immer jemand etwas von mir will, und zu Hause wartet auch immer viel Arbeit.

Nummer	Beispiel	1	2	3
Lösung	d			

> In der Prüfung hören Sie alle Aussagen direkt nacheinander. Zum Üben können Sie sie auch einzeln hören.

Wortbildung – Infinitiv als Substantiv

A Suchen Sie die Verben in den Texten. Was ist anders? Markieren Sie.

campen • erholen • fliegen • grillen • kochen • reisen

Mir macht das Reisen einfach keinen Spaß, und beim Fliegen habe ich ein bisschen Angst. Zum Erholen bleibe ich lieber zu Hause. Da kann ich machen, was ich will.

Ich habe so viel Spaß beim Campen, man kann alles im Freien machen. Da macht sogar mir das Kochen Spaß, oder besser gesagt das Grillen.

> Infinitive kann man auch als Substantive verwenden: *reisen – das Reisen* Diese Substantive sind immer neutrum (Artikel: *das*). Oft verwendet man sie mit den Präpositionen *bei* (beim Fliegen = wenn ich fliege) oder *zu* (zum Erholen = Ich will mich erholen).

B Was macht Henning nach der Arbeit? Bilden Sie aus dem Verb ein Substantiv.

1. er will entspannen: Henning geht _zum Entspannen_____ am liebsten schwimmen.

2. wenn er schwimmt: Henning vergisst _____ die Arbeit.

3. schwimmen   :   Nach _____ ist er müde und hungrig.

4. wenn er kocht: Er hört _____ immer Musik.

5. kochen, abwaschen: _____ macht Henning viel Spaß, aber er hasst _____.

as kann ich nach Kapitel 1

R1 a Sich über Urlaub unterhalten. Ergänzen Sie die Fragen.

1. Ist es für dich / für Sie wichtig, _____?

2. Macht es dir/Ihnen Spaß, _____?

3. Findest du / Finden Sie es interessant, _____?

4. Hast du / Haben Sie im Urlaub vor, _____?

b Machen Sie ein Interview mit Ihrem Partner / Ihrer Partnerin.

	☺☺	☺	😐	☹	KB	AB
💬 Ich kann mich zum Thema Urlaub über meine Vorlieben und Abneigungen unterhalten.	☐	☐	☐	☐	4a–c, 5a–c	

R2 Eine Hotelbewertung. Schreiben Sie Sätze fertig. ★☆☆☆☆

Wir waren gar nicht zufrieden. Wir _____ (sich / verwöhnen / lassen /

wollen). Aber wir _____ (nicht / den Wellness-Bereich /

benutzen / können). Und das Personal war nicht freundlich. Wir _____ dann _____

_____ (einen Ausflug / organisieren / lassen). Das war ganz gut.

	☺☺	☺	😐	☹	KB	AB
✎ Ich kann einen Kommentar über ein Hotel schreiben.	☐	☐	☐	☐	8a–c, 9a	9a,b

R3 Was ist passiert? Ordnen Sie die Ausdrücke und erzählen Sie die Geschichte.

> beim Ticketservice das Problem erklären ____ • das Konzert doch noch besuchen können ____ •
> das Ticket scannen und mailen ____ • das Ticket zu Hause vergessen ____ • schöner Abend ____ •
> einen Freund anrufen ____ • mit dem Zug nach Berlin fahren ____ • ein Konzert besuchen wollen ____

	☺☺	☺	😐	☹	KB	AB
💬 Ich kann eine einfache Geschichte erzählen.	☐	☐	☐	☐	10a–d	

Außerdem kann ich	☺☺	☺	😐	☹	KB	AB
👂 ... Aussagen über Arbeiten im Urlaub verstehen.	☐	☐	☐	☐		14
👂 ... Durchsagen auf Reisen und unterwegs verstehen.	☐	☐	☐	☐	12, 13	
👂💬 ... ein Gespräch im Reisebüro verstehen und führen.	☐	☐	☐	☐	6a–d, 7	6a, 7a,b
💬✎ ... über Urlaubsplanung sprechen und schreiben.	☐	☐	☐	☐	4, 5	4a–c, 5a
📖 ... kurze Texte über Urlaubsgewohnheiten verstehen.	☐	☐	☐	☐	3	3a
📖 ... Beschreibungen von Hotels und Urlaubsmöglichkeiten verstehen.	☐	☐	☐	☐	8a, 9a	7b
📖 ... wichtige Informationen in Blogeinträgen über das Thema Urlaub verstehen.	☐	☐	☐	☐	14a,b	2
✎ ... eine Geschichte über ein Reiseerlebnis schreiben.	☐	☐	☐	☐	10a–d	13

Lernwortschatz Kapitel 1

Urlaub machen

die Kultur (Singular) _____

die Ruhe (Singular) _____

der Stress (Singular) _____

aus|gehen _____

buchen _____

sich erholen _____

erleben _____

erwarten _____

Da weiß ich, was mich erwartet. _____

_____

faulenzen _____

sich fühlen _____

Wir haben uns wie zu Hause gefühlt. _____

_____

los|fahren _____

vergessen _____

vor|haben _____

Ich habe vor zu faulenzen. _____

_____

entspannend _____

rechtzeitig _____

Wir buchen den Urlaub rechtzeitig. _____

_____

spontan _____

Wir haben uns ganz spontan entschieden. _____

_____

Urlaub in der Natur

das Boot, -e _____

im Freien _____

das Insekt, -en _____

das Netz, -e _____

der Pilz, -e _____

Wir haben Pilze gesammelt. _____

_____

der Platz, Plätze _____

Wir haben einen schönen Platz gefunden. _____

_____

der Sand (Singular) _____

der Schutz (Singular) _____

Man braucht einen Insektenschutz. _____

_____

übernachten _____

im Freien übernachten _____

giftig _____

Vorsicht vor giftigen Pilzen! _____

_____

wahnsinnig _____

Hier ist es wahnsinnig kalt. _____

Urlaub im Hotel

die Lage (Singular) _____

inbegriffen _____

Das Frühstück ist im Preis inbegriffen. _____

_____

inklusive _____

Der Preis ist inklusive Frühstück. _____

_____

die Halb-/Vollpension (Singular) _____

Wir haben Halb-/Vollpension gebucht. _____

_____

der Service (Singular) _____

beraten _____

Ich habe mich im Reisebüro beraten lassen. _____

_____

betreuen _____

Im Hotel haben sie die Kinder betreut. _____

_____

organisieren _____

schließen _____

Das Restaurant schließt um 22.00 Uhr. _____

Reisen in fremde Länder

der Beamte, -n _____

die Botschaft (Singular) _____

das Konsulat, -e _____

Auf dem Konsulat bekommt man ein Visum. _____

_____

die Grenze, -n _____

der (Reise-)Pass, Pässe _____

der Staat, -en _____

das Visum (Singular) _____

der Zoll (Singular) _____

überqueren _____

Sie überqueren jetzt die Grenze. _____

ein Reiseerlebnis

der Gang, Gänge _____

die Reihe, -n _____

Er sitzt in der dritten Reihe am Gang. _____

_____

sich bedanken _____

erschrecken _____

verhaften _____

erleichtert _____

im Urlaub arbeiten

der Alltag (Singular) _____

das Ehepaar, -e _____

der Feierabend (Singular) _____

Das Ehepaar macht erst spät Feierabend. _____

_____

der Empfang (Singular) _____

Das Handy hat keinen Empfang. _____

_____

die Höhe (Singular) _____

Die Alm liegt auf 1.800 m Höhe. _____

_____

andere wichtige Wörter und Ausdrücke

die Abneigung, -en ↔ die Vorliebe, -n _____

_____

Sie hat eine Abneigung gegen / eine Vorliebe für das

Meer. _____

_____

Bescheid wissen _____

Er hat noch nicht Bescheid gewusst. _____

_____

der Gegensatz, -sätze _____

Im Gegensatz zu meinem Leben zu Hause ... _____

_____

sich erkälten _____

sich überlegen _____

eben _____

Das bekommt man eben nur, wenn ... _____

_____

ehrlich _____

positiv _____

wichtig für mich

_____

_____

_____

Welches Verb passt? Ergänzen Sie.

Bescheid _____   Empfang fürs Handy _____   Feierabend _____

2 Alles neu!

1

a Technik im Alltag. Ordnen Sie die Wörter den Bildern zu und ergänzen Sie den Plural.

> das Smartphone • der Türöffner • der DVD-Recorder • das/der Laptop • das/der Tablet •
> die Kaffeemaschine • das Navi • der Zahlencode

		Deutsch	Ihre Sprache
1			
2			
3			
4			
5			
6			
7			
8			

b Wie heißen die Wörter in Ihrer Sprache? Notieren Sie in der Tabelle in 1a. Welche Wörter sind ähnlich? Markieren Sie.

c Welches Gerät aus 1a ist für Sie am wichtigsten? Warum? Schreiben Sie einen kurzen Kommentar für ein Forum.

2

Was macht man mit dem Handy? Ergänzen Sie die Verben.

1. Ich muss jeden Sonntag meine Mutter _____ und dann sprechen wir ewig.

2. Ich _____ nicht viel mit meinen Freunden. Ich _____ ihnen lieber eine SMS.

3. Ich habe viele Spiele auf meinem Handy. Wenn ich irgendwo warten muss, _____ ich immer.

4. Ich _____ viel mit meinem Handy. Soll ich dir mal ein paar Fotos _____?

5. In der U-Bahn _____ ich immer die Zeitung auf meinem Handy.

6. Wenn mir langweilig ist, dann _____ ich auch Filme mit meinem Handy.

7. Man kann im Internet _____ und nach Informationen _____.

anrufen • fotografieren • lesen • machen • schicken • spielen • suchen • surfen • telefonieren • zeigen

Welches Handy nehme ich nur?

3

Ihre Freunde brauchen Hilfe? Geben Sie Ihnen Tipps.

1. Ich weiß nicht, welchen Fernseher ich kaufen soll.

   Du könntest dich in einem Geschäft informieren.

2. Ich habe mein Handy verloren.

   _____

3. Meine Handyrechnung ist zu hoch.

   _____

4. Ich habe mein Passwort für das Online-Banking vergessen.

   _____

5. Mein Laptop ist kaputt.

   _____

6. Der Akku ist gleich leer.

   _____

> **Tipps/Ratschläge geben**
> Bei Tipps oder Ratschlägen verwendet man oft den Konjunktiv II.
> Du **solltest** im Internet recherchieren.
> Du **könntest** dich in einem Geschäft informieren.
> An deiner Stelle **würde** ich ein neues Handy kaufen.

4

11–14

a Hören Sie die Umfrage. Wie treffen die Leute ihre Kaufentscheidungen? Kreuzen Sie an.

	Person 1	Person 2	Person 3	Person 4
informiert sich im Internet und hört dann aber auf den Rat von Freunden		X		
liest Testberichte in Fachzeitschriften und kauft dann das günstigste Gerät				X
sieht im Geschäft alle Geräte an und kauft dann spontan das schönste Gerät			X	
geht ins Geschäft, lässt sich dort beraten und kauft das Gerät, das der Verkäufer empfiehlt	X			

b *Weil* oder *obwohl*? Ergänzen Sie.

1. Ich kaufe ein neues Handy, _____weil_____ mein altes kaputt ist.

2. _____obwohl_____ ich mich sehr genau informiert habe, weiß ich nicht, welches ich nehmen soll.

3. Ich suche ein günstiges Gerät, _____weil_____ ich nicht so viel Geld ausgeben will.

4. Mein Freund hat ein teures Smartphone gekauft, _____obwohl_____ er nicht viel Geld verdient.

5. Morgen gehe ich in das kleine Geschäft am Goetheplatz, _____weil_____ es im Internet viel mehr Geräte gibt. Aber der Verkäufer dort ist so nett!

6. Ich gehe lieber ins Geschäft, _____weil_____ ich mich gern persönlich beraten lasse.

7. _____obwohl_____ ich im Internet viele Sonderangebote gesehen habe, kaufe ich mein neues Handy wahrscheinlich dort.

8. Hoffentlich geht das neue Handy nicht so schnell kaputt, _____weil_____ ich immer so lang für meine Entscheidung brauche. Das nervt!

c **Schreiben Sie Sätze mit *obwohl*.**

1. Ich telefoniere nicht gern. Aber ich habe ein Handy.

   Obwohl ich nicht gern telefoniere, habe ich ein Handy.

2. Ich brauche kein neues Handy. Aber ich informiere mich über neue Angebote.

   Obwohl ich kein neus Handy braucht, informier mich über neue Angebote

3. Mit meinem Handy kann ich auch fotografieren. Aber ich kaufe eine neue Kamera.

   Ich kann fotografieren mit meinem Handy, obwohl ich will eine neue kamera kaufen

4. Smartphones sind sehr praktisch. Aber ich will kein teures Smartphone kaufen.

   Smartphones sind sehr praktisch, obwohl ich will kein teures Smartphon kaufen

5. Das Gerät ist sehr billig. Aber ich kaufe es nicht.

   Obwohl das Gerät ist sehr billig, ich kauft es nicht

d **Schreiben Sie zu den Bildern Sätze mit *obwohl*.**

Herr Weber   Frau Braun   Dennis   Julian

1. *Herr Weber telefoniert, obwohl er in das Bibliothek ist.*
2. *Frau Braun typd, obwohl sie müde ist*
3. *Dennis spielt, obwoh er must putzen sein*
4. *Julian trägt ein Handy, obwohl der ist kein Handys*

e **Was passt? Kreuzen Sie an.**

	weil	obwohl	trotzdem	deshalb	
1. Ich chatte viel mit meinen Freunden,	X				ich sie jeden Tag sehe.
2. Mein Vater hat ein Smartphone,		X			surft er nie im Internet.
3. Ich lese immer Kundenbewertungen,	X				mir das bei meinen Entscheidungen hilft.
4. Viele Leute kaufen neue Geräte,			X		sie sie nicht brauchen.
5. Wir wollen Geld sparen,				X	kaufen wir keine neuen Handys.

Achten Sie auf die Verbposition.
Hauptsatz mit trotzdem/deshalb: Ich habe nicht viel Geld, **trotzdem** kaufe ich das teure Handy.
Nebensatz mit weil/obwohl: Ich kaufe ein neues Handy, **obwohl** das alte Handy noch funktioniert.

f Weil, obwohl, denn, trotzdem, deshalb: Ergänzen Sie.

Dieses neue Handy habe ich mir gekauft, _____ (1) jetzt alle Leute so tolle und moderne

Handys haben. Ich habe es schon vor einem Monat bestellt, _____ (2) ist es erst gestern

angekommen. Ich habe so lange gewartet, _____ (3) war ich wirklich froh, als es endlich

da war. Ich wollte unbedingt dieses Modell haben, _____ (4) es so cool aussieht. Aber es

ist ganz schön kompliziert. _____ (5) es einfach aussieht, habe ich ziemlich viel Zeit

gebraucht, um herauszufinden, wo man es überhaupt anschaltet. Die Bedienungsanleitung ist sehr lang,

_____ (6) habe ich sie dann irgendwann gelesen. Alle Funktionen kenne ich natürlich

immer noch nicht, _____ (7) ich die Bedienungsanleitung sehr genau gelesen habe.

Es ist echt toll, was man alles machen kann, _____ (8) ich die meisten Funktionen

wahrscheinlich gar nicht brauche. Ich hoffe, dass mein Handy mir irgendwann alles erklären kann,

_____ (9) es kann ja auch sprechen ☺.

Das neue Handy

5

a Rund ums Tablet.
Wortschatz **Ordnen Sie die Wörter zu.**
Verbinden Sie.

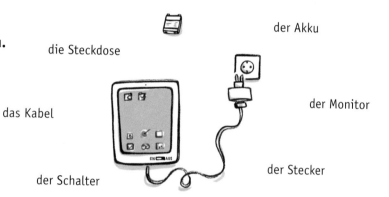

die Steckdose

der Akku

das Kabel

der Monitor

der Schalter

der Stecker

b Ordnen Sie den Dialog und hören Sie zur Kontrolle.

◆ __6__ Natürlich, hier. Ich finde das wirklich sehr ärgerlich.

◆ __10__ Na gut, das hier ist meine Nummer.

◆ __5__ Das wundert mich. Kann ich das Gerät mal sehen?

◆ __9__ Das entscheidet der Kundendienst. Sie lassen
einfach Ihre Telefonnummer hier und wir rufen
Sie an, wenn wir mehr wissen.

◆ __3__ Was ist denn das Problem?

◆ __4__ Wenn ich etwas herunterladen will, funktioniert
plötzlich gar nichts mehr. Und der Akku ist auch
immer nach zwei Stunden leer.

◆ __2__ Ja, mein Tablet funktioniert nicht richtig, obwohl es ganz neu ist.

◆ __8__ Dauert das lange? Können Sie mir nicht einfach ein neues Gerät geben?

◆ __7__ Ich kann verstehen, dass Sie ärgerlich sind. Am besten schicke ich das Gerät zu unserem
Kundendienst.

◆ __1__ Guten Tag, kann ich Ihnen helfen?

6

a **Freundlich und unfreundlich. Hören Sie die Dialoge. Wer spricht in den Dialogen freundlich, wer unfreundlich? Kreuzen Sie an.**

1.16

	Verkäufer			**Kunde**	
Dialog 1:	☺	☹	Dialog 1:	☺	☹
Dialog 2:	☺	☹	Dialog 2:	☺	☹
Dialog 3:	☺	☹	Dialog 3:	☺	☹
Dialog 4:	☺	☹	Dialog 4:	☺	☹

b **Lesen Sie jetzt alle Dialoge und betonen Sie freundlich. Hören Sie zur Kontrolle.**

1.17

Dialog 1
◆ Was ist denn das Problem?
◆ Der Akku funktioniert nicht richtig.

Dialog 2
◆ Und was kann man da jetzt machen?
◆ Da muss ich mal meinen Chef fragen.

Dialog 3
◆ Ich finde das ein bisschen ärgerlich.
◆ Ich kann verstehen, dass Sie verärgert sind.

Dialog 4
◆ Kann ich das Handy umtauschen?
◆ Ja, ich gebe Ihnen ein neues Gerät.

7

a **Reklamation und technische Geräte. Welche Verben finden Sie? Notieren Sie.**

la- · funk- · -tau- · -schlie- · -ten · um- · -seln · -ßen · -setz- · wech- · -schen · -den · an- · ein- · -en · -tion- · -schal- · kon- · an- · -ieren · -troll- · -ieren

funktionieren, _____

_____

b **Kunde oder Verkäufer? Wer sagt das? Notieren Sie K (Kunde) oder V (Verkäufer).**

1 Ich bin mit dem Gerät leider gar nicht zufrieden. __K__

2 Ich finde das wirklich sehr ärgerlich! __K__

3 Haben Sie den Drucker an den Computer angeschlossen? __V__

4 Was ist denn das Problem? __V__

5 Was kann man da jetzt machen? __K__

6 Kann ich Ihnen helfen? __V__

7 Haben Sie die Patronen auch richtig eingesetzt? __V__

8 Kann ich das Gerät bitte mal sehen? __V__

9 Kann ich den Drucker umtauschen? __V__

10 Ich kann verstehen, dass Sie ärgerlich sind. __V__

c **Sie haben vor drei Monaten bei der Firma Digitfer einen neuen Fernseher gekauft. Jetzt ist er kaputt. Sie erreichen bei der Firma telefonisch niemanden. Deshalb schreiben Sie eine E-Mail.**

P
DTZ

Schreiben Sie etwas über folgende Punkte. Vergessen Sie nicht die Anrede und den Gruß.
- Grund für Ihr Schreiben
- Garantie
- Reparatur oder neuer Fernseher
- wie Sie erreichbar sind

Smart wohnen

8

a **Smartes Wohnen. Was passt zusammen? Ordnen Sie zu.**

1 ____	den Bildschirm	A	bekommen
2 ____	in einem Neubau	B	öffnen
3 ____	die Haustür	C	wohnen
4 ____	eine Nachricht	D	achten
5 ____	auf die Kosten	E	berühren

b **Bilden Sie aus den Kombinationen in 8a Sätze.**

Wenn man den Bildschirm berührt, öffnet sich die Tür.

c **Ein schönes Haus. Formulieren Sie die Sätze um und verwenden Sie den Genitiv.**

1. *Die Lage von dem Haus ist toll.*   *Die Lage des Hauses ist toll.*

2. *Ich mag die Form von dem Sofa.*   Ich mag die Form von des Sofa

3. *Mir gefällt die Farbe von den Wänden.*   Mir gefällt die Farbe von des Wänden

4. *Die Größe vom Garten ist perfekt.*   Die Größe des Garten ist perfekt

5. *Die Form von der Küche ist ideal.*   Die Form des Küche ist ideal

6. *Die Atmosphäre vom Wohnzimmer ist angenehm.*   Die Atmosphäre des Wohnzimmer ist angenehm

> ❗ **-s oder -es beim Genitiv von maskulinen und neutralen Substantiven?**
> Mehrsilbige Substantive: meistens **-s**
> *das Zimmer – des Zimmers*
> Nomen mit der Endung -s, -ß, -(t)z, -sch, -st und einsilbige Substantive: meistens **-es**
> *das Haus – des Hauses*
> *das Bild – des Bildes*

9

a **Wo und wie wohnen? Lesen Sie die Sätze und markieren Sie die Artikel im Genitiv. Ergänzen Sie dann die Tabelle.**

Wir möchten am Rand einer Stadt wohnen.

Ich will in Berlin wohnen. Die Atmosphäre dieser Stadt ist einfach cool.

Die Wohnung meines Freundes ist toll. So würde ich auch gern wohnen.

In der Stadt ist es oft laut, deshalb genieße ich am Wochenende gern die Ruhe eines schönen Parks.

Das Ferienhaus meiner Großeltern liegt direkt am Meer. Da würde ich gern wohnen.

Ich hätte gern den Komfort eines modernen Hauses.

Genitiv				
	bestimmter Artikel	Demonstrativartikel (*dieser, diese, …*)	unbestimmter Artikel (*ein/kein*)	Possessivartikel (*mein, dein/…*)
der	des	dieses		
das	des	dieses		meines
die	der			meiner
die (Pl.)	der	dieser	■	

b Ergänzen Sie die Artikel im Genitiv.

1. Die Atmosphäre _____einer_____ (eine) Wohnung hängt oft vom Licht ab.

2. Das Haus _____meiner_____ (meine) Eltern ist nicht sehr modern.

3. Er würde gern den Inhalt _____seines_____ (sein) Kühlschranks per Handy kontrollieren.

4. Die Familie _____meines_____ (mein) Freundes hat ein Hightech-Haus.

5. Die Lage _____eines_____ (ein) Gebäudes finde ich wichtiger als moderne Technik im Haus.

c Bilden Sie die passenden Fragen mit *wessen*.

1. _Wessen Handy ist das?_____ Das ist Marias Handy.

2. _____ Das ist die Kamera von Frau Miller.

3. _____ Ich glaube, das ist Samiras Laptop.

10

a *Wegen* oder *trotz*? Lesen Sie die Kommentare zum Hightech-Haus und kreuzen Sie an.

freak2015 Ich bin Informatikerin und wegen ☒ trotz ☐ meines Berufs ist eine Hightech-Wohnung für mich natürlich interessant. So würde ich gerne wohnen!

Benno K. Das ist teuer, aber so ein Haus suche ich! Wegen ☐ Trotz ☒ des hohen Preises würde ich da sofort einziehen.

SusanC Also, für mich kommt das nicht in Frage. Ich will wegen ☐ trotz ☒ meiner Tiere auf dem Land wohnen und ganz einfach leben. Moderne Technik brauch' ich nicht.

> **wegen/trotz**
> In der gesprochenen Sprache verwendet man *wegen* und *trotz* oft mit Dativ:
> *Wegen den hohen Preisen* in der Stadt wohnen wir auf dem Land. *Trotz dem Regen* feiern wir im Garten.
> Bei Personalpronomen steht immer der Dativ:
> *Wegen dir* kommen wir zu spät.

b Ergänzen Sie die Sätze.

> die moderne Technik • die hohen Energiepreise • die hohe Miete • die gute Lage • ~~der große Lärm~~

1. Trotz _des großen Lärms_____ wohnen viele Leute gern in der Stadt.

2. Ich wohne direkt beim Park. Die Wohnung gefällt mir besonders wegen _____.

3. Wegen _____ ist das Hightech-Haus sehr praktisch.

4. Trotz _____ entscheiden sich manche Leute für ein Hightech-Haus.

5. Trotz _____ will ich nicht umziehen, lieber arbeite ich mehr.

c Hören Sie die Radiosendung. Welche Geräte der Zukunft wünschen sich Marco, Franz und Linda. Warum? Ordnen Sie zu und machen Sie Notizen.

1.18

Franz: allein machen

Linda: Kopfhörer Französisch lernen

J'assure en langues!

Marco: Freundin wohnt weit weg

– Marco: Freundin wohnt weit weg

P
B1

d Sie finden im Online-Gästebuch der Radiosendung zum Thema „Wie viel Technik brauchen wir?" folgende Meinung:

Guestbook	**Wie viel Technik brauchen wir?**
	Ich verstehe nicht, warum wir immer neue Dinge haben wollen. Wir haben doch schon alles. Mehr braucht man wirklich nicht für ein bequemes Leben. Warum muss man immer neue Dinge erfinden? Es gibt doch wirklich wichtigere Dinge, um die wir uns kümmern sollten.

Schreiben Sie nun Ihre Meinung (circa 80 Wörter).

Schöne bunte Welt der Werbung

11 **a** Über Werbung sprechen. Setzen Sie die Redemittel zusammen.

1. lustigsten / Anzeige / ich / am / finde / diese / .

   Ich finde diese Anzeige am lustigsten.

2. mir / die / wenigsten / gefällt / am / Anzeige / .

   Die Anzeige gefällt mir am wenigsten

3. Foto / nicht / dieser / ich / bei / mag / das / Werbung / .

   Ich mag dieser Werbung Foto nicht

4. der / mag / Text / diese / Anzeige / am / ich / liebsten / weil / frech / ist / .

   Diese Text ist frech weil ich mag der am liebsten

5. die / sehr / witzig / Idee / Werbung / bei / dieser / finde / ich / .

   Ich finde dieser Werbung bei die sehr witzig Idee

b Suchen Sie im Internet oder in Zeitschriften drei Werbeanzeigen. Schreiben Sie dann einen Kommentar zu diesen Anzeigen. Verwenden Sie die Redemittel aus dem Kursbuch.

12 In der Werbung verwendet man oft positive Adjektive. Wie heißt das Gegenteil? Notieren Sie.

Neu im Angebot: das teure Waschmittel Persolo!

Informieren Sie sich heute noch über unsere altmodischen und gefährlichen Autos!

Mit Vitaminbombo unsportlich und ungesund durch den Tag!

1. _____ – schlecht	5. _____ – traurig	9. _____ – alt
2. _____ – schwierig	6. _____ – altmodisch	10. _____ – langsam
3. _____ – ungesund	7. _____ – teuer	11. _____ – gefährlich
4. _____ – unsportlich	8. _____ – langweilig	12. _____ – schrecklich

13 Notizen machen. Lesen Sie den Text und notieren Sie Stichworte. Verwenden Sie auch Zeichen wie Pfeile (⟶). Diskutieren Sie anhand der Stichworte mit einem Partner / einer Partnerin über das Thema.

Werbung und Kinder

Im Radio und im Fernsehen, auf Plakatwänden, in Zeitungen, Zeitschriften und im Internet – Werbung ist überall und gehört zu unserem Alltag. Kinder vor Werbung zu schützen ist fast unmöglich und würde vielleicht sogar das Gegenteil bewirken: Was man nicht darf, ist erst recht interessant! Aber gerade beim Fernsehen sind kleinere Kinder den Werbestrategen erstmal hilflos   5
ausgeliefert. Rund zwei Stunden täglich verbringen Kinder und Jugendliche im Durchschnitt vor dem Fernseher. Mindestens 900 Werbespots können sie in dieser Zeit monatlich sehen.

„Nichts ist unmöglich ...", „Wohnst du noch oder lebst du schon", „Alles Müller oder was" – wenn es um Werbesprüche aus dem Fernsehen geht, sind Kinder Experten. Besonders   10
die 3- bis 13-Jährigen sind eine stark umworbene Zielgruppe. Da die Wirkung auf die Kinder abhängig von Alter und Lebensphase ist, lässt sich die Werbeindustrie für jede Altersstufe etwas einfallen. Rund um das Kinderprogramm kommen in den Spots die Helden aus beliebten Serien und   15
Filmen zum Einsatz. Oft kann man gar nicht mehr richtig unterscheiden, ob die kurzen, bunten und lustigen Clips Werbung sind oder noch zur Sendung gehören, die man gerade sieht. So zieht die Werbung die jungen Kunden von klein auf in die multimediale Medien- und Konsumwelt hinein. Aktuelle Studien zeigen es: Kinder beeinflussen das Kaufverhalten ihrer Eltern sehr stark. Deshalb werden Kinder als Zielgruppe für die Werbe-   20
branche immer interessanter und wichtiger.

Werbung ⟶ überall

Wortbildung – Substantive mit -er und -erin

A **Wer macht das? Ergänzen Sie die Wörter.**

> Käufer • Besucher • Fahrerin • Leserinnen

1. Zu der Messe sind eine Million _____ gekommen.

2. Ach, das Haus ist schon weg? Wer ist denn der _____?

3. Man hat uns am Bahnhof abgeholt. Die _____ hat uns direkt zum Hotel gebracht.

4. Die Zeitschrift macht viel Werbung, um mehr _____ zu gewinnen.

> ❗ Aus manchen Verben kann man Substantive mit **-er** bilden, die Personen bezeichnen:
> *surfen – der Surfer*
> Mit **-erin** bildet man feminine Substantive:
> *fahren – die Fahrerin*

B **Markieren Sie das Verb im Satz. Wie heißt die Person, die das macht? Schreiben Sie. Kontrollieren Sie mit dem Wörterbuch.**

1. Er berät Kunden bei der Bank, er ist _____.

2. Jana schwimmt gern, sie ist eine sehr gute _____.

3. Hannes läuft oft. Er ist ein schneller _____.

4. Sie verkauft Sachen in einem Geschäft: die _____.

> ❗ Manche Wörter bekommen einen Umlaut:
> *kaufen – der Käufer*
> Kontrollieren Sie immer mit dem Wörterbuch.

as kann ich nach Kapitel 2

R1 Die Reklamation. Arbeiten Sie zu zweit. Schreiben Sie
einen Dialog und spielen Sie ihn vor.

		☺☺	☺	☺	☹	KB	AB
💬	Ich kann etwas reklamieren.	☐	☐	☐	☐	7	5b, 7b

R2 Ergänzen Sie die Sätze.

1. Ich bleibe zu Hause, weil _____ .
2. Wir fahren wegen _____ nicht in die Berge.
3. Klaas macht eine Party, weil _____ .
4. Wegen _____ kaufe ich dieses Handy.

		☺☺	☺	☺	☹	KB	AB
💬✏	Ich kann Gründe ausdrücken.	☐	☐	☐	☐	4, 10	4b, e, f, 10a–b

R3 Was passt? Ordnen Sie zu.

1. Wir fahren nicht in den Urlaub,	A bleibt er zu Hause.
2. Trotz seiner Erkältung	B obwohl sie auf ihre Prüfung lernen sollte.
3. Pia geht jeden Abend aus,	C machen unsere Nachbarn einen Spaziergang.
4. Trotz des schönen Wetters	D obwohl wir Ferien haben.
5. Obwohl es regnet,	E geht er nicht zum Arzt.

		☺☺	☺	☺	☹	KB	AB
💬✏	Ich kann Gegengründe ausdrücken.	☐	☐	☐	☐	4, 10	4b–f, 10a–b

Außerdem kann ich	☺☺	☺	☺	☹	KB	AB
🎧 ... Interviews über technische Geräte verstehen.	☐	☐	☐	☐	1c	
🎧 ... eine Umfrage über Kaufentscheidungen verstehen.	☐	☐	☐	☐		4a
🎧 ... ein Reklamationsgespräch verstehen.	☐	☐	☐	☐	5b–c	5b
💬 ... über technische Veränderungen sprechen.	☐	☐	☐	☐	2	
💬 ... über Kaufverhalten sprechen.	☐	☐	☐	☐	3b	
💬 ... Werbeanzeigen vergleichen und beurteilen.	☐	☐	☐	☐	11d, 13	
📖🎧 ... Informationen über neue Technik verstehen.	☐	☐	☐	☐	8	10c
📖 ... einen Text über Werbung verstehen.	☐	☐	☐	☐	12	13
✏ ... einen Kommentar/Gästebucheintrag schreiben.	☐	☐	☐	☐	10d	10d
✏ ... eine Reklamation schreiben.	☐	☐	☐	☐		7c

Lernwortschatz Kapitel 2

technische Geräte

der Akku, -s _____

die Einparkhilfe, -n _____

der Farbdrucker, – _____

das Gerät, -e _____

das Kabel, – _____

die Kassette, -n _____

der Klick, -s _____

Sie können das mit einem Klick ändern. _____

_____

der Kopfhörer, – _____

die Nachricht, -en _____

die Neuerung,-en _____

der Monitor, -en _____

der Schalter, – _____

die Steckdose, -n _____

der Stecker, – _____

die Stimme, -n _____

die Computerstimme, -n _____

die Taste, -n _____

die Technik (Singular) _____

die Tintenpatrone, -n _____

der Zahlencode, -s _____

an|schalten _____

an|schließen _____

Hast du den Drucker angeschlossen? _____

_____

aus|gehen _____

Das Handy geht immer aus. _____

_____

berühren _____

Du musst den Bildschirm berühren. _____

_____

ein|setzen _____

Haben Sie die Patrone eingesetzt? _____

_____

laden _____

Wo kann ich den Akku laden? _____

_____

kontrollieren _____

elektronisch _____

neue Geräte auf dem Markt

die Bewertung, -en _____

die Funktion, -en _____

die Produktbeschreibung, -en _____

der/das Prospekt, -e _____

das Sonderangebot, -e _____

der Testbericht, -e _____

empfehlen _____

sich informieren (über) _____

vergleichen _____

ein Produkt kaufen und reklamieren

das Elektrogeschäft, -e _____

der Erfahrungsbericht, -e _____

die Garantie (Singular) _____

Ich habe noch Garantie auf den Drucker. _____

_____

sich entscheiden (für/gegen) _____

lösen _____

Der Kundenservice muss das Problem lösen. _____

_____

reklamieren _____

um|tauschen _____

verärgert _____

Wohnen

der Altbau ↔ der Neubau, -bauten _____

die Atmosphäre (Singular) _____

der Bewohner, – _____

die Kosten (Plural) _____

Wir müssen auf die Kosten achten. _____

_____

der Mitbewohner, – _____

die Stimmung, -en _____

ändern _____

an|passen _____

aus|suchen _____

beeindrucken _____

Die Wohnung beeindruckt mich. _____

_____

sich bewegen _____

heim|kommen _____

romantisch _____

ruhig _____

weich _____

über Werbung sprechen

die Marke, -n _____

der Markenname, -n _____

der Trick, -s _____

das Verhalten _____

Das Verhalten der Kunden ist wichtig. _____

_____

an|sprechen _____

Wir sprechen die Kunden direkt an. _____

_____

auf|fallen _____

wichtig für mich

_____

_____

_____

produzieren _____

überraschen _____

altmodisch _____

frech _____

geschmacklos _____

verständlich _____

witzig _____

andere wichtige Wörter und Wendungen

Bio- _____

die Jugend (Singular) _____

Das ist ein Muss. _____

der Profi, -s _____

die Schmerztablette, -n _____

das Taschenbuch, -bücher _____

der Tierpark, -s _____

der Witz, -e _____

die Zigarette, -n _____

der Zoo, -s _____

bemerken _____

Hast du bemerkt, dass der Akku fast leer ist? _____

_____

fair ↔ unfair _____

kritisch _____

unglaublich _____

damals _____

obwohl _____

wessen _____

Welche fünf Geräte spielen in Ihrem Alltag die größte Rolle? Notieren Sie.

_____

3 Wendepunkte

1

a Veränderungen. Welche Wörter passen wo? Ergänzen Sie die Kommentare.

> alleinerziehend • Fabriken • Großfamilie • Unterricht • berufstätig •
> Arbeitszeiten • Disziplin • Arbeitsbedingungen • Kindererziehung • Freiheit

War früher alles besser?

2. In den Familien hat sich viel
verändert. Früher war die
Unterricht ja sehr
autoritär, heute haben die Kinder mehr
Freiheit und dürfen viel allein
entscheiden. Auch in der Schule. Der
Kinderziehung ist viel
moderner, die Schüler lernen ganz
anders als früher. Ich finde das gut so.
Auch wenn viele Leute sagen, dass die
Kinder heute nicht mehr genug
berufstätig haben. *Karl M., 52*

1. Ich bin froh, dass sich in der Arbeitswelt
viel geändert hat. Früher haben viele Leute
in der Industrie sehr schlechte
Arbeitsbedingungen gehabt. In den
Fabriken war es laut und
heiß. Auch die _Arbeitszeiten_
sind heute viel besser, denn die meisten
Leute arbeiten heute nur noch 38 Stunden
pro Woche. *Tina K., 23*

3. Meine Geschwister und ich sind in einer
Großfamilie aufgewachsen.
Immer war jemand da, das war schön.
Heute haben viele Familien nur ein Kind und
meistens sind beide Elternteile
alleinerziehend und kommen erst
spät nach Hause. Da sind die Kinder oft allein,
das finde ich nicht gut. *Marianne P., 74*

4. Ich bin geschieden und habe einen
Sohn. Sein Vater wohnt in einer
anderen Stadt. Natürlich ist es nicht
leicht, _Disziplin_ zu
sein, aber ich bin froh, dass es heute
ganz normal ist, wenn Eltern nicht
mehr zusammenleben. *Lisa K., 36*

b Lesen Sie die Kommentare in 1a noch einmal. Welche Überschrift passt zu welchem Kommentar? Notieren Sie die Nummer.

A Sind moderne Familien wirklich besser? _____

B Kinder sind heute freier! _____

C Ist das Berufsleben heute leichter? _____

D Nicht einfach, trotzdem besser! _____

2

Früher und heute. Was denken Sie? Schreiben Sie die Sätze zu Ende.

1. Im Vergleich zu früher gibt es heute _eine neue Lied_ .

2. Zum Glück hat sich auch _heute meine spiel geschen_ .

3. Im Gegensatz zu heute _wird wir tag kino gehen_ .

4. Ich finde, früher war _meine hausaufgabe sehr leicht_ .

Plötzlich war alles anders

3
Wortschatz

a Wichtige Veränderungen. Ordnen Sie die Ereignisse zu. Manche passen zweimal.

> ~~die Ausbildung / das Studium beenden~~ • heiraten • krank werden • die Stelle kündigen •
> sich wieder erholen • ins Altersheim ziehen • die Schwangerschaft • arbeitslos werden •
> ein Kind bekommen • eine Therapie machen • Steuern zahlen müssen • einen Unfall haben •
> in Rente gehen • getrennt leben • eine Fortbildung machen • mehr Gehalt bekommen •
> der Tod eines Familienmitglieds • die Scheidung • Karriere machen • einen Angehörigen pflegen •
> sich selbstständig machen • süchtig nach einer Droge werden • nur noch Teilzeit arbeiten •
> sterben • eine Arbeitserlaubnis bekommen • zum Nichtraucher werden

Beruf	*die Ausbildung / das Studium beenden*
Familie	
Gesundheit	

b Was passt zusammen? Ordnen Sie die Verben zu. Die Texte im Kursbuch Seite 30 helfen Ihnen. Verbinden Sie die Ausdrücke dann mit dem passenden Foto.

> ~~beginnen~~ • ~~sitzen~~ • ~~bekommen~~ • ~~stürzen~~ • schreiben • ~~übernehmen~~ • ~~vermitteln~~ • ~~verkaufen~~

1. ein Buch _schreiben_
2. eine Metzgerei _verkaufen_
3. bei einem Skirennen _übernehmen_
4. Zweifel _vermitteln_
5. im Rollstuhl _sitzen_
6. das Unternehmen _bekommen_
7. Optimismus _stürzen_
8. noch mal von vorne _beginnen_

c Sie hören fünf kurze Texte. Dazu sollen Sie fünf Aufgaben lösen. Bei jeder Aufgabe sollen Sie feststellen: Habe ich das im Text gehört oder nicht? Wenn ja, markieren Sie beim Hören R = richtig, wenn nein, markieren Sie F = falsch.

9–23
P
ZD

1. Der Sprecher ist mit seinem Leben unzufrieden. ⊠R ☐F

2. Die Sprecherin hätte gerne mehr Gehalt. ☐R ⊠F

3. Für den Sprecher ist mehr Zeit am wichtigsten. ☐R ⊠F

4. Die Sprecherin macht bald eine Weltreise. ⊠R ☐F

5. Der Sprecher hat seinen Traum realisiert. ⊠R ☐F

> In der Prüfung hören Sie alle Aussagen direkt nacheinander. Zum Üben können Sie sie auch einzeln hören.

4

a Das neue Leben auf dem Land. Was steht in der E-Mail? Notieren Sie die Verben im Perfekt.

besuchen   ~~schreiben~~   helfen   erben   wohnen   machen   renovieren

bekommen   umziehen   passieren

Liebe Greta,

entschuldige, dass ich so lange nicht ⌘•⬦⬡⬢⬣⬤ ⬥⬦⬧⬨⬩ (1).

In meinem Leben ⬦⬧⬨ so viel ⬦⬧⬨⬩⬪⬫ (2) und ich

hatte nicht viel Zeit. Du weißt ja, ich ⬡⬢⬣ immer gern in der

Großstadt ⬦⬧⬨⬩⬪⬫ (3). Aber plötzlich ⬦⬧⬨ ich die

Chance ⬡⬢⬣⬤⬥⬦ (4), mein Leben komplett zu ändern.

Und ich ⬡⬢⬣ es tatsächlich ⬦⬧⬨⬩⬪ (5)! Stell dir vor,

ich ⬦⬧⬨⬩ von einer Verwandten ein altes Haus auf dem Land

⬡⬢⬣⬤⬥⬦ (6). Meine Eltern und ich ⬦⬧⬨ das Haus von

oben bis unten ⬡⬢⬣⬤⬥ (7), dabei ⬡⬢⬣⬤ auch viele

Freunde ⬡⬢⬣⬤⬥ (8). Vor vier Wochen ⬡⬢⬣ ich dann

in das kleine Dorf ⬡⬢⬣⬤⬥⬦ (9). Das Leben ist hier total anders,

sehr ruhig. Aber mir gefällt's! Lea ⬦⬧⬨ mich letzte

Woche schon ⬡⬢⬣⬤⬥⬦ (10). Wann kommst du???

Liebe Grüße,

Anna

1. _geschrieben habe_
2. _____
3. _____
4. _____
5. _____
6. _____
7. _____
8. _____
9. _____
10. _____

b Lebenswende. Ergänzen Sie *sein, haben* oder ein Modalverb in der richtigen Form im Präteritum. Manchmal gibt es mehrere Möglichkeiten.

1. Markus Holubek _____ bei einem Skirennen einen schweren Unfall.

2. Nach dem Unfall _____ er gelähmt und _____ nicht mehr laufen.

3. Aber er _____ diese Situation nicht akzeptieren: Er _____ wieder gehen

    lernen.

4. Heute braucht Markus Holubek keinen Rollstuhl mehr. Aber er _____ viel trainieren, um

    das zu schaffen.

5. Karl Ludwig Schweisfurth _____ eine große Wurstfabrik und _____ sehr reich.

6. Seine Kinder _____ aber nicht in der Fabrik arbeiten.

7. Nach vielen Gesprächen mit ihnen hat er gewusst, dass er alles anders machen _____.

8. Nach dem Verkauf der Firma _____ er noch einmal neu anfangen und ein neues

    Unternehmen mit ökologischer Landwirtschaft gründen.

9. Dort _____ die Tiere kein künstliches Futter bekommen und sie _____ genug

    Platz und Bewegung haben. Und das ist bis heute so geblieben.

c **Präteritum. Welche Präteritumform passt zu welchem Verb? Verbinden Sie und ergänzen Sie dann die Präteritumsformen im Text.**

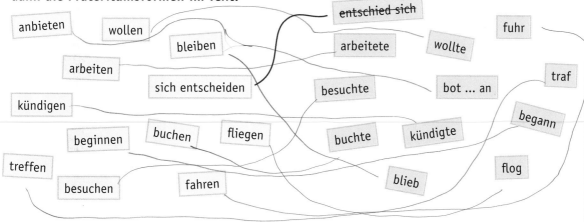

anbieten · wollen · entschied sich · fuhr · bleiben · arbeitete · wollte · arbeiten · traf · sich entscheiden · besuchte · bot ... an · kündigen · begann · beginnen · buchen · fliegen · buchte · kündigte · treffen · flog · besuchen · fahren · blieb

Susanne Bergner ___entschied sich___ (1) an einem ganz normalen Tag im Herbst, ihr Leben zu ändern.

Sie ___begann___ (2) in dieser täglichen Routine nicht mehr so weiter machen. Sie

___besuchte___ (3), so viel Geld wie möglich zu sparen. Damals ___traf___ (4) sie als

Event-Managerin in einer großen Agentur. Ein Jahr später ___arbeitete___ (5) sie ihren stressigen

Job und ___wollte___ (6) ein Ticket für eine lange Reise. Sie ___flog___ (7) zuerst

nach Australien, wo sie alte Schulfreunde für ein paar Wochen ___blieb___ (8). Von dort

___buchte___ (9) sie dann mit einem Auto quer durch das Land. Sie ___blieb___ (10)

fast ein Jahr in Australien. Zurück in Deutschland ___flog___ (11) sie zufällig einen alten

Freund. Er ___buchte___ ihr einen interessanten Job ___bot an___ (12). Heute verdient Susanne nicht

mehr so viel Geld, aber sie hat viel mehr Zeit als früher.

d **Markieren Sie im Text alle Präteritumformen. Schreiben Sie dann die Verben in eine Tabelle (Infinitiv – Präteritum – Perfekt). Ergänzen Sie auch die Verben aus 4c.**

Der Schauspieler Christoph Waltz kam 1956 in Wien zur Welt und ging dort zur Schule. Anschließend studierte er Schauspiel am Max-Reinhardt-Seminar. Bereits mit 19 Jahren stand er in Zürich auf der Bühne. Es folgten viele Theaterrollen und bald wurde Waltz ein bekannter Schauspieler im deutschen Fernsehen. Aber lange Zeit war Waltz nicht so richtig erfolgreich. Der große Wendepunkt in seinem Leben kam, als er den Filmregisseur Quentin Tarantino traf. Tarantino war begeistert von Waltz und gab ihm eine wichtige Rolle in seinem Film „Inglourious Basterds". Seit diesem Film ist Waltz ein internationaler Star. Er gewann sogar zweimal in Hollywood einen Oscar.

regelmäßige Verben	unregelmäßige Verben
studieren – studierte – hat studiert	kommen – kam – ist gekommen

Notieren und lernen Sie **unregelmäßige Verben** immer zusammen mit den Formen für das Präteritum und das Perfekt:
fahren – fuhr – ist gefahren

e Das Leben von Heike Makatsch. Schreiben Sie aus den Stichpunkten 1 bis 9 eine Biografie im Präteritum. Verwenden Sie passende Satzverbindungen (*zuerst, dann, danach, später, ...*). Der letzte Satz steht nicht im Präteritum.

1. am 13.08.1971 in Düsseldorf zur Welt kommen
2. nach der Schule vier Semester Politik studieren
3. Fernsehkarriere als Moderatorin 1993 beim Musiksender VIVA beginnen
4. ab 1996 als Schauspielerin arbeiten
5. für acht Jahre in London leben
6. die Freundin von Daniel Craig sein
7. 2004 nach Deutschland zurückkommen
8. den Musiker Max Schröder kennenlernen
9. zwei Kinder bekommen

Heute lebt sie mit Max Schröder und den Kindern in Berlin.

Die Sache mit dem Glück

5 Glück. Woran denken Sie? Schreiben Sie wie im Beispiel.

```
            U R L A U B          F              G
            M U S I K            R              L
      H A U S T I E R            E              Ü
              B L U M E N        U              C
          S C H N E E            N              K
                                 D              L
                                 E              I
                                                C
                                                H
```

6

a Lesen Sie die Aussagen. Welchen Aussagen stimmen Sie zu? Kreuzen Sie an.

1. ☐ Es macht die Menschen glücklich, wenn die Sonne immer scheint. — Zeile _____

2. ☐ Ein hohes Einkommen macht glücklich. — Zeile _____

3. ☐ Um glücklich zu sein, sollte man Sport treiben. — Zeile _____

4. ☐ Für das Glück ist es wichtig, Freundschaften zu pflegen. — Zeile _____

5. ☐ Man braucht auch eine gute Wohnung, wenn man glücklich sein möchte. — Zeile _____

6. ☐ Genug schlafen hilft beim Glücklichsein. — Zeile _____

b Lesen Sie den Zeitungsartikel. Wo finden Sie Informationen zu den Aussagen aus 6a? Notieren Sie die Zeilenangaben neben den Aussagen in 6a.

Was macht glücklich?

Was macht uns glücklich? Diese Frage hat wohl jeder schon einmal diskutiert. Google liefert dazu fast 3,5 Millionen Treffer. Ist es Geld? Die Familie? Das Wetter? Gibt es einen sicheren Weg, um auf „Wolke sieben" zu landen?

5 Besonders im verregneten Norden freuen wir uns über die Sonnentage. „Das macht tatsächlich glücklich", sagt die Glücksforscherin Hilke Brockmann von der Bremer Jacobs University. Aber nur, wenn die Sonne nicht immer scheint. Denn, so erklärt sie, „man kann sich auch sehr an die Sonne gewöhnen". Das Glücksgefühl wird dadurch schnell kleiner. Genauso ist es bei Geld. „Ein hohes Einkommen garantiert auf Dauer kein Glücklichsein", erklärt Brockmann.

10　Was aber macht glücklich? Die Wissenschaftler von der Jacobs University haben eine Formel aufgestellt: Glück = Haben + Lieben + Sein. Dazu gehört z. B. eine gute Wohnung, das Pflegen von sozialen Beziehungen und Aktivitäten wie soziales Engagement. Auf die Frage, was man noch für das Glück tun kann, antwortet Brockmann: „Sport treiben und ausreichend schlafen. Außerdem hilft auch mal der Blick nach unten und nicht immer nur nach oben."

c　*Vor, nach, während*. **Die Geschichte von Selina und Enrico. Ergänzen Sie die Sätze.**

1. (vor / acht Jahre) _____Vor acht Jahre_____ trafen sich Selina und Enrico zum ersten Mal.

2. Sie lernten sich (während / ihre Studienzeit) _____Während ihre Studienzeit_____ in Italien kennen.

3. (Nach / sein Studium) _____Nach sein Studium_____ bekam Enrico dort eine gute Stelle als Lehrer.

4. (Vor / ihr Umzug nach Italien) _____Vor ihr Umzug nach Italien_____ arbeitete Selina als Grafikerin in Frankfurt.

5. (Während / die Arbeit) _____Während die Arbeit_____ dachte sie oft an Italien.

6. (Nach / ihre Hochzeit) _____Nach ihre Hochzeit_____ konnten die beiden aus beruflichen Gründen zuerst nicht zusammenleben.

7. Aber (während / ein Urlaub) _____während ein Urlaub_____ merkten sie, dass sie endlich zusammenziehen wollten.

7

a　**Bens Suche nach dem Glück. Was gehört zusammen? Ordnen Sie zu.**

1. _F_　Ben spricht nicht gut Spanisch,　　　　A　dass er sie bald heiraten will.

2. _D_　Er besucht einen Sprachkurs in Sevilla,　B　dass ihr Deutsch wirklich gut ist.

3. _E_　Maria hat so lange in Deutschland gelebt,　C　darum versteht er Marias Freunde oft nicht.

4. _B_　Bens Geschwister sind in Deutschland,　　D　sodass sein Spanisch bald besser wird.

5. _G_　Ben vermisst seinen Vater,　　　　　　　E　sodass er sie nur selten sehen kann.

6. _C_　Er ist mit Maria so glücklich,　　　　　F　deswegen hat er im Moment nicht viel Geld.

7. _E_　Leider hat er noch keine Arbeit gefunden,　G　deshalb ruft er ihn oft an.

b　**Formulieren Sie Sätze mit *sodass* oder *so ..., dass*.**

> **sodass / so ..., dass**
> Wenn im Hauptsatz ein Adjektiv oder Adverb steht, kann *so* davor stehen:
> *Ich bin so <u>krank</u>, dass ich ...*

1　a　Ich bin krank. Ich kann nicht arbeiten.

　　　Ich bin so krank, dass ich nicht arbeiten kann.

　　b　Meine Arbeit macht viel Spaß. Ich gehe normalerweise gern ins Büro.

　　　Meine Arbeit macht viel Spaß, sodass ich gehe normalerweise gern ins Büro

2　a　Meine kleine Schwester ist verliebt. Sie kann nicht mehr klar denken.

　　　Meine kleine Schwester ist verliebt, dass sie kann nicht mehr klar denken

　　b　Ihr Freund wohnt weit weg. Sie können sich nicht oft treffen.

　　　Ihr Freund wohnt weit weg, sodass sie können sich nicht oft treffen

3　a　Mein Kollege hat in seiner Heimat keine Arbeit gefunden. Er ist in ein anderes Land gezogen.

　　　Mein Kollege hat in seiner Heimat keine Arbeit gefunden, dass er ist in ein anderes Land gezogen

　　b　Dort hat er seine große Liebe getroffen. Er will nicht mehr zurück.

　　　Dort hat er seine große Liebe getroffen, sodass er will nicht mehr zurück

c Eva zieht in die Schweiz. Lesen Sie die Sätze. Welcher Konnektor passt? Kreuzen Sie an.

1. Evas Freund lebt in Zürich,   deswegen ☐ aber ☒ sehen sie sich nur alle vier Wochen.

2. Sie verbringen nicht viel Zeit zusammen,   oder ☐ aber ☒ sie telefonieren jeden Tag.

3. Eva will in die Schweiz ziehen,   aber ☒ trotzdem ☐ ihre Eltern sind dagegen.

4. Sie versteht ihre Eltern,   trotzdem ☒ darum ☐ freut sie sich auf ihr neues Leben.

5. Sie lernt Deutsch,   darum ☒ denn ☐ sie will schnell eine Stelle in der Schweiz finden.

6. Eva will schnell Leute kennen lernen,   deshalb ☒ trotzdem ☐ meldet sich in einem Verein an.

7. Evas Freund möchte sich mit ihrer Familie unterhalten,   denn ☒ darum ☐ lernt er Polnisch.

8

a Ben hat eine Nachricht bekommen. Bringen Sie die Teile in die richtige Reihenfolge.

Lieber Ben,   15:36

____ Mit ihnen kannst du dich austauschen und ihr könnt euch gegenseitig Tipps geben.

____ Aber ich denke, du musst dir mehr Zeit geben. Du bist erst seit drei Monaten in Sevilla.

____ Da triffst du andere Leute, die in einer ähnlichen Situation wie du sind.

____ Deswegen ist es total normal, dass dein Spanisch noch nicht so gut ist. Du solltest endlich einen Sprachkurs machen.

____ Melde dich bald wieder, viele Grüße, Tom

____ An deiner Stelle würde ich also noch weiter in Spanien einen Job suchen und noch nicht nach Deutschland zurückkommen.

____ schön, mal wieder von dir zu hören! Ich kann gut verstehen, dass es im Moment nicht so leicht für dich ist.

____ Außerdem wird dann dein Spanisch auch endlich besser ☺. Wenn du die Sprache besser sprichst, wird auch die Arbeitssuche leichter.

—— 16. April ——

b Alles in Ordnung? In Leons Nachricht sind neun Fehler. Markieren und korrigieren Sie die Fehler.

Liebe Ben,
vielen Dank für ihre Nachricht. Ich kann dich gut verstehen, denn
es mir genauso gegangen ist. Als ich vor drei Jahren wegen
Isabella zu Frankreich gezogen bin, war mein Französisch auch
ziemlich schlecht und ich habe keinen Job.   5
Aber habe ich nicht aufgegeben und nach einem halben Jahr habe
ich endlich eine Stelle finden. Du brauchst einfach mehr Zeit!
Isabella kann kein Deutsch, sodass haben wir immer Französisch
gesprochen. Das hat mich sehr geholfen. Sprichst du mit Maria
Deutsch oder Spanisch?   10
Melde dich bald wieder, viele Grüße
Leon

1. _Lieber_
2. _____
3. _____
4. _____
5. _____
6. _____
7. _____
8. _____
9. _____

Zeile 1: **Lieber** • Zeile 2: **ihre** • Zeile 3: **es mir genauso gegangen ist** • Zeile 4: **zu** • Zeile 5: **habe** • Zeile 6: **habe ich** • Zeile 7: **finden** • Zeile 8/9: **haben wir … gesprochen** • Zeile 9: **mich**

9

1.24

a *ts* und *tst*. Hören Sie die Wörter und sprechen Sie nach.

1. Ärztin
2. Arbeitszeiten
3. Beziehung
4. alleinerziehend
5. Zürich
6. verletzt
7. Freizeit
8. Klassenzimmer

1.25

b Lesen Sie die Sätze laut. Hören Sie dann zur Kontrolle.

1. Die Ärztin ist letzten Monat wegen ihrer Beziehung nach Zürich umgezogen.
2. Jetzt hat sie mehr Freizeit, weil ihre Arbeitszeiten ganz gut sind.
3. Der alleinerziehende Vater ist stolz auf die Erziehung seiner Kinder.
4. Der Student aus Florenz sitzt allein im Klassenzimmer.

Die Wende

10

a Wörter zur Wende. In dem Kasten sind elf Substantive versteckt. Notieren Sie sie mit Artikel.

Q	G	E	S	C	H	I	C	H	T	E	Z	S
D	A	T	U	M	L	K	J	I	E	P	W	I
E	N	M	S	K	F	R	E	I	H	E	I	T
M	M	R	A	E	E	I	W	E	R	G	E	U
O	Y	E	N	B	I	M	A	U	E	R	I	A
K	T	D	B	O	E	U	H	H	T	E	P	T
R	E	U	C	P	R	Z	L	K	R	N	L	I
A	R	L	P	M	H	G	Y	L	T	Z	L	O
T	S	T	I	M	M	U	N	G	E	E	O	N
I	O	M	C	H	W	S	X	R	T	R	U	I
E	R	E	I	G	N	I	S	D	E	R	J	O

1. das Datum, _____
_____
_____
_____
_____

b „Der 9.11.1989 – Woran erinnern Sie sich?"
Welche Wörter aus 10a passen in die Kommentare?
Ergänzen Sie.

1. Der 9. November 1989 ist natürlich für alle Deutschen ein wichtiges ___*Datum*___ . Ich erinnere mich gut an diesen Tag. Wir hatten gerade Besuch, als die Nachrichten im Radio kamen. Wir haben uns sehr gefreut und ich habe gleich meine Verwandten in Berlin angerufen.

   Der 9. November – ein wichtiger Tag in der _____ Deutschlands.

2. Ich bin sofort zur _____ gefahren und sie war tatsächlich offen! Unglaublich! Die Grenzbeamten standen dort und wussten nicht so richtig, was sie tun sollen. Das war

   sicher eine komische _____ für sie. Für alle anderen war es toll ☺.

3. Die Bilder kennt ja jeder: Die Leute klettern auf die _____, feiern, singen, das war sicher eine

   super _____ dort in Berlin. Ich wäre gern dort gewesen, aber wir wohnen einfach zu weit weg.

4. Die Menschen haben monatelang für mehr _____ und

   _____ demonstriert. Da konnte man wirklich sehen, dass viele Menschen zusammen etwas verändern können, wenn sie es wollen. Einfach toll!

11

a Ein historischer Tag. Hören Sie den Bericht und machen Sie sich Notizen. Worüber berichtet die Kursteilnehmerin? Ergänzen Sie den Notizzettel.

1.26

3. Oktober →	_deutscher N_____
9. November →	_____
3. Okt. 1990 →	_offizielle_____
Vorher:	_____
offizielle Feier – Wo?	_____
Was passiert auf der Feier?	_____

b Schreiben Sie einen kurzen Text über einen für Sie wichtigen Tag.

P
ZD
DTZ
Z B1

c Sie möchten mit den Teilnehmern aus Ihrem Sprachkurs ein Fest feiern. Sie haben die Aufgabe, zusammen
mit Ihrem Gesprächspartner / Ihrer Gesprächspartnerin
dieses Fest zu planen. Überlegen Sie sich, was alles zu
tun ist und wer welche Aufgaben übernimmt. Sie haben sich schon auf einem Zettel Notizen gemacht.

Fest
* *Wann?*
* *Wo?*
* *Einladungen?*
* *Essen?*
* *Getränke?*
* *Wer bezahlt wofür?*

Wortbildung – zusammengesetzte Substantive I

A Wie heißen die Substantive?

1. die Heimat + das Land

   = _das Heimatland_____

2. das Handy + die Nummer

   = _____

3. die Wurst + die Fabrik

   = _____

4. das Auto + der Fahrer

   = _____

5. die Wand + die Farbe

   = _____

Oft kann man zwei oder mehr Substantive
zusammensetzen und so neue Wörter bilden.
Das letzte Wort bestimmt den Artikel.
das Haus + ***die** Tür* = ***die** Haustür*
die Haustür + ***der** Schlüssel* = ***der** Haustürschlüssel*
Manchmal steht zwischen den Wörtern ein *-(e)s*:
*das Glück**s**gefühl, die Bund**es**republik*

6. das Radio + die Werbung = _____

7. das Plastik + der Becher = _____

8. das Produkt + die Beschreibung = _____

B Welche anderen zusammengesetzten Substantive kennen Sie? Notieren Sie mindestens fünf mit Artikel.

_____

_____

las kann ich nach Kapitel 3

R1 Schreiben Sie Ihre (Fantasie-)Biografie im Präteritum.

- *Wo geboren?*
- *Schule: Wo? Wie lange?*
- *Ausbildung / Universität?*
- *Beziehung / Familie?*
- *Aufenthalt im Ausland?*

	☺☺	☺	😐	☹	KB	AB
💬✏ Ich kann über Vergangenes berichten.	☐	☐	☐	☐	3–4	4

R2 Ergänzen Sie die Sätze.

1. Pietro spricht zwei Fremdsprachen fließend, sodass ...
2. Maike lebt im Ausland und vermisst ihre Familie, deshalb ...
3. Ben ist arbeitslos, darum ...
4. Hier ist es so kalt, dass ...

	☺☺	☺	😐	☹	KB	AB
💬✏ Ich kann Folgen ausdrücken.	☐	☐	☐	☐	7	7

R3 Hören Sie. Sind die Aussagen richtig oder falsch? Kreuzen Sie an.

1.27

	richtig	falsch
1. Die Schule hat Fabio richtig Spaß gemacht.	☐	☐
2. Nach der Schule wusste er genau, was er machen wollte.	☐	☐
3. Der Nachbar seiner Oma hat ihm die Möglichkeit zu einem Praktikum gegeben.	☐	☐
4. Durch das Praktikum hat sich Fabios Leben geändert.	☐	☐
5. Jetzt möchte er in einer anderen Werkstatt arbeiten.	☐	☐

	☺☺	☺	😐	☹	KB	AB
🎧📖 Ich kann Texte über Wendepunkte im Leben verstehen.	☐	☐	☐	☐	3	

Außerdem kann ich	☺☺	☺	😐	☹	KB	AB
🎧 ... eine Radiosendung verstehen.	☐	☐	☐	☐	2a–b, 6b–c	3c
💬✏ ... über Veränderungen sprechen und schreiben.	☐	☐	☐	☐	1, 2c, 3a	2
💬 ... über Zitate sprechen.	☐	☐	☐	☐	5	
💬 ... etwas gemeinsam planen.	☐	☐	☐	☐		11c
💬✏ ... über historische Ereignisse sprechen und schreiben.	☐	☐	☐	☐	10b, 11	11b
📖🎧 ... Texte und Berichte über historische Ereignisse verstehen.	☐	☐	☐	☐	10c	11a
📖 ... einen Text zum Thema „Glück" verstehen.	☐	☐	☐	☐	6a	6a–b
✏ ... einen kurzen Text zu einer Überschrift schreiben.	☐	☐	☐	☐	4c	
✏ ... eine E-Mail mit Tipps schreiben.	☐	☐	☐	☐	8	8

Lernwortschatz Kapitel 3

Arbeit und Beruf

die Arbeitsbedingungen (Plural) _____

die Arbeitserlaubnis (Singular) _____

die Arbeitszeit, -en _____

die Fabrik, -en _____

die Fortbildung, -en _____

das Gehalt, Gehälter _____

die Karriere _____

Sie hat schnell Karriere gemacht. _____

_____

die Landwirtschaft (Singular) _____

die Produktion, -en _____

in Rente gehen _____

die Steuer, -n _____

der Transport, -e _____

das Unternehmen, – _____

kündigen _____

übernehmen _____

Er hat die Firma 2011 übernommen. _____

_____

arbeitslos _____

beruflich _____

berufstätig _____

doppelt (so gut) _____

halb (so viel) _____

kostbar _____

ökologisch _____

sich selbstständig machen _____

tätig sein (als) _____

wertvoll _____

Familie

der/die Angehörige, -n _____

einen Angehörigen pflegen _____

die Beziehung, -en _____

die Erziehung (Singular) _____

die Scheidung, -en _____

der Todesfall, -fälle _____

die Trennung, -en _____

erben _____

vermissen _____

alleinerziehend _____

autoritär _____

getrennt _____

Veränderungen

die Fantasie, -n _____

die Krise, -n _____

der Prozess, -e _____

die Situation, -en _____

die Krisensituation, -en _____

der Umzug, Umzüge _____

der Wendepunkt, -e _____

die Wirklichkeit (Singular) _____

ab|raten (von) _____

auf|geben _____

aus|steigen _____

noch mal von vorne beginnen _____

bieten _____

viel Positives bieten _____

schaffen _____

Du schaffst das! _____

dagegen sein _____

irreal _____

schwierig _____

Körper und Gesundheit

die Droge, -en _____

der Nerv, -en _____

der Nichtraucher, – _____

der Rollstuhl, -stühle _____

Er sitzt im Rollstuhl. _____

die Schwangerschaft, -en _____

der Therapeut, -en _____

das Training, -s _____

die Verletzung, -en _____

brechen _____

spüren _____

stürzen _____

eine Krise überwinden _____

gelähmt _____

süchtig (nach) _____

klopfen (auf/an) _____

jubeln _____

reagieren _____

umarmen _____

einzigartig _____

geteilt _____

das geteilte Deutschland _____

historisch _____

staatlich _____

stolz _____

Geschichte

die Bundesrepublik _____

die DDR _____

die Freiheit (Singular) _____

die Meinungsfreiheit _____

die Pressefreiheit _____

die Geschichte (Singular) _____

der Grenzübergang, -gänge _____

die Kontrolle, -n _____

die Mauer, -n _____

der Stolz (Singular) _____

die Wahl, -en _____

der Weltkrieg, -e _____

die Wiedervereinigung (Singular) _____

erfahren (von) _____

fliehen (aus) _____

andere wichtige Wörter und Wendungen

die Art, -en _____

Welche Art von Verletzung ist es? _____

_____

das Ausland (Singular) _____

die Innenstadt, -städte _____

die Sekunde, -n _____

von einer Sekunde auf die andere _____

der Titel, – _____

der Vergleich, -e _____

Im Vergleich zu früher ist es heute ... _____

_____

beweisen _____

künstlich _____

reich _____

tatsächlich _____

wichtig für mich

_____

_____

_____

_____

Welche Wörter passen zu den Erklärungen? Notieren Sie.

1. keine Arbeit haben: _____

2. Hier produziert man Dinge: _____

3. Mit diesem Dokument darf man in einem anderen Land arbeiten: _____

4 Arbeitswelt

1 Wortschatz

a Berufe. Welche Beschreibung passt zu welchem Beruf? Ordnen Sie zu.

A Ich arbeite am Gericht und muss viele Akten lesen. Meistens ist die Situation kompliziert, aber mein Ziel ist es, immer gerecht zu sein. In meinem Beruf muss man eine gute Menschenkenntnis haben. **4**

1. der Reporter / die Reporterin

2. der Handwerker / die Handwerkerin

B Ich baue Gemüse an und habe siebzehn Kühe. Mein Arbeitstag beginnt morgens um halb fünf. Die Arbeit auf dem Bauernhof ist anstrengend, aber mir gefällt es. **3**

3. der Bauer / die Bäuerin

C Ich arbeite für die Gesellschaft und bin viel in der Öffentlichkeit. Die Leute haben mich gewählt. Ich muss viel diskutieren, weil ich will, dass wir richtige Entscheidungen treffen. **6**

4. der Richter / die Richterin

D Ich arbeite auf dem Markt. Jeden Tag bin ich in einem anderen Stadtteil, aber wir haben auch ein kleines Geschäft in dem Dorf, wo wir wohnen. Dort arbeitet meine Frau. Ich kaufe die Waren selbst ein und verkaufe sie dann an andere. **5**

5. der Händler / die Händlerin

6. der Politiker / die Politikerin

E Wir arbeiten mit unseren Händen. Die meisten von uns haben eine Werkstatt. Normalerweise machen wir Dinge selbst oder reparieren sie. Es gibt verschiedene Berufe, die man so nennt: Eva ist zum Beispiel Schreinerin, ich bin Maler. **2**

F Ich arbeite für einen Fernsehsender, manchmal schreibe ich auch für Zeitungen. Meine Aufgabe ist es, von Ereignissen zu berichten und andere Menschen in meinen Reportagen gut zu informieren. **1**

b Notieren Sie Antworten auf die Interviewfragen. Wenn Sie noch keinen Beruf haben, dann antworten Sie für Ihren Traumberuf. Sie können danach einen Partner / eine Partnerin interviewen.

1. Was sind Sie von Beruf? ___Pilot___

2. Warum haben Sie diesen Beruf gewählt? ___interessant___

3. Welche Ausbildung braucht man dafür? ___sehr viel training___

4. Was machen Sie die meiste Zeit? ___um die Flugzeug___

5. Was gefällt Ihnen (nicht) daran? ___die stunden___

2

a **Was passt zu welchem Beruf? Verbinden Sie. Manchmal gibt es mehrere Möglichkeiten.**

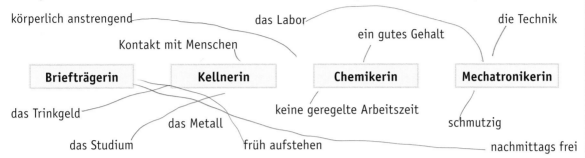

körperlich anstrengend — das Labor — ein gutes Gehalt — die Technik

Kontakt mit Menschen

| Briefträgerin | Kellnerin | Chemikerin | Mechatronikerin |

das Trinkgeld — keine geregelte Arbeitszeit

das Metall — schmutzig

das Studium — früh aufstehen — nachmittags frei

b **Wählen Sie zwei Berufe aus 2a. Beschreiben Sie die Berufe in vier bis fünf Sätzen.**

3 **Meine Arbeit. Hören Sie den Ausschnitt aus einem Interview und notieren Sie.**

28

Arzt

Wo? ___ Krankenhaus ___

Arbeitszeit: ___ Arzt ___

Was macht man? ___ helfen menschen ___

Welche Eigenschaften sind wichtig? ___ eine guter kopf ___

Gespräche bei der Arbeit

4

a **Lesen Sie die Dialoge und ergänzen Sie die Verben.**

> dürfte • könnten • könntest • müsste • müsste • müssten • müssten • wäre • wären • würde

1.

◆ Feierabend! Was machst du denn heute noch? Hast du Zeit? Wir gehen ins Kino.

◆ Ach schade! Wenn ich nicht an dem Projekt arbeiten ___ müsste ___ (1), ___ würde ___ (2) ich mitkommen.

◆ Kannst du das nicht morgen machen?

◆ Nein, wenn wir das nicht fertig machen ___ müsste ___ (3), ___ wäre ___ (4) wir schon nicht mehr im Büro.

◆ Schade! Aber dann das nächste Mal!

2.

◆ Ach, wenn ich doch mit euch fahren ___ dürfte ___ (5)! Aber nein, ich muss in die Berufsschule ...

◆ Das wäre so cool! Du ___ könntest ___ (6) den Ausflug mit uns machen. Abends ___ müssten ___ (7) wir am Computer spielen und am Morgen ___ müssten ___ (8) wir endlich mal nicht so früh aufstehen.

◆ Oh, hör' auf! Wenn mein Chef ein bisschen entspannter ___ wären ___ (9), ___ könnte ___ (10) ich jetzt nicht neidisch auf dich sein.

b **Im Büro. Hören Sie die Gespräche noch einmal. Richtig oder falsch? Kreuzen Sie an.**

1.29

		r	f
1.	Petra und Boris haben zusammen eine Besprechung.	☒	☐
2.	Die Besprechung beginnt in 30 Minuten.	☐	☒
3.	Herr Jeschke kommt nicht ins Internet.	☐	☒
4.	Frau Bauer möchte einen Kaffee mit Milch.	☒	☐
5.	Herr Jeschke ist mit der Besprechung zufrieden.	☒	☐
6.	Frau Korkmaz nimmt Herrn Jeschke im Auto mit.	☐	☒

P
ZD
Z B1

c **Lesen Sie den Zeitungsartikel und lösen Sie die Aufgaben. Kreuzen Sie die richtige Antwort an. Die Reihenfolge der Aufgaben folgt nicht immer der Reihenfolge im Text.**

Smalltalk – der „Eisbrecher"

Personen, die die Kunst des Smalltalks beherrschen, haben es im Beruf, aber auch privat leichter. Das „kleine Gespräch" bietet nämlich die ideale Möglichkeit, ein Gespräch zu beginnen und einen guten Eindruck zu machen. So kann man die Gesprächsatmosphäre positiv beeinflussen. Der Gesprächspartner merkt, dass man offen ist und Interesse an einem Gespräch hat.
Wenn man beim Smalltalk gemeinsame Themen findet oder einen ähnlichen Humor entdeckt, dann ist das Eis beim ersten Treffen bald gebrochen. Mit Smalltalk kann man sich aus der Distanz entspannt kennenlernen. Falls man sich aber nicht gleich sympathisch ist, dann kann man das Gespräch vorsichtig beenden, ohne den Gesprächspartner zu verärgern.

Aber manche Leute haben auch Schwierigkeiten beim Smalltalk: Worüber soll man sprechen? Wetter, Sport oder ein aktuelles Ereignis sind sicher immer gute Themen. Natürlich gibt es auch Tabuthemen: In Deutschland ist es zum Beispiel nicht üblich, über Geld, Religion oder Politik zu sprechen. Auch sollte man nicht schlecht über andere sprechen – das macht keinen guten Eindruck.

Wenn Sie sich unsicher fühlen, dann können Sie Smalltalk auch lernen. Es gibt zahlreiche Bücher und auch Seminare zu diesem Thema. Wichtig ist, dass Sie auch beim Smalltalk immer Sie selbst bleiben. Ihr Gesprächspartner soll ja doch die Möglichkeit haben, Sie ein bisschen kennenzulernen.

1. In diesem Text geht es darum, ...
   a dass man Smalltalk in Seminaren lernen muss.
   ⓑ dass Smalltalk im Berufsleben keine Rolle spielt.
   c welche Bedeutung Smalltalk für das Kennenlernen hat.

2. Im Smalltalk ist es üblich, ...
   ⓐ über Arbeitskollegen zu sprechen.
   b sich über Themen wie Fußball auszutauschen.
   c nach dem Gehalt zu fragen.

3. Wenn man sich doch nicht so nett findet, ...
   a sollte man einen Witz machen.
   b kann man sich höflich verabschieden.
   ⓒ sollte man seinen Ärger nicht zeigen.

Tipp:
Suchen Sie zuerst die Stelle mit der Information, die Sie brauchen. Lesen Sie diese Stelle dann ganz genau, damit Sie die Information richtig verstehen.

5 **a** **Um etwas bitten, etwas wünschen, vorschlagen oder eine irreale Bedingung nennen. Lesen Sie die Sätze und notieren Sie, was der Konjunktiv II ausdrückt.**

höfliche Bitte: _1,___   Wunsch: _____   Vorschlag: _____   irreale Bedingung: _____

1. Könnten Sie mir helfen? Mein Drucker funktioniert nicht.   2. Wenn ich viel Geld hätte, würde ich eine Weltreise machen.   3. Sie hätte gern mehr Zeit für ihre Familie.   4. Wir möchten gern etwas essen. Würden Sie uns die Karte bringen?   5. Du solltest mit deinem Kollegen reden. Er unterstützt dich bestimmt. 6. Die Firma wäre erfolgreicher, wenn alle mehr arbeiten würden.

b Da stimmt doch was nicht! Korrigieren Sie die Satzstellung.

1. Gestern im Büro niemand konnte richtig arbeiten, weil sind ausgefallen alle Computer.

   Gestern konnte im Büro niemand richtig arbeiten, *weil alle Computer ausgefallen sind.*

2. Die Reparatur lange hat gedauert, obwohl haben wir gerufen gleich die Techniker.

   _____ , _____

3. Unsere Chefin frei gegeben uns hat, damit wir stören nicht die Techniker.

   _____ , _____

4. Heute funktioniert hat wieder alles, weil haben die Techniker gefunden den Fehler.

   _____ , _____

5. Obwohl wir mussten arbeiten heute mehr, wir haben genossen die freien Stunden gestern.

   _____ , _____

c Anja ist unzufrieden. Was passt zusammen? Ordnen Sie zu.

1. Wenn sie mehr allein entscheiden dürfte, b   a würde sie kündigen.
2. Wenn sie nicht so früh aufstehen müsste, c   b hätte sie weniger Rückenschmerzen.
3. Wenn Anja mehr Geld verdienen würde, f   c würde sie abends öfters weggehen.
4. Wenn ihre Kollegen nicht so nett wären, e   d könnte sie eine größere Wohnung mieten.
5. Wenn Anja nicht so weit entfernt wohnen würde, A   e würde ihr der Job mehr Spaß machen.
6. Wenn sie im Büro nicht so viel sitzen würde, D   f könnte sie mit dem Rad zur Arbeit fahren.

d Was würden die Personen machen? Schreiben Sie zu jedem Bild einen wenn-Satz mit Konjunktiv II.

Bernd   Maria   Cem   Judith

1. *Wenn Bernd nicht arbeiten müsste,* ihr wollen auf strand
2. Maria nicht im verkehr, aber im Nause Ennlenzen
3. Cem würde ski laufen
4. Judith würde im Urlaub zu Paris

e Wie ist das in Ihrer Sprache? Schreiben Sie Satz 1 aus 5d noch einmal. Schreiben Sie den Satz dann in Ihrer Sprache und vergleichen Sie.

Wenn Bernd nicht arbeiten müsste, _____

Ihre Sprache: _____

_____

Wenn etwas schiefgeht ...

6 Welches Wort passt nicht? Streichen Sie durch. Ergänzen Sie jeweils ein weiteres Wort.

1. Haare: schneiden, färben, putzen, föhnen _____

2. Beruf: Friseur, Kunde, Tischler, Grafiker _____

3. Werkzeug: Schere, Messer, Gehalt, Hammer _____

4. Schreibtisch: Fernseher, Drucker, Computer, Telefon _____

5. Verpackung: Karton, Kiste, Jacke, Umschlag _____

7

1.30
P
Z B1

a Hören Sie das Gespräch zwischen Lydia und Mario. Lesen Sie die Aussagen und wählen Sie. Sind die Aussagen richtig oder falsch?

	r	f
1. Mario arbeitet seit kurzem in einer anderen Firma.	☒	☐
2. Mario hatte bei der Präsentation ein technisches Problem.	☒	☐
3. Obwohl es heiß war, war Mario beim Termin warm angezogen.	☐	☒
4. Lydia verwechselt öfter Namen.	☒	☐
5. Ein Kollege hat Mario geholfen.	☐	☒
6. Mario hat sich bei seinem Kunden entschuldigt.	☐	☒
7. Der Kunde hat der Firma den Auftrag gegeben.	☒	☐

1.31–32

b Lesen Sie die beiden Gespräche und achten Sie auf die markierten Ausdrücke. Streichen Sie den falschen Ausdruck durch. Hören Sie dann zur Kontrolle.

1.
◆ Frau Seitz, Sie hatten doch gestern Geburtstag.
◆ Ja, genau. Sie waren leider nicht da ...
◆ ~~Verzeihen Sie bitte.~~ / Entschuldige mich bitte. Ich hatte am Nachmittag einen dringenden Termin.
◆ ~~Verzeihung!~~ / Ach, schon gut.
◆ Ich musste so viel für meinen Termin vorbereiten, da habe ich es einfach vergessen. Das ist mir wirklich peinlich. / ~~Das war Absicht.~~
◆ Das ist ja schrecklich. / ~~Das kann doch jedem mal passieren.~~ Vielleicht haben Sie heute noch Zeit für einen Kaffee?
◆ Sehr gern! Aber ich lade Sie ein.

2.
◆ Guten Tag, Herr Mair.
◆ Äh, hallo Herr Brandt. Sie müssen mich verwechseln, mein Name ist Mader.
◆ Oh, Herr Mader, ~~das tut mir sehr leid.~~ / das macht doch nichts. Wie konnte mir das nur passieren!
◆ ~~Wunderbar!~~ / Das ist doch nicht so schlimm. Ich kann mir Namen auch nicht gut merken. Und wir haben uns ja auch noch nicht so oft gesehen.
◆ Ja, ~~es war wirklich keine Absicht.~~ / das habe ich doch gesagt. Ich habe gleich einen Termin mit Herrn Mair.
◆ Also Herr Brandt, dann viel Erfolg bei Ihrem Termin.
◆ Danke! Und entschuldigen Sie nochmals ...

1.33–34 **c** Hören Sie noch einmal und sprechen Sie die Rolle von ◆ .

8

a Mehrere Konsonanten hintereinander. Hören Sie und markieren Sie die Wortgrenze. Lesen Sie die Wörter dann laut.

1. Arbei  eit
3. Fre 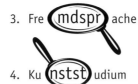 ache
5. A  ermin

2. se (lbstst) ändig
4. Ku (nstst) udium
6. Si (tzpl) atz

b Lesen Sie die Sätze mehrmals, erst langsam, dann schneller.

1. Achtundzwanzig Sprachwissenschaftler sprechen in einer Expertenrunde.
2. Unserer Lieblingskollegin schenken wir einen Blumenstrauß zum Geburtstag.
3. Die Produktbeschreibungen lese ich am Bildschirm an meinem Arbeitsplatz.

Die richtige Bewerbung

9

a Das Bewerbungsschreiben. Lesen Sie das Anschreiben und notieren Sie rechts Ihre eigenen Informationen.

Anton Ackermann
Karlstraße. 1
52080 Aachen

ABC-Büro
Europaplatz 2
52068 Aachen

Aachen, den 09.10.2013

Bewerbung als Assistent

Sehr geehrte Damen und Herren,

hiermit bewerbe ich mich auf die Stelle als Assistent.
Durch meine Ausbildung und meine Berufserfahrung
verfüge ich über sehr gute Kenntnisse in diesem Bereich
und kann schnell eigenständig arbeiten.
Ich bin 28 Jahre alt, motiviert und flexibel. Meine Stärken
sehe ich in meinen Fremdsprachenkenntnissen und meiner
internationalen Erfahrung. Der Umgang mit Kollegen aus
der ganzen Welt liegt mir sehr und auch in stressigen
Phasen verliere ich das Ziel nie aus den Augen.

Gern möchte ich Sie persönlich von meinen Fähigkeiten
überzeugen. Über eine Einladung zu einem Vorstellungsgespräch würde ich mich sehr freuen.

Mit freundlichen Grüßen

Anton Ackermann

Anlagen:
Lebenslauf, Foto, Zeugnisse

 b Verwenden Sie Ihre Notizen aus 9a und schreiben Sie selbst ein kurzes Anschreiben. Denken Sie dabei auch an Adresse, Datum und Grußformeln.

10 a Verben mit Präpositionen. Ergänzen Sie die passenden Präpositionen.

1. Seit seiner Kündigung denkt Sven oft ___über___ seine frühere Kollegin Lily.

2. Er hat oft ___mit___ ihr über seine Probleme mit dem Projektleiter gesprochen.

3. Sie haben ___an___ die Vor- und Nachteile eines Berufswechsels diskutiert.

4. Sven hat sich damals ein bisschen ___für___ das Verhalten von Lily geärgert.

5. Sie hat sich nämlich gar nicht ___über___ die Nachricht gefreut, dass er eine neue Arbeitsstelle gefunden hat.

6. Eigentlich dachte er, dass sie sich ___um___ das, was er erzählt, interessiert.

7. Die meisten Kollegen von früher vermisst er nicht, aber er erinnert sich oft ___an___ Lily.

8. Er fragt sich, ob sie sich immer so nett ___über___ ihre Kollegen kümmert.

an • an • für • mit • über • über • über • um

b Pronomen und Pronominaladverbien. Was ist richtig? Kreuzen Sie an.

1. Früher hatte ich sehr nette Kollegen, [a] an die [b] daran ich oft denke.

2. Wir haben viele Projekte erfolgreich erledigt. [a] Über sie [b] Darüber haben wir uns gefreut.

3. Unsere Präsentation war super. Wir haben uns gut [a] auf sie [b] darauf vorbereitet.

4. Wir hatten auch schwierige Kunden. [a] Mit ihnen [b] Damit haben wir lange diskutiert.

c Lesen Sie die Mail. Ergänzen Sie die Präposition mit Pronomen oder das passende Pronominaladverb.

Liebe Theresa,

ich wollte dir doch noch von meinem Bewerbungstraining erzählen. Ich hatte dir ja schon ein bisschen ___davon___ (1) erzählt, aber ein paar interessante Sachen gab es noch. Stell dir mal vor, Marco war auch dabei – so ein Zufall! Erinnerst du dich noch _____ (2)? Er war das letzte Schuljahr bei uns in der Klasse. Wir haben uns lange unterhalten. Er hat sich _____ (3) interessiert und mich gefragt, wie es dir geht ;-)

Im Seminar habe ich wirklich viel gelernt. Zu einer erfolgreichen Bewerbung gehört ja einiges und man muss sich intensiv _____ (4) vorbereiten: über die Firma recherchieren, den Lebenslauf schreiben, die Mappe gestalten etc.

Fehler sind natürlich auch ein wichtiges Thema. Wir haben lange _____ (5) diskutiert.

Ich hoffe, meine Bewerbungen werden bald erfolgreich sein. Bestimmt lädt mich bald jemand zu einem Vorstellungsgespräch ein. Ich freue mich schon _____ (6)!

Also drück mir die Daumen und bis bald

Lara

11 a Worauf? Worüber? Wofür? Formulieren Sie Antworten auf die Fragen. Verwenden Sie ein Pronominaladverb mit einem dass-Satz.

1. Worauf freut ihr euch?   (wir / ein Sommerfest in der Firma / morgen / haben)

    Wir freuen uns darauf, dass wir morgen ein Sommerfest in der Firma haben.

2. Worüber habt ihr gesprochen?   (das Fest / im letzten Jahr / lustig / sein)

    Wir haben _____

3. Worauf kommt es jetzt an?   (das Projekt / ein Erfolg / werden)

    Es kommt jetzt _____

4. Wofür hast du dich entschieden?   (mit dem Chef / über das Problem / sprechen)

    Ich habe mich _____

5. Worauf wartest du dann noch?   (der Chef / einen freien Termin / haben)

    Ich warte noch _____

b Und wie ist das bei Ihnen? Beantworten Sie die Fragen mit einem dass-Satz.

1. Worauf freuen Sie sich nach dem Deutschkurs?

    Ich freue mich darauf, ... _____

2. Worüber haben Sie sich in der letzten Zeit geärgert?

    _____

3. Woran erinnern Sie sich gern?

    _____

4. Worauf würden Sie lange warten?

    _____

obsuche

12 Rund um die Arbeitsstelle. Wie heißen die Wörter richtig? Notieren Sie.

1. Wenn man in Deutschland nicht 40 Stunden, sondern weniger arbeitet, hat man eine LIETTIEZ-Stelle.

_____

2. Beim Vorstellungsgespräch fragt man nach dem HETALG und den BEARGUNGDINBEITSEN.

_____ ,
_____

3. Wenn man keine Arbeit hat, ist man BEISOLARTS und muss eine LESTEL suchen.

_____ ,
_____

4. GENARKOLLEBEITS sind die Leute, mit denen man in einer Firma zusammenarbeitet.

_____

5. Bei einer großen Firma schickt man seine Bewerbung an die UNGEILABTALPERSON.

_____

6. Personen, die für den Staat arbeiten, wie zum Beispiel Lehrer oder Polizisten, sind meistens BEATEM.

_____

7. Eine Person, die in einem anderen Land arbeiten möchte, braucht eine Erlaubnis: die LAUBERBEITSARNIS.

_____

8. Wenn man einen Beruf hat und jeden Tag arbeiten geht, ist man SURFBETÄTIG.

_____

13 **Das Telefongespräch. Was kann der Anrufer sagen? Ergänzen Sie die passenden Ausdrücke. Der Kasten im Kursbuch (Aufgabe 13b) und die Angaben in Klammern helfen Ihnen.**

◆ ABC-Büro, Sibylle Schäfer, guten Tag.

◆ Guten Tag. Mein Name ist Ackermann. _Ich rufe wegen Ihrer Anzeige im Internet an._ (Anzeige im Internet)

◆ Ja, wie kann ich Ihnen helfen?

◆ (2) _____ (Stelle als Assistent)

◆ Die Stelle ist noch nicht besetzt. Haben Sie denn schon einmal in diesem Bereich gearbeitet?

◆ (3) _____ (drei Jahre Erfahrung)

◆ Das klingt interessant. Ich würde vorschlagen, Sie kommen persönlich bei uns vorbei.

◆ (4) _____ (Arbeitsbeginn?)

◆ Ab dem ersten Mai. Am besten vereinbaren wir einen Termin. Passt es Ihnen am nächsten Montag?

◆ (5) _____ (Uhrzeit?)

◆ Um 15 Uhr. Schicken Sie uns doch bitte Ihre Bewerbungsunterlagen, am besten per Mail.

◆ (6) _____ (Mail-Adresse?)

◆ abc@aachen.de. Bis Montag dann, Herr Ackermann, auf Wiederhören!

◆ (7) _____ (Verabschiedung)

14 **Das Vorstellungsgespräch. In welchem Ausschnitt hören Sie das? Notieren Sie die Nummern.**

(◉) Begrüßung _____   Fragen an den Kandidaten _____   Fragen des Kandidaten _____   Verabschiedung _____
1.36

Wortbildung – zusammengesetzte Substantive II

A **Was für ein Wort ist das Bestimmungswort? Ordnen Sie die Wörter in die Tabelle.**

> ~~das Vorstellungsgespräch~~ •
> die Körperhaltung • das Bewerbungstraining •
> der Arbeitgeber • der Parkplatz • das Hochhaus •
> der Computerkurs • die Kleinfamilie •
> das Schwimmbad • das Reisebüro •
> der Altbau

> Das Bestimmungswort steht immer vorne. Bestimmungswörter können Nomen, Verben und Adjektive sein:
> *die Vorstellung* + *das Gespräch* = *das **Vorstellungs**gespräch*
> *parken* + *der Platz* = *der **Park**platz*
> *hoch* + *das Haus* = *das **Hoch**haus*

Nomen	Verb	Adjektiv
die Vorstellung		

> **Tipp:**
> Manchmal gibt es auch mehrere Bestimmungswörter. Beim Sprechen ist die Betonung auf dem (ersten) Bestimmungswort: *der **Par**kplatz, der **Behinderten**parkplatz*

B **Ergänzen Sie jeweils drei Wörter. Arbeiten Sie mit der Wortliste oder mit dem Wörterbuch.**

Bewerbungs-
training

Arbeits-

Reise-

Computer-

Das kann ich nach Kapitel 4

R1 Was würden Sie machen, wenn ...? Notieren Sie einen passenden wenn-Satz.

1. morgen nicht arbeiten müssen:

   Wenn ich morgen nicht arbeiten müsste, würde ich den ganzen Tag im Bett bleiben.

2. eine Million Euro gewinnen:

3. Ihnen jemand einen Hund schenkt:

	☺☺ ☺ ☺ ☺	KB	AB
💬✏ Ich kann Irreales ausdrücken.	□ □ □ □	5	5

R2 Wie reagiert man auf Entschuldigungen? Notieren Sie die Ausdrücke korrekt.

1. Nichts das doch macht.

2. Kann das doch passieren mal.

3. So schlimm das ist nicht.

	☺☺ ☺ ☺ ☺	KB	AB
💬 Ich kann mich entschuldigen und auf Entschuldigungen reagieren.	□ □ □ □	7a	7c

R3 Arbeiten Sie zu zweit. Person A interessiert sich für ein Stellenangebot, Person B sucht einen neuen Mitarbeiter / eine neue Mitarbeiterin. Spielen Sie das Telefongespräch.

Person A: Sie haben eine Anzeige in der Zeitung „Express" gelesen. Sie haben fünf Jahre als Koch gearbeitet und suchen eine neue Stelle. Sie möchten weitere Informationen zu Arbeitszeiten, Arbeitsbeginn und Lage des Restaurants.

Person B: Sie sind Küchenchef im Restaurant „Poseidon" und suchen einen neuen Koch / eine neue Köchin. Er/Sie muss abends ab fünf und am Wochenende ab 11 Uhr vormittags arbeiten. Die Stelle ist frei ab nächsten Montag. Ihr Restaurant liegt neben dem Hauptbahnhof.

	☺☺ ☺ ☺ ☺	KB	AB
📞💬 Ich kann am Telefon nach Informationen fragen und Informationen geben.	□ □ □ □	13	

Außerdem kann ich	☺☺ ☺ ☺ ☺	KB	AB
📞💬 ... Informationen in einem Interview verstehen.	□ □ □ □	2b	1b, 3
💬 ... Gespräche bei der Arbeit führen und verstehen.			4b, c, 6c
💬 ... über Bewerbungen sprechen.		9a, 12	
📖 ... Bewerbungstipps verstehen.		9b	
📖 ... einen Text strukturieren.		14b, c	
📖📖 ... Tipps austauschen.		14d	
✏ ... einen Text über ein Ereignis (eine Panne) schreiben.		7b	

Lernwortschatz Kapitel 4

im Berufsleben

die Analyse, -n _____

eine Analyse machen _____

der Bauer, -n _____

die Briefträgerin, -nen _____

die Chemikerin, -nen _____

die Gesellschaft (Singular) _____

der Händler, - _____

der Handwerker, - _____

das Labor, -s _____

die Mechatronikerin, -nen _____

das Metall, -e _____

die Öffentlichkeit (Singular) _____

der Politiker, - _____

der Reporter, - _____

die Reportage, -n _____

der Richter, - _____

das Gericht, -e _____

die Ware, -n _____

die Wissenschaftlerin, -nen _____

bearbeiten _____

verstehen _____

Er versteht etwas von Politik. _____

_____

geregelt _____

geregelte Arbeitszeiten haben _____

Gespräche bei der Arbeit

die Besprechung, -en _____

Schluss machen _____

an|sprechen _____

reden (von / über) _____

Reden wir nicht mehr davon! _____

_____

verzeihen _____

Verzeihen Sie mir bitte. _____

Verzeihung! _____

Das macht doch nichts. _____

Bewerbung

der Anhang, die Anhänge _____

der Arbeitgeber, - _____

die Bewerbung, -en _____

das Bewerbungsschreiben, - _____

die Herausforderung, -en _____

die Kenntnis, -se _____

Fremdsprachenkenntnisse haben _____

_____

der Lebenslauf, Lebensläufe _____

der Personalchef, -s _____

Qualitäten (Plural) _____

die Unterlage, -n _____

die Bewerbungsunterlagen (Plural) _____

_____

akzeptieren _____

sich bewerben (um) _____

sich melden _____

sich unterscheiden _____

verzichten _____

qualifiziert _____

relevant _____

seriös _____

zukünftig _____

möglichst _____

per _____

Wir schicken die Antwort per Mail. _____

die Jobsuche

die Aufgabe, -n _____

Was sind meine Aufgaben? _____

der Bereich, -e _____

die Branche, -n _____

die Stelle, -n _____

Ich suche eine Stelle als ... _____

der Teilzeitjob, -s _____

beantworten _____

vereinbaren _____

Haben Sie einen Termin vereinbart? _____

_____

längerfristig _____

das Vorstellungsgespräch

die Aufmerksamkeit (Singular) _____

die Aufregung (Singular) _____

der Eindruck, Eindrücke _____

Der erste Eindruck ist wichtig. _____

_____

der Faktor, -en _____

die Körpersprache (Singular) _____

die Persönlichkeit (Singular) _____

achten auf _____

verhindern _____

besetzt _____

Ist die Stelle schon besetzt? _____

_____

elegant _____

locker _____

klar _____

sauber _____

andere wichtige Wörter und Wendungen

die Aktivität, -en _____

die Regel, -n _____

In der Regel machen wir das so: ... _____

_____

die Wahrheit, -en _____

aus|halten _____

Können Sie Stress aushalten? _____

_____

ernst nehmen _____

Du nimmst die Arbeit nicht ernst genug! _____

_____

selbstverständlich _____

angenehm ↔ unangenehm _____

ansonsten _____

dabei _____

eigentlich _____

vorher _____

wichtig für mich

_____

_____

_____

Der Weg zu einem neuen Job. Was muss man tun?

Anzeigen lesen, _____

Notieren Sie für jeden Arbeitsort zwei Berufe:

im Geschäft: _____

im Labor: _____

in der Werkstatt: _____

im Büro: _____

in der Universität: _____

am Gericht: _____

5 Umweltfreundlich?

1

a Mit der Natur leben. Wie heißen die Wörter? Ergänzen Sie.

1. Alles, was um uns herum ist: die _____

2. Wenn man aus einem alten Produkt etwas Neues macht, heißt das: das _____

3. Das bleibt übrig und man wirft es weg: der _____

4. Wenn man wenig Energie verbraucht, dann kann man Energie ...   _____

5. Material, das man zum Einpacken verwendet, nennt man ...   die _____

6. So heißen die Dinge, die man isst: die _____

Wortschatz **b Wo kaufen Sie diese Dinge? Ordnen Sie zu und ergänzen Sie den Artikel. Wenn Sie etwas nie kaufen, dann streichen Sie das Wort durch.**

> Benzin • Bettdecke • Bio-Fleisch • Bluse • Büchse Bier • elektrische Eisenbahn •
> Essig • Fotoapparat • Fisch • Früchte • Geschirr • Hackfleisch •
> Hut • Jeans • Karotten • Kerze • Kinder-Kleidung • Lampe •
> Mineralwasser • Motoröl • Parfüm • Recycling-Papier • Seife • Schmuck • Shampoo • Stadtplan •
> Vase • Wurst • Zahnbürste • Zahncreme • Zeitschrift

auf dem Markt: _____

im Supermarkt: _____

in der Metzgerei: _____

an der Tankstelle: _____

in der Drogerie: _____

im Kaufhaus: _____

2

a Landeskunde in Zahlen. Arbeiten Sie zu zweit und fragen Sie nach den fehlenden Angaben. Notieren Sie. Kontrollieren Sie am Ende Ihre Lösungen.

	D	A	CH
Einwohner	80.219.695		8.014.000
Fläche		83.879 km²	
Einwohner pro km²	230		194

D	A	CH	
	8.488.511		Einwohner
357.121 km²		41.285 km²	Fläche
	101		Einwohner pro km²

Wie viele Einwohner hat Deutschland?

Deutschland hat achtzig Millionen und zweihundertneunzehntausendsechshundertfünfundneunzig Einwohner.

b Wussten Sie das schon? Verwenden Sie die Ausdrücke aus dem Schüttelkasten und kommentieren Sie mündlich.

1. Pro Kopf isst man in Deutschland fast 60 kg Fleisch pro Jahr.
2. 4000 Liter Wasser verbraucht ein Deutscher täglich.
3. Jeder zweite Deutsche hat ein Auto.
4. Die Müllproduktion ist in Deutschland seit Jahren konstant.

> Es hat mich sehr überrascht, dass ... •
> Ich habe noch nie davon gehört, dass ... •
> Für mich war ganz neu, dass ... •
> Ich habe nicht gewusst, dass ...

3 Ökologischer Fußabdruck. Wie ökologisch leben Sie? Machen Sie den Test. Welche Antwort haben Sie am häufigsten angekreuzt: a, b, c oder d? Lesen Sie Auswertung dazu.

1. **Welches Verkehrsmittel haben Sie im letzten Monat am meisten benutzt?**
   - [a] Auto
   - [b] Zug
   - [c] Fahrrad
   - [d] keines

2. **Wie lange duschen Sie insgesamt pro Woche?** (1 x baden = 30 Minuten duschen)
   - [a] mehr als 2 Stunden
   - [b] 1–2 Stunden
   - [c] 30 Minuten bis eine Stunde
   - [d] weniger als 30 Minuten

3. **Was spielt beim Einkauf Ihrer Lebensmittel die wichtigste Rolle?**
   - [a] Preis
   - [b] Verpackung
   - [c] Bio-Produktion
   - [d] regionale Produktion

4. **Wie wohnen Sie?**
   - [a] in einem Haus
   - [b] in einer Wohnung in einem kleineren Haus
   - [c] in einer Wohnung in einem Hochhaus
   - [d] in einem Zimmer (z. B. Studentenwohnheim)

5. **Wie viele Kilometer sind Sie im letzten Jahr geflogen?**
   - [a] mehr als 10 000 km
   - [b] zwischen 5000–10 000 km
   - [c] bis zu 5000 km
   - [d] Ich bin gar nicht geflogen.

6. **Was machen Sie, wenn Sie ein Elektrogerät gerade nicht benutzen?**
   - [a] Ich lasse immer alle Geräte an.
   - [b] Ich schalte es aus.
   - [c] Ich schalte es immer auf Standby.
   - [d] Ich ziehe den Stecker.

Typ A	Typ B	Typ C	Typ D
Ökologisches Handeln spielt für Sie keine Rolle. Wenn alle so leben würden wie Sie, würden wir fünf Erden brauchen.	Sie finden Umweltschutz nicht unwichtig, aber es darf nicht zu anstrengend für Sie sein. Der Umwelt hilft dieses Handeln nicht.	Umweltschutz spielt für Sie eine wichtige Rolle. Sie könnten noch etwas mehr Rücksicht nehmen, aber Sie sind auf dem richtigen Weg.	Bravo – Sie setzen sich wirklich für die Umwelt ein! Wenn alle so leben würden wie Sie, würde es weniger Umweltprobleme geben.

Das Öko-Duell

4

a Komparativ und Superlativ. Lesen Sie den Infotext und markieren Sie die Formen der Adjektive (Grundform, Komparativ, Superlativ) in drei verschiedenen Farben.

Geräte waren schon einmal besser!

Haben Sie auch schon öfter gedacht, dass moderne Geräte nicht so lang funktionieren wie ältere Geräte? Möglicherweise hatten Sie mit dieser Vermutung recht: Eine aktuelle Studie hat gezeigt, dass einige Firmen bei der Produktion von Haushaltsgeräten absichtlich schlechtes
5   Material einsetzen, das nur für relativ kurze Zeit hält. Von dieser Methode profitieren viele Elektrohändler, am meisten aber profitieren davon die Firmen – erstens ist die Produktion billiger und zweitens muss der Kunde schneller ein neues Gerät kaufen. Und für wen ist es am ärgerlichsten? Für uns Kunden!

b Ordnen Sie die Adjektive in eine Tabelle und ergänzen Sie auch die anderen Formen.

Grundform	Komparativ	Superlativ
gut	besser	am besten

c Schreiben Sie je vier Vergleiche mit *so ... wie* und mit Komparativ + *als*.

> *Ich finde E-Books genauso gut wie Bücher aus Papier.*

d **Die bessere Wahl? Lesen Sie die Aussagen und ergänzen Sie *da* oder *deshalb/aus diesem Grund*. Verwenden Sie jeden Ausdruck ein Mal.**

1. Papiertüten sind nicht besser als Plastiktüten, _____ sie leicht reißen können.

2. Plastiktüten sind aus Erdöl, _____ sind sie umweltschädlich.

3. Beide Möglichkeiten sind nicht ideal, _____ sollte man am besten eine Stofftüte nehmen.

e **Was soll man tun? Schreiben Sie die Sätze fertig.**

> dafür alle bezahlen müssen • duschen sollen • dann weniger Wasser verbrauchen • Strom sparen sollen

1. Man soll lieber duschen, weil man _____.

2. Für das Badewasser braucht man viel Energie, deshalb _____.

3. Jeder sollte sein Verhalten überdenken, da _____.

4. Energie ist teuer, auch aus diesem Grund _____.

5

a **E-Books – ja oder nein? Lesen Sie die Kommentare. Wählen Sie: Ist die Person für die Verwendung von E-Books in der Schule?**

[P]

Z B1

In einer Zeitschrift lesen Sie Kommentare zu einem Artikel über die Verwendung von E-Books als Ersatz für die normalen Schulbücher.

1. Jens: [Ja] [Nein]   4. Lucas: [Ja] [Nein]

2. Maria: [Ja] [Nein]   5. Susan: [Ja] [Nein]

3. Peter: [Ja] [Nein]   6. Anita: [Ja] [Nein]

LESERBRIEFE

1. Ich bin durchaus ein Technik-Fan, aber muss es überall nur noch Technik geben? Ich finde, mit E-Books in der Schule gibt man den Kindern das falsche Signal. E-Books haben sicher auch Vorteile, aber das klassische Schulbuch reicht für den Unterricht vollkommen aus.
   Jens, 43, Ibbenbüren

2. Der hohe Papierverbrauch in Schulen, Büros und im Alltag nervt mich schon lange. Dafür braucht man viel Holz und wir verbrauchen wichtige Ressourcen. Ein E-Book verbraucht natürlich auch Strom, aber wenn man das mit Ökostrom verwenden kann, dann scheint es mir eine sinnvollere Alternative als Bücher.
   Maria, 27, Saarbrücken

3. Eine wichtige Frage scheint mir hier die Finanzierung. Ich glaube kaum, dass sich Schulen E-Books für alle leisten können. Das müssten dann wohl die Eltern bezahlen. Wenn die Schüler mit einem E-Book besser lernen, dann sollte man sich das überlegen. Aber das muss man erst mal beweisen – bis dahin bleibt wohl alles, wie es ist.
   Peter, 35, Klagenfurt

4. Ich lese viele Bücher und kenne mich gut mit Technik aus. Deshalb kann ich mir vorstellen, dass man Unterrichtsstoff mit dem E-Book besser lernen kann als jetzt. Ein Problem ist eher, dass es die Materialien noch nicht in der richtigen Form gibt. Wenn man sie hätte, würde nicht viel dagegen sprechen.
   Lucas, 17, Bremen

5. Viele Leute denken, dass E-Books umweltfreundlicher sind, weil man nicht so viel Papier verbraucht. Aber bei der Produktion und im Betrieb verbrauchen sie viel Strom. Schulbücher verwenden bei uns viele Schüler nacheinander, also spricht die Öko-Bilanz doch für den Klassiker.
   Susan, 32, Winterthur

6. Ich habe zwei Schulkinder, die jeden Morgen mit SEHR schweren Rucksäcken in die Schule ziehen. Das kann nicht gesund sein und das ist ein wichtiger Grund für E-Books. Aber wenn ich sehe, wie meine Kinder mit ihren Sachen umgehen, würden die Geräte schnell kaputt gehen. Am Ende haben sie gar kein Material – das will ich natürlich auch nicht!
   Anita, 39, Vaduz

b Schreiben Sie einen eigenen Leserbrief zu dem Thema aus 5a.

c Grundform, Komparativ und Superlativ. Ergänzen Sie die Adjektive.

> beste • kälter • moderne • normale • notwendig • teurer • ~~umweltfreundlich~~ • warm • wenig • weniger

Für Hadrian und Mandy Rothe ist es wichtig, _umweltfreundlich_
(1) zu leben. Gemeinsam haben sie vor drei Jahren überlegt, was
für sie und ihre drei Kinder der _____ (2) Weg ist, die
Umwelt zu schützen. Sie verbrauchen jetzt _____ (3)
Strom als eine _____ (4) Familie, zum Beispiel kaufen sie
_____ (5) Geräte, auch wenn diese _____ (6)
sind als andere. Natürlich haben sie auch ein Auto, aber sie fahren
nur, wenn es wirklich _____ (7) ist. Im Winter ist es im Haus von Familie Rothe
_____ (8) als in anderen Wohnungen, denn sie ziehen sich _____ (9) an.
Und auch beim Licht sparen sie. So brauchen sie abends nur ganz _____ (10) Strom.

6

a Beim Einkaufen vergleichen. Welche Form ist richtig? Kreuzen Sie an.

1. Beim Einkaufen sollte man nicht einfach die billigste ☐ billigsten ☐ Produkte kaufen.

2. Leider können auch die teuerste ☐ teuersten ☐ Dinge umweltschädlich sein.

3. Auf dem Markt findet man oft das frischer ☐ frischere ☐ Gemüse.

4. Aber dafür braucht man meistens mehr ☐ mehrere ☐ Zeit als im Supermarkt.

5. Für manche ist das Bestellen im Internet die praktischste ☐ praktischsten ☐ Lösung.

6. Das ist dann sicher auch der schnellere ☐ schnellerer ☐ Einkauf.

b Komparativ vor Substantiven mit *ein/eine* oder ▪. Ergänzen Sie die passende Endung.

1. Es gibt schon wieder ein besser___ Gerät.

2. Kaufen Sie einen umweltfreundlicher___ Geschirrspüler!

3. Älter___ Modelle verbrauchen zu viel Strom.

4. Eine sparsamer___ Waschmaschine finden Sie nicht!

5. Steigen Sie um auf ein moderner___ Auto!

> Komparative vor Substantiven haben
> auch bei unbestimmten Artikeln die
> gleichen Endungen wie Adjektive ohne
> Steigerung:
> *ein teures Gerät, ein teureres Gerät*

c Unsere Maschinen und Geräte. Schreiben Sie acht Sätze. Verwenden Sie die Adjektive im Komparativ oder Superlativ.

Meine Eltern	kaufen	der	groß	Waschmaschine
Wir	sehen	das	modern	DVD-Player
Meine Kollegin	sich wünschen	die	sparsam	Handy
Ich	träumen von	ein/e	teuer	Motorrad
Das	sein	▪	gut	Computer
	haben		alt	Geräte

d Hören Sie das Gespräch von Miriam, Fabian und Claudia in ihrer Studenten-WG über die hohe Stromrechnung. Wer macht welche Vorschläge zum Sparen? Kreuzen Sie an.

1.37

1. Licht ausschalten	Miriam ☐	Fabian ☐	Claudia ☐
2. Geräte aus der Steckdose ziehen	Miriam ☐	Fabian ☐	Claudia ☐
3. Energiesparlampen benutzen	Miriam ☐	Fabian ☐	Claudia ☐
4. neueren Kühlschrank kaufen	Miriam ☐	Fabian ☐	Claudia ☐
5. in der Bibliothek lernen	Miriam ☐	Fabian ☐	Claudia ☐
6. nur eine Lampe benutzen	Miriam ☐	Fabian ☐	Claudia ☐

7

a Wie heißen die Ausdrücke zur Meinungsäußerung? Notieren Sie und schreiben Sie dann Ihre Meinung zum Thema in der Klammer.

1. Standpunkt / stehe / dem / ich / auf / dass   (höhere Benzinpreise (nicht) nötig sein)

_____

2. davon / ich / überzeugt / bin / dass   ((nicht) weniger Verpackung verwenden sollen)

_____

3. bin / Meinung / ich / der / dass   (neue Gesetze (nicht) helfen können)

_____

4. Meinung / nach / meiner   (eine/keine Strafe für hohen Stromverbrauch geben müssen)

_____

b Ihr Partner / Ihre Partnerin liest seine/ihre Meinung aus 7a vor. Widersprechen Sie den Meinungsäußerungen und nennen Sie ein Argument dagegen. Verwenden Sie die Sätze im Schüttelkasten.

> Nein, ganz im Gegenteil. • Hier muss ich widersprechen. •
> Das stimmt meiner Meinung nach nicht. • Ich sehe das anders.

c Stimmen Sie den Aussagen zu oder möchten Sie widersprechen? Notieren Sie passende Ausdrücke aus 7a und b und nennen Sie einen Grund für Ihre Meinung.

1. Arbeitsplätze für alle sind wichtiger als Umweltschutz.

_____

2. Jeder kann etwas für den Umweltschutz tun.

_____

3. Der Staat muss Umweltschutz durch Gesetze regeln.

_____

4. Kinder müssen heute früh lernen, umweltfreundlich zu leben.

_____

Nur Papier?

3

a Welche Dinge aus Papier finden Sie in der Wörterschlange? Markieren Sie. Die Buchstaben dazwischen ergeben das Lösungswort.

B R U M S C H L A G I E G E L D S C H E I N F M Z E I T U N G A Q U I T T U N G R K B U C H E T I C K E T

die _____

b Woraus sind diese Dinge? Ordnen Sie zu und ergänzen Sie die Sätze.

1. Normalerweise ist Papier _aus Holz_.

2. Teuren Schmuck macht man oft _____.

3. Meine Oma strickt Pullover _____.

4. Autos sind fast ganz _____.

5. Buntes Kinderspielzeug produziert man meistens _____.

6. Zum Einkaufen verwenden viele Leute Taschen _____,

   weil sie Plastiktüten nicht umweltfreundlich finden.

7. Das alte Denkmal vor dem Rathaus ist _____.

8. Schuhe bestehen meistens _____.

> Metall •
> Gold •
> Plastik •
> Stoff •
> Wolle •
> Stein •
> ~~Holz~~ •
> Leder

c Lesen Sie den Text „Papier – ohne geht es nicht" auf Seite 56 im Kursbuch noch einmal. Kreuzen Sie dann pro Abschnitt an, welche Aussage stimmt: a oder b?

1. Abschnitt

   a Papier ist eine der wichtigsten Erfindungen, denn wir kommen ständig mit Papier in Kontakt.

   b Wir verwenden täglich Papier, aber Papier wird langsam weniger wichtig.

2. Abschnitt

   a Unsere heutige Methode der Papierherstellung hat man in Ägypten erfunden und in China verbessert.

   b Man hat Papier erfunden, weil es vorher nur schweres und unpraktisches Material gab.

3. Abschnitt

   a Papier hat man in Europa von Anfang an aus Holz hergestellt.

   b Die Erfindung, aus Holzfasern Papier zu produzieren, ist noch keine 200 Jahre alt.

4. Abschnitt

   a Der Papierverbrauch der Deutschen ist heute höher als je zuvor.

   b Dank des „papierlosen Büros" verbrauchen die Deutschen weniger Papier als vor zehn Jahren.

d Welche Dinge aus diesem Material haben Sie? Notieren Sie jeweils mindestens drei. Schreiben Sie dann zu jedem Material einen Satz.

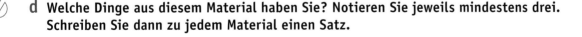

(Holz)   (Metall)   (Leder)   (Wolle)

Schlüssel

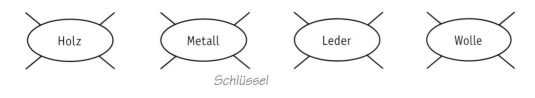

Mein Schlüssel ist aus Metall, weil Metall hart ist.

9

a **n-Deklination. Ordnen Sie die Wörter in die Tabelle.**

> ~~Kollege~~ • Experte • Franzose • Löwe • Bär • Türke • Polizist • Student • Nachbar •
> Fotograf • Name • Herr • Artist • Kunde • Journalist • Mensch • Grieche • Komponist

maskuline Substantive auf *-e*	maskuline Bezeichnungen für Personen, Berufe, Tiere	Internationalismen auf *-graf, -ant, -ent, -ist, -at* und *-oge*
Kollege		

Viele Nationalitäten haben die n-Deklination: *Ich kenne einen Chilenen, einen Russen, zwei Schweden und einen Mongolen aus meinem Deutschkurs.*

b **Ergänzen Sie das Substantiv in der passenden Form.**

1. Das Buch ist über einen modernen _____ (Komponist) aus Berlin.

2. Auf dem Bild ist ein _____ (Löwe) und im Hintergrund seht ihr einen

   _____ (Bär).

3. Kennen Sie die Bilder des deutschen _____ (Fotograf) Andreas Gursky?

4. Die Papierherstellung kam von den _____ (Chinese) nach Europa.

5. Man schreibt auf den Umschlag den eigenen _____ (Name) links oben.

6. Der _____ (Kunde) hat den Kassenzettel verloren.

7. Wir haben einen _____ (Nachbar), der unsere Pakete annimmt.

8. Die meisten _____ (Mensch) verbrauchen zu viel Papier.

10

1.38

a **Sprechrhythmus bei langen Sätzen. Hören Sie und sprechen Sie nach.**

1. [a] Ich lese Bücher.

   [b] Ich lese immer noch am liebsten Bücher aus Papier.

2. [a] Wir haben einen Professor kennengelernt.

   [b] Wir haben gestern einen sehr interessanten Professor von der Uni Hamburg kennengelernt.

3. [a] Immer mehr Menschen verwenden Handys.

   [b] Immer mehr Menschen verwenden auf der Fahrt zur Arbeit ihre Handys.

b **Schreiben Sie drei Sätze über sich selbst mit mindestens acht Wörtern. Lesen Sie die Sätze laut vor. Achten Sie auf die Betonung.**

Ich möchte gern nach Deutschland fahren, um dort Freunde zu besuchen. _____

_____

_____

_____

Das Wetter in D-A-CH

11 a Was für ein Wetter! Notieren Sie zu jedem Bild mindestens vier Wörter oder Ausdrücke, um das Wetter zu beschreiben.

_____ _____ _____

_____ _____ _____

_____ _____ _____

die Sonne scheint • es blitzt • es regnet • es schneit • das Gewitter • heiß • kalt • neblig • regnerisch • der Schnee • sonnig • trocken • windig • wolkig

b Ihre Bekannte Eva aus der Schweiz schreibt in ihrer Mail etwas über ihren Urlaub. Antworten Sie Eva und schreiben Sie in Ihrer Mail etwas zu den vier Punkten unten.

Liebe(r) ....,
endlich habe ich wieder Zeit, dir zu schreiben. Wie du weisst, hatte ich Urlaub und habe einfach zwei Wochen meine Mails nicht gelesen ;-). Langweilig war mir nämlich nicht, obwohl ich zu Hause geblieben bin. Wir hatten zum Glück traumhaftes Wetter und ich war schwimmen oder in den Bergen. Abends haben wir immer draußen gegessen und die warmen Sommernächte genossen. Eigentlich wollte ich meine Wohnung aufräumen, aber das Wetter war leider zu schön! In meinem nächsten Urlaub im Herbst möchte ich dich gern besuchen! Wie ist dann das Wetter bei euch? Ich war ja noch nie in deiner Heimat und bin sehr gespannt. Was können wir unternehmen? Hast du ein paar Ideen?
Ich warte auf deine Antwort
Eva

- Wetter in Ihrer Region   • Vorschläge für Ausflüge   • passende Kleidung   • Ihr letzter Urlaub

12 Wortfamilien. Arbeiten Sie zu viert. Bilden Sie zwei Teams mit je zwei Personen. Welches Team findet mehr Wörter, die zu diesen Wortfamilien gehören? Sie haben fünf Minuten Zeit. Vergleichen Sie dann Ihre Lösungen.

sprechen

die Sprache

die Reise

der Sport

Engagement für die Natur

13 Lesen Sie die Kommentare. Zu welcher Aktion passen Sie? Ordnen Sie zu. Eine Aktion passt nicht.

> Guerilla Gardening • Krötenwanderung • Vogelhäuser aufstellen •
> Wald aufräumen • Naturwanderung mit Kindern

1. Meine Familie und ich nehmen schon seit mehreren Jahren an dieser Aktion teil. Jedes Jahr im Frühjahr sind wir an zwei Wochenenden dabei und ich finde es toll. Erstens sind wir den ganzen Tag in der freien Natur, zweitens lernen die Kinder den richtigen Umgang mit Müll und drittens genießen wir dann lange Zeit das Ergebnis!

   Aktion: _____

2. Es ist total wichtig, dass Kinder in der heutigen Zeit draußen sind und die Natur nicht nur im Fernsehen sehen. Am besten sollten die Eltern regelmäßig mit ihren Kindern rausgehen und sie selbst etwas entdecken lassen. Wenn sie keine Zeit haben, dann können sie ihre Kinder auch mit den Profis mitschicken – und sich danach alles erklären lassen.

   Aktion: _____

3. Ich bin auch ein Tierfreund, aber irgendwo hat die Tierliebe auch ihre Grenzen! Wenn ich dort wohnen würde und meine Straße wäre wochenlang gesperrt, dann hätte ich – um ehrlich zu sein – kein Verständnis dafür. Man sollte sich lieber eine andere Lösung ausdenken, z. B. eine Brücke bauen oder einen neuen Teich anlegen.

   Aktion: _____

4. Prinzipiell ist das ja eine gute Idee, aber ich hätte etwas dagegen, wenn das jemand in meinem Garten machen würde. Wer kann schon garantieren, dass das nur auf öffentlichen Flächen passiert? Ich glaube, die Verschönerung sollte man lieber Profis machen lassen, die machen das besser.

   Aktion: _____

Wortbildung – Substantive mit -ung

A Von welchen Verben stammen diese Substantive ab? Notieren Sie.

1. Ausbildung – _ausbilden_
2. Begegnung – _____
3. Erinnerung – _____
4. Handlung – _____
5. Untersuchung – _____
6. Formulierung – _____
7. Lösung – _____
8. Begrüßung – _____

> Mit -ung kann man aus vielen Verben Substantive bilden. Der Artikel ist immer **die**: *bedeuten* – **die** Bedeu**tung**
>
> Bei Verben auf -*eln* entfällt das -*e*: samm**eln** – die Samm**lung**

B Ausnahmen. Finden Sie die Substantive, die nicht von einem Verb abstammen. Markieren Sie.

> Führung • Kreuzung • Zeitung • Veränderung • Verbindung • Prüfung •
> Wanderung • Rechnung • Ordnung • Quittung • Überweisung

Wenige Wörter auf -*ung* stammen nicht von Verben ab. Das sind Ausnahmen.

Das kann ich nach Kapitel 5

R1
Wer ist für das Verbot von Autos in der Innenstadt, wer ist dagegen? Hören Sie vier Aussagen und kreuzen Sie an. Sagen Sie dann selbst Ihre Meinung. Sie können sich auch mit dem Handy aufnehmen.

🔘 1.39

Person 1	☐ dafür ☐ dagegen		Person 3	☐ dafür ☐ dagegen
Person 2	☐ dafür ☐ dagegen		Person 4	☐ dafür ☐ dagegen

	☺☺	☺	😐	☹	KB	AB
🔊💬 Ich kann Gespräche über Umwelt und Umweltschutz verstehen und daran teilnehmen.	☐	☐	☐	☐	1a	6d, 7

R2
Was ist aus ökologischer Sicht besser und warum? Schreiben Sie jeweils einen Satz.

1. baden – duschen

2. Buch – E-Book

3. Plastiktüte – Papiertüte

4. Geschirrspülmaschine – von Hand spülen

	☺☺	☺	😐	☹	KB	AB
💬✏️ Ich kann etwas vergleichen und begründen.	☐	☐	☐	☐	4c	4c–e

R3
Arbeiten Sie zu zweit. Jeder liest einen Text, markiert wichtige Informationen und berichtet seinem Partner / seiner Partnerin.

A Die Österreicher essen am liebsten Schweinefleisch und Geflügel, nämlich 2,3 kg Schwein und 1,9 kg Huhn pro Monat. Fisch ist mit 700g pro Monat bei Weitem nicht so beliebt. Als Beilage bevorzugen Österreicher ganz klar Kartoffeln, aber auch Nudeln und Reis essen sie häufig. Und wie ist es mit dem Brot? Besonders dunkles Brot essen die Österreicher gern, und zwar fast die doppelte Menge von Weißbrot.

B Obst und Gemüse sind bei Österreichern beliebt, pro Haushalt konsumieren sie pro Monat 11,3 kg Gemüse und 11 kg Obst. Besonders populär sind der Apfel und die Kartoffel (sie heißt in Österreich auch „Erdapfel"). Aber auch Südfrüchte wie Bananen verkaufen sich gut. Unter den Getränken ist das Mineralwasser die Nummer eins (15,5 Liter pro Monat). Ansonsten trinkt man auch häufig Limonade, Saft, Bier oder Wein.

	☺☺	☺	😐	☹	KB	AB
📖💬 Ich kann kurze informative Texte verstehen und den Inhalt wiedergeben.	☐	☐	☐	☐	2a, 4b	4a

Außerdem kann ich	☺☺	☺	😐	☹	KB	AB
🔊 ... Wettervorhersagen verstehen.	☐	☐	☐	☐	11c, d	
💬 ... etwas vermuten.	☐	☐	☐	☐	4a	
💬 ... über Umweltschutz diskutieren.	☐	☐	☐	☐	7	7b
💬✏️ ... über das Wetter sprechen und schreiben.	☐	☐	☐	☐	11a, b	11b
📖 ... einem längeren Text Informationen entnehmen.	☐	☐	☐	☐	8b, 13	8c
📖 ... Fragen über Umweltschutz beantworten.	☐	☐	☐	☐	3	
📖 ... Meinungen in Kommentaren verstehen.	☐	☐	☐	☐		5a, 13a
✏️ ... eine Geschichte oder einen Kommentar schreiben.	☐	☐	☐	☐	9c, 13b	5b

Lernwortschatz Kapitel 5

die Welt um uns herum

die Bevölkerung (Singular) _____

die Gesamtbevölkerung (Singular) _____

die Energie, -n _____

der Konsum (von) (Singular) _____

der Mond, -e _____

der Müll (Singular) _____

die Müllabfuhr (Singular) _____

die Mülltrennung (Singular) _____

das Nahrungsmittel, – _____

die Produktion (Singular) _____

das Recycling (Singular) _____

die Region, -en _____

Auf dem Markt gibt es Lebensmittel aus der Region.

_____

das Trinkwasser (Singular) _____

die Umwelt (Singular) _____

der Verbrauch (Singular) _____

die Verpackung, -en _____

erkennen _____

schützen _____

transportieren _____

verbrauchen _____

statistisch _____

umweltfreundlich _____

Öko-Duelle

die Aktion, -en _____

die Alternative, -n _____

die Badewanne, -n _____

das Erdöl (Singular) _____

das Ergebnis, -se _____

das Gegenteil, -e _____

das Gesetz, -e _____

die Maschine, -n _____

der Standpunkt, -e _____

die Verantwortung (Singular) _____

tun _____

Unsere Firma hat viel für die Umwelt getan. _____

_____

verwenden _____

widersprechen _____

effizient _____

korrekt _____

überzeugt sein _____

Tiere

der Affe, -n _____

der Bär, -en _____

der Elefant, -en _____

das Huhn, Hühner _____

der Löwe, -n _____

das Schaf, -e _____

die Ziege, -n _____

Papier & Co

die Briefmarke, -n _____

der Briefumschlag, -umschläge _____

der Einfluss, Einflüsse _____

Einfluss haben (auf) _____

die Erfindung, -en _____

der Experte, -n _____

der Geldschein, -e _____

das Holz (Singular) _____

die Kunst, Künste _____

das Leder, – _____

das Material, Materialien _____

die Methode, -n _____

die Notiz, -en _____

der Stoff, -e _____

das Wissen (Singular) _____

der Zettel, – _____

sich verbreiten _____

aus|drucken _____

herstellen _____

geheim _____

Wetter

die Besserung (Singular) _____

das Gewitter,– _____

die Wettervorhersage, -n _____

blitzen _____

donnern _____

hageln _____

bewölkt _____

feucht _____

neblig _____

regnerisch _____

stürmisch _____

windig _____

wolkig _____

Engagement für die Natur

das Engagement (für/gegen) (Singular) _____

_____

die Mühe, -n _____

das Verständnis (Singular) _____

Viele Anwohner zeigen Verständnis. _____

_____

bestätigen _____

wichtig für mich

_____

_____

_____

Beschreiben Sie das Wetter von heute.

_____

Es handelt sich um ... _____

pflanzen _____

retten _____

gesperrt _____

illegal _____

öffentlich _____

andere wichtige Wörter und Wendungen

der Anteil _____

im Laufe der Zeit _____

das Jahrhundert, -e _____

jeder Zweite/Dritte/ ... _____

die Menge, -n _____

der Praktikant, -en _____

das Prozent, -e _____

das Risiko, -en _____

liegen an _____

Das liegt daran, dass ... _____

alltäglich _____

dick _____

gleich _____

relativ _____

pro ↔ contra _____

rund _____

Es gibt hier rund 50 Millionen Autos. _____

_____

ungefähr _____

zirka (= circa/ca.) _____

Blick nach vorn

1 **a** **Was bringt die Zukunft? Wie heißen die Wörter? Lösen Sie das Rätsel.**

1. In Glückskeksen gibt es einen Zettel mit einem ..., den man unterschiedlich deuten kann.
2. Astrologen machen für jedes ... eine Prognose für die Zukunft.
3. Es gibt auch Leute, die anderen Personen ihr Schicksal ..., z.B. aus dem Kaffeesatz.
4. Viele Leute möchten gern in die Zukunft ..., anderen ist das nicht wichtig.
5. Manche Leute finden ihr ... einfach lustig, aber sie glauben nicht an Astrologie.
6. Vielleicht ist es auch gut, dass die Menschen vorher nichts über ihr ... wissen.
7. Wenn man an Silvester Blei gießt, dann muss man die Figuren ....
8. Steht das Schicksal in der Hand? Kann man Vorhersagen über Erfolg aus den ... lesen?

Das Lösungswort heißt _____.

Wortschatz **b** **Sternzeichen. Schreiben Sie die Wörter in die Übersicht.**

> Fisch • Jungfrau • Krebs • Löwe • Schütze • Skorpion • Steinbock •
> Stier • Waage • ~~Wassermann~~ • Widder • Zwilling

21.1. – 19.2.	20.2. – 20.3.	21.3. – 20.4.	21.4. – 20.5.	21.5. – 21.6.	22.6. – 22.7.
Wassermann					

23.7. – 23.8.	24.8. – 23.9.	24.9. – 23.10.	24.10. – 22.11.	23.11. – 21.12.	22.12. – 20.1.

c **Welches Sternzeichen sind Sie? Recherchieren und notieren Sie.**

Gute Eigenschaften: _____

Schlechte Eigenschaften: _____

Als Partner/Partnerin passen: _____

Ihr Horoskop für heute? _____

_____

2

a In die Zukunft blicken oder nicht? Ergänzen Sie die Forumsbeiträge.

| Horoskop | | Plattform | Forum | News |

Widderfrau, 16. April, 21.37 Uhr
Ich will doch wi_s_ _s_ _e_ _n_ (1), was mich in der Zu___ ___ ___ ___ (2) erwartet. Darum lasse ich
mir jeden Mo___ ___ ___ (3) ein richtiges Horoskop machen, das genau zu meinen Da___ ___ ___ (4)
passt. Ein Horoskop in der Z___ ___ ___ ___ ___ ___ (5) ist zu allgemein. Das kann alles oder nichts
bed___ ___ ___ ___ ___ (6).

Chris Kant, 16. April, 23.04 Uhr
↳ Astrologen wollen doch nur G___ ___ ___ (7) verdienen. Und es funktioniert, weil man
sich über Horoskope schön unterh___ ___ ___ ___ ___ (8) kann. Aber eigentlich ist das alles
nur ein großer Un___ ___ ___ ___ (9). Man kann das Schicksal nicht aus der Position der
St___ ___ ___ ___ (10) vorhersagen.

Du bist dran, 17. April, 14.07 Uhr
↳ Nur weil Sie selbst nicht an etwas gl___ ___ ___ ___ ___ (11), ist es Unsinn? In
meinem Glü___ ___ ___ ___ ___ ___ ___ (12) stand gestern: „Die eigenen Fehler
erk___ ___ ___ ___ (13) man am besten mit den Augen von anderen." Im
Gesp___ ___ ___ ___ (14) mit einer Kollegin habe ich dann ver___ ___ ___ ___ ___ ___ ___ (15),
warum ich in der Firma Pr___ ___ ___ ___ ___ ___ (16) mit dem Chef habe.

**b Welchen Bereich betreffen die Horoskope? Notieren Sie die passende Überschrift. Eine
Überschrift passt nicht.**

Geld
Familie
Gesundheit
Karriere
Liebe

_____ Sie kämmen sich jeden Morgen und bringen Ihr Haar in Ordnung,
aber nicht Ihr Herz. Achten Sie auf Ihre Emotionen!

_____ Die Sterne stehen am Donnerstag und Freitag besonders gut für
Sie. Sie wollen doch beruflich nach oben. Nutzen Sie Ihre Chance!

_____ Kilometer fressen Kilos. Tun Sie etwas Gutes für sich. Laufen Sie
zwei Mal pro Woche oder gehen Sie spazieren.

_____ Ärgern Sie sich nicht über ein Problem mit einem Verwandten,
der immer nervt. Lösen Sie es!

Gute Vorsätze?

3

a Was werden die Personen machen? Ergänzen Sie die Verben im Futur I.

1. Ich ___werde___ nicht mehr so lang ___schlafen___.

2. Was hast du vor? _____ du auch früher _____?

3. Mirjam _____ jeden Tag eine halbe Stunde im Fitness-Studio

   _____.

4. Eva und John _____ oft gemeinsam etwas _____.

5. Und ihr? _____ ihr auch irgendetwas _____?

6. Schon morgen _____ wir unsere guten Vorsätze _____ ☺.

aufstehen •
~~schlafen~~ •
unternehmen •
verändern •
verbringen •
vergessen •

b Was für Vorsätze könnten diese Personen haben? Schreiben Sie.

Das Übergewicht kostet 196 €.

1. *In Zukunft werde ich* _____

2. _____

3. _____

4. _____

5. _____

c Schreiben Sie für jemand im Kurs ein „Horoskop". Schreiben Sie etwas zu Liebe, Gesundheit und Beruf.

> eine spannende Begegnung haben • eine Chance wahrnehmen • auf sich selbst achten •
> etwas Neues probieren • mutig sein • sich mehr Mühe geben • eine Pause brauchen •
> das Talent nützen • dem Gefühl folgen • öfter abschalten • aus Fehlern lernen •
> ein Problem lösen • Disziplin üben • ...

Woche vom _____ *bis* _____ .

Die Sterne stehen gut für _____

4 Was ist Ihnen wichtig? Wählen Sie sieben Dinge aus und schreiben Sie Sätze.

Wir brauchen

mehr Schlaf
viel gute Musik
guten Tee
spannende Bücher
kreative Ideen
lange Spaziergänge
mehr Freundlichkeit
viel Lachen
schöne Träume
mehr Liebe
interessante Gespräche

> Ich möchte (mehr) ... • In der nächsten Zeit will ich ... •
> Morgen beginne ich, ... • Ich habe vor, ... • Ich werde ... •
> Ich habe mir vorgenommen, ... • Und ich wünsche mir ... • Ich will ...

1. *Ich werde in Zukunft mehr schlafen.* _____

2. _____

3. _____

4. _____

5. _____

6. _____

7. _____

8. _____

eu in der Firma

5

a Über andere Leute reden. Ergänzen Sie das passende Relativpronomen im Dativ.

dem • dem • dem • denen • denen • der • der

1. Wer reitet denn da vorbei? – Das ist doch Frau Weber,
   _____ Freunde ein Pferd geschenkt haben!

2. Und Herr Weber, _____ über 30 Motorräder
   gehören, hatte einen Unfall beim Motorradfahren.

3. Sind das Lisa und Alex, _____ man gerade
   neue Möbel bringt?

4. Hast du von dem kranken Kind gehört, _____
   alle seine Schulfreunde geholfen haben?

5. Wer ist denn die nette Frau, _____ du gestern
   zum Geburtstag gratuliert hast?

6. Wie heißen denn die Kinder, _____ du gerade Schokolade gegeben hast?

7. Wo wohnt noch mal der alte Mann, _____ du gestern die Tasche getragen hast?

b Termine in dieser Woche. Wo ist Eva? Was macht sie? Schreiben Sie Relativsätze.

Tag	Termin
Mo	14.00 Herr Hempel
Di	9.30 Frau Platter
Mi	20.30 Anna u. Erwin
Do	10.15 Frau Dr. Giner
Fr	16.00 Kolleginnen
Sa	Party bei Freunden
So	Besuch Opa!

Eva will ihnen zwei DVDs schenken.

Sie wird ihr den neuen Computer anschließen.

Eva will ihm zum Geburtstag gratulieren.

Sie wird ihnen Bilder vom Urlaub zeigen.

Sie wird ihm seinen Lieblingskuchen backen.

Eva will ihr das neue Telefon erklären.

Eva will ihnen Blumen mitbringen.

1. Am Montag ist Eva bei Herrn Hempel, _dem sie zum Geburtstag gratulieren will._
2. Am Dienstag geht sie zu Frau Platter, _____
3. Am Mittwoch hat Eva Besuch von Anna und Erwin, _____
4. Am Donnerstag ist Eva bei Frau Dr. Giner, _____
5. Am Freitag besucht sie ihre früheren Kolleginnen, _____
6. Am Samstag gibt es eine Party bei alten Freunden, _____
7. Am Sonntag besucht sie ihren Opa, _____

Hamburg 2030

6

a Wie die Zukunft 2030 aussieht. Ergänzen Sie die Sätze.

be	Be	Be	de	~~Durch~~	dürf	for
for	Ganz	He	ke	le	men	nis
prä	raus	re	ren	rufs	rung
rung	~~schnitt~~	schu	se	sen	tä
tags	tie	tig	völ	Wohn

Im Jahr 2030 wird Cordula Hansen den _Durchschnitt_____ (1) der Hamburger Bevölkerung

_____ (2). Sie ist dann 43 Jahre alt und hat zwei Kinder. Beide Eltern sind

_____ (3), die Kinder sind in einer _____ (4) und haben dort

eine gute Betreuung. Es wird 2030 aber nicht nur mehr Kinder als jetzt geben, sondern vor allem viel

mehr ältere Menschen. Das Älterwerden der _____ (5) ist eine große

_____ (6), auch für den Wohnungsbau. Stadtplaner und Architekten müssen auf die

besonderen _____ (7) dieser Gruppe reagieren. Deshalb muss man auch andere

_____ (8) planen und realisieren, mit kurzen Wegen für alles, was man im Alltag

braucht.

**b Sie hören nun einen Text. Sie hören den Text einmal. Dazu lösen Sie fünf Aufgaben.
Wählen Sie bei jeder Aufgabe die richtige Lösung ⓐ, ⓑ oder ⓒ. Lesen Sie jetzt die
Aufgaben 1 bis 5. Dazu haben Sie 60 Sekunden Zeit.**

1.40

P

Z B1

Sie nehmen an einer Führung durch die Hamburger Speicherstadt teil.

1. Die Touristen machen die Führung   ⓐ mit dem Bus.
                                          ⓑ auf einem Boot.
                                          ⓒ zu Fuß.

2. In der Speicherstadt gibt es heute   ⓐ immer noch viele Lager für Waren.
                                          ⓑ Platz für die Container der Schiffe.
                                          ⓒ viele Büros.

3. Die Wohnungen in der Speicherstadt   ⓐ stehen oft noch leer.
                                          ⓑ sind meistens ziemlich klein.
                                          ⓒ sind sehr teuer.

4. Die Stadt Hamburg hat   ⓐ mehr Brücken als New York.
                                          ⓑ viele kleine Wasserstraßen.
                                          ⓒ eine neue Brücke mit dem Namen „Amsterdam".

5. Die Hamburger Elbphilharmonie ist   ⓐ ein Konzerthaus.
                                          ⓑ schon ein paar Jahre lang fertig.
                                          ⓒ ein großes Orchester.

7

a Ergänzen Sie die passenden Personalpronomen.

1. Das ist meine Freundin Sigrid.

   A Ich habe mit _____ die Schule besucht.

   B Morgen koche ich für _____ .

2. Das ist unser Kollege Fred.

   A Ich war gestern Abend bei _____ .   B Ich habe mich gut mit _____ unterhalten.

3. Das sind mein Freunde Karin und Jakob.

   A Ich bin heute bei _____ eingeladen.   B Ich habe einen Kuchen für _____ gebacken.

· ·

ihm • ihm • ihnen • ihr • sie • sie

· ·

b Machen Sie aus A und B in 7a Relativsätze.

1. Das ist meine Freundin Sigrid,   A *mit der ich die Schule besucht habe.*

                                      B *für* _____

2. Das ist unser Kollege Fred,   A _____

                                      B _____

3. Das sind meine Freunde Karin und Jakob, A _____

                                      B _____

c Dativ oder Akkusativ? Was ist richtig? Kreuzen Sie an.

1. Clara ist wieder in den ☐ dem ☐ gleichen Ort in den Alpen gefahren.

2. Bernd freut sich auf seinen ☐ seinem ☐ Urlaub.

3. Markus erzählt viel über sein ☐ seinem ☐ neues Haus.

4. Iris bereitet sich auf ihre ☐ ihrer ☐ Prüfung vor.

5. Iris fürchtet sich ein bisschen vor ihre ☐ ihrer ☐ Prüfung.

6. Unsere Nachbarn waren in ihr ☐ ihrem ☐ Ferienhaus.

7. Felix muss lange auf seinen ☐ seinem ☐ Termin warten.

> **Achtung bei Wechselpräpositionen:**
>
> Verb mit Präpositionalergänzung:
> *Ich erinnere mich gern **an die** Jahre in Berlin.*
> *Das waren die Jahre in Berlin, **an die** ich mich gern erinnere.*
>
> Lokale Angaben:
> *Ich gehe gern **in das** kleine Café an der Ecke.*
> *Das ist das Café, **in das** ich gern gehe.*
> *Ich bin oft **in dem** kleinen Kino.*
> *Das ist das Kino, **in dem** ich oft Filme sehe.*

d Ergänzen Sie das Relativpronomen: Dativ oder Akkusativ? Kontrollieren Sie mit 7c.

1. Clara war in dem Ort in den Alpen, in _____ sie schon oft gefahren ist.

2. Nächste Woche hat Bernd Urlaub, auf _____ er sich sehr freut.

3. Markus wohnt in einem neuen Haus, über _____ er viel erzählt.

4. Iris redet oft von ihrer Prüfung, auf _____ sie sich schon lang vorbereitet.

5. Iris hat bald ihre Prüfung, vor _____ sie sich ein bisschen fürchtet.

6. Unsere Nachbarn haben ein Ferienhaus, in _____ sie auch in diesem Sommer waren.

7. Felix hat einen Termin beim Arzt, auf _____ er lange warten muss.

e Lesen Sie die Sätze. Ist der unterstrichene Teil im Nominativ, Akkusativ oder Dativ? Steht eine Präposition dabei? Kreuzen Sie an.

	Nominativ	Akkusativ	Dativ	Präp. + Akk.	Präp. + Dativ
1. Da vorne steht das Haus.					
A Lea wurde <u>in dem Haus</u> geboren.					X
B Ich ziehe bald <u>in das Haus</u> ein.					
C <u>Das Haus</u> ist fast 100 Jahre alt.					
D Ich finde <u>das Haus</u> echt schön.					
2. Das ist meine Kollegin Esther.					
A Ich habe <u>auf sie</u> gewartet.					
B Ich gehe <u>mit ihr</u> shoppen.					
C Ich habe <u>ihr</u> 100 Euro geliehen.					
D Ich kenne <u>sie</u> schon sehr lange.					

f Schreiben Sie Relativsätze mit den Informationen aus 7e.

> 1. A Da vorne steht das Haus, in dem Lea geboren wurde.

> 2. A Das ist meine Kollegin Esther, …

8

🔊 1.41

a s oder ß? Hören Sie. Achten Sie auf den Vokal vor s. Ist er kurz (.) oder lang (_)? Notieren Sie . oder _.

1 a	ICH LASSE	_____	b	ICH LIESS	_____
2 a	SIE VERGESSEN	_____	b	SIE VERGASSEN	_____
3 a	WIR ASSEN	_____	b	WIR ESSEN	_____
4 a	ER SCHLIESST	_____	b	ER SCHLOSS	_____
5 a	SIE GOSS	_____	b	SIE GIESST	_____
6 a	SIE REISSEN	_____	b	SIE RISSEN	_____

🔊 1.41

b Schreiben Sie die Verbformen in 8a in Schreibschrift. Hören Sie dann noch einmal und kontrollieren Sie.

> Den Buchstaben ß gibt es nur in der Klein-schreibung. Bei Großschreibung, z. B. in Kreuz-worträtseln oder Formularen, verwendet man SS: GRÜSSE UND KÜSSE!, STRASSBURG

🔊 1.42

c Hören Sie und ergänzen Sie die Lücken.

1. In einem _großen_ alten _____ lebte ein _____ König. 2. Am liebsten _____ er in seinem _____ und _____ sich immer _____ Säfte bringen. 3. Er _____ ganz genau, _____ seine Leute ihn _____.

🔊 1.43

d Hören Sie noch einmal. Kontrollieren Sie.

eb' deine Träume

9

a Der Rat von Freunden. Welche Ratschläge hören Sie in den Gesprächen? Kreuzen Sie an.

Gespräch 1

- [a] Das würde ich machen.
- [b] Du musst das unbedingt machen.
- [c] Nutz deine Chance!
- [d] Das solltest du unbedingt tun!
- [e] Ich würde das Angebot sofort annehmen.
- [f] Trau dich doch!

Gespräch 2

- [a] Du kannst nicht einfach aufhören!
- [b] Schließ zuerst dein Studium ab.
- [c] Du darfst jetzt nicht aufhören.
- [d] Studier doch zuerst fertig!
- [e] Du solltest das noch einmal überlegen.
- [f] Ich würde es schade finden, wenn du ...

b Lesen Sie die Briefe an Dr. Winter. Was soll er den Personen raten? Schreiben Sie für beide Personen vier Ratschläge.

> ~~die Träume realisieren~~ • keine Angst haben • alles gewinnen müssen • immer der Beste sein •
> ~~auf Ihre Freunde hören~~ • vorsichtig sein • realistisch bleiben • die Chancen nutzen •
> sich nicht klein machen • gut überlegen • warten

Briefe an Dr. Winter

Ich habe ein Angebot bekommen, ein Jahr in den USA zu arbeiten. Das war immer mein Traum. Aber ich trau mich nicht. Ich glaube, ich kann das nicht.

(Iris, 23 Jahre)

Realisieren Sie Ihre Träume jetzt. Es klappt bestimmt!

Briefe an Dr. Winter

Meine Freundin ist eher vorsichtig, sie überlegt lange. Ich bin das genaue Gegenteil: Ich wage alles. Wer wagt, gewinnt! Aber jetzt habe ich eine schlechte Erfahrung gemacht.

(Simon, 19 Jahre)

Sie sollten auch manchmal auf Ihre Freundin hören.

10

a Ein Bild beschreiben. Überlegen Sie: Was sehen Sie und welcher der beiden Texte beschreibt das Bild besser? Kreuzen Sie an.

A Jungen und Mädchen machen zusammen Musik. Sie spielen verschiedene Instrumente. Drei tragen eine Sonnenbrille. Ich glaube, das ist irgendwo draußen. Vielleicht spielen sie bei einem Fest. Wahrscheinlich ist das ein Orchester von Jugendlichen, die klassische Musik gut finden. ☐

B Musik ist wichtig, besonders für Jugendliche. Wenn sie ein Instrument lernen, machen sie etwas Sinnvolles in ihrer Freizeit. Orchester sind in Deutschland wichtig, es gibt sie in jeder Stadt. Aber viele Jugendliche wollen keine klassische Musik mehr machen. ☐

P
DTZ

b Musik machen. Arbeiten Sie zu zweit. Sprechen Sie mit Ihrem Partner / Ihrer Partnerin. Machen Sie zuerst abwechselnd Teil A, dann Teil B.

Person 1

Teil A
Sie haben in einer Zeitschrift ein Foto gefunden. Berichten Sie Ihrer Gesprächspartnerin / Ihrem Gesprächspartner kurz:
– Was sehen Sie auf dem Foto?
– Was für eine Situation zeigt dieses Bild?

Teil B
Erzählen Sie: Welche Erfahrungen haben Sie damit?

Person 2

Teil A
Sie haben in einer Zeitschrift ein Foto gefunden. Berichten Sie Ihrer Gesprächspartnerin / Ihrem Gesprächspartner kurz:
– Was sehen Sie auf dem Foto?
– Was für eine Situation zeigt dieses Bild?

Teil B
Erzählen Sie: Welche Erfahrungen haben Sie damit?

Wortbildung – Substantive mit -heit, -keit

A

Was gehört zusammen? Verbinden Sie die Wörter aus der gleichen Wortfamilie.

möglich   sicher   die Gesundheit   gesund   fähig   die Sicherheit

zufrieden   die Zufriedenheit   schön   die Fähigkeit   die Wirklichkeit

aufmerksam   die Möglichkeit   wirklich   die Schönheit   die Aufmerksamkeit

> Substantive auf *-heit* und *-keit* stammen von Adjektiven ab. Der Artikel ist immer *die*.
> Bei Adjektiven auf *-ig* oder *-lich* endet das Substantiv auf *-keit*: Fäh**igk**eit, Mögl**ichk**eit

B

Markieren Sie in den Aussagen links das Adjektiv. Ergänzen Sie dann das passende Substantiv. Kontrollieren Sie mit dem Wörterbuch.

1. ◆ Ich habe so Angst, wenn es dunkel ist! ◆ Warum magst du die _Dunkelheit_ nicht?

2. ◆ Jakob kommt immer pünktlich zur Arbeit. ◆ Ja, in seiner Firma ist _____ wichtig.

3. ◆ Ist Lisa noch krank? ◆ Ja, ihre _____ kann noch länger dauern.

4. ◆ Eure Kinder sind sehr höflich, das ist schön. ◆ Ich finde _____ auch wirklich wichtig!

5. ◆ Ist das wahr, was du da sagst? ◆ Na klar, das ist die _____.

6. ◆ Endlich waren wir frei! ◆ Ja, die _____ war ein ganz neues Gefühl für uns.

Das kann ich nach Kapitel 6

R1 Sprechen Sie mit Ihrem Partner / Ihrer Partnerin. Spielen Sie eine Rolle und sagen Sie Ihre Meinung.

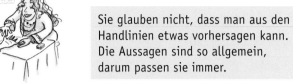

Sie haben sich aus der Hand lesen lassen. Zuerst war es nur aus Spaß. Aber die Wahrsagerin hat tatsächlich etwas gesagt, das wahr ist. Sie glauben ihr.

Sie glauben nicht, dass man aus den Handlinien etwas vorhersagen kann. Die Aussagen sind so allgemein, darum passen sie immer.

	☺☺	☺	😐	☹	KB	AB
💬 Ich kann Meinungen mit jemandem austauschen über das Thema „die Zukunft vorhersagen".	☐	☐	☐	☐	1, 2c	

R2 Schreiben Sie die Sätze fertig.

Ich habe vor, _____ .

Im nächsten Jahr werde ich _____ .

Ich will nicht mehr _____ .

	☺☺	☺	😐	☹	KB	AB
✎ Ich kann Pläne und Vorsätze aufschreiben.	☐	☐	☐	☐	3	3, 4

R3 Machen Sie aus dem Satz in der Klammer einen Relativsatz.

Alexandra ist eine gute Freundin, _____ .
(Ich rede mit ihr über alles.)

Heute habe ich Herrn Walters getroffen, _____ .
(Ich habe ihm schon viele Mails geschickt.)

Das waren unsere Freunde, _____ .
(Wir haben von ihnen schon viel erzählt.)

	☺☺	☺	😐	☹	KB	AB
✎💬 Ich kann genauere Angaben zu Personen und Dingen machen.	☐	☐	☐	☐	5a–c	5, 7

Außerdem kann ich	☺☺	☺	😐	☹	KB	AB
🎧📖 ... Gespräche und Chats über Vorhersagen verstehen.	☐	☐	☐	☐	2a, b	2a
🎧 ... Informationen einer Stadtführung verstehen.	☐	☐	☐	☐		6b
🎧 ... Gespräche über eine Stadt verstehen.	☐	☐	☐	☐	6a	
🎧💬 ... ein Lied verstehen und über Lieder sprechen.	☐	☐	☐	☐	9, 10b	
💬 ... über Pläne und Vorsätze sprechen.	☐	☐	☐	☐	4	
💬✎ ... genauere Angaben zu Personen und Dingen machen.	☐	☐	☐	☐	3, 4, 5	3, 4, 5
💬✎ ... Ratschläge geben.	☐	☐	☐	☐		9
💬✎ ... über ein Bild schreiben und sprechen.	☐	☐	☐	☐		10
📖 ... einen Zeitungstext über eine Stadt verstehen.	☐	☐	☐	☐	6b, c	6a
✎ ... einen Text über meine Stadt schreiben.	☐	☐	☐	☐	7c	

Lernwortschatz Kapitel 6

die Zukunft vorhersagen

die Prognose, -n _____

die Zukunftsprognose, -n _____

das Schicksal (Singular) _____

der Charakter (Singular) _____

blicken _____

in die Zukunft blicken _____

vermeiden _____

vorher|sagen _____

Kann man das Schicksal vorhersagen? _____

_____

zweifeln _____

interessiert _____

skeptisch _____

wissenschaftlich _____

Kaffeesatz, Glückskeke, Handlesen

der Boden (Singular) _____

das Muster, – _____

kleben _____

Das Kaffeepulver klebt am Boden. _____

_____

zu|bereiten _____

einen Kaffee zubereiten _____

das Gebäck (Singular) _____

deuten _____

das Bleigießen

das Blei (Singular) _____

der Brauch, Bräuche _____

die Figur, -en _____

der Baum, Bäume _____

entstehen _____

gießen _____

Gieß das flüssige Blei in kaltes Wasser. _____

_____

wachsen _____

flüssig _____

das Horoskop

die Astrologie (Singular) _____

der Stern, -e _____

das Sternzeichen, – _____

Wassermann _____

Fische _____

Widder _____

Stier _____

Zwillinge _____

Krebs _____

Löwe _____

Jungfrau _____

Waage _____

Skorpion _____

Schütze _____

Steinbock _____

bestimmt _____

ein Horoskop für einen bestimmten Tag _____

_____

Vorsätze fassen

der Vorsatz, Vorsätze _____

der Moment, -e _____

Es macht alles erst im letzten Moment. _____

_____

sich vor|nehmen _____

Er nimmt sich immer zu viel vor. _____

_____

Visionen für die Zukunft

die Vision, Visionen _____

das Bedürfnis, -se _____

die Betreuung (Singular) _____

der Bürger, – _____

die Fachleute (Plural) _____

die Form, -en _____

verschiedene Wohnformen _____

ein Fünftel (¹/₅) _____

Ein Fünftel der Schüler ist krank. _____

_____

die Ganztagsschule, -n _____

die Konferenz, -en _____

Es gibt eine Pressekonferenz. _____

_____

die Million, -en _____

die Verbindung, -en _____

Es gibt schnelle Zugverbindungen. _____

_____

das Zentrum, Zentren _____

das Ziel, -e _____

sich beschäftigen (mit) _____

Experten beschäftigen sich mit der Zukunft. _____

_____

präsentieren _____

realisieren _____

repräsentieren _____

Sie repräsentiert den Durchschnitt. _____

dicht _____

Die Stadt hat ein dichtes Netz von Radwegen. _____

_____

kulturell _____

politisch _____

seine Träume leben

der Himmel (Singular) _____

der Mut (Singular) _____

Das macht mir Mut. _____

_____

der Sinn (Singular) _____

der Sieger, – _____

besiegen _____

hin|hören _____

Hör gar nicht hin! _____

kämpfen _____

klappen _____

Das klappt bestimmt! _____

springen _____

sich trauen _____

wagen _____

bereit sein _____

innere/inneres _____

andere wichtige Wörter und Wendungen

als Erster _____

die Bibliothek, -en _____

der Schatten, – _____

frisch _____

heutzutage _____

sonst _____

Danke, ich möchte sonst nichts. _____

_____

sowieso _____

wichtig für mich

_____

_____

_____

Wie heißen die Adjektive?

ELLTURKUL _____   SCHEPSTIK _____   LOPISCHIT _____

7 Beziehungskisten

1

a Passen die Eigenschaften eher zu einem Mann, einer Frau oder zu beiden? Markieren Sie mit drei Farben und vergleichen Sie dann mit einem Partner / einer Partnerin.

gut mit Geld umgehen können

auf die Ernährung achten

anderen sagen, was sie tun sollen

ordentlich sein

sich für Autos begeistern

problemlos parken

Wert auf das eigene Aussehen legen

sich Bewunderung wünschen

gut kochen

nicht richtig zuhören

b Das nervt mich total! Lesen Sie den Forumsbeitrag über Klischees und schreiben Sie Ihre Meinung.

> **Lumi12**   Also, heute habe ich mich wieder mal total geärgert. Ich habe einen Kollegen im Auto mitgenommen und eine Autofahrerin vor uns ist sehr unsicher gefahren. Da hat mein Kollege gesagt: „Das ist ja wieder mal typisch: Frau am Steuer!" Wie doof ist das denn? Erstens hat er selbst gar keinen Führerschein und zweitens bin ich ja auch eine Frau, und ich bin die ganze Zeit gut und problemlos gefahren! Warum denken eigentlich so viele Menschen in Klischees? Klischees stimmen einfach nicht. Jedenfalls kenne ich immer Gegenbeispiele. Findet ihr das auch so blöd wie ich?

2

Wortschatz

a Aussehen und Charakter. Wie heißt das Gegenteil? Arbeiten Sie mit dem Wörterbuch.

> ängstlich • dick • dumm • dunkelhaarig • ernst • faul •
> hässlich • pessimistisch • schwach • unehrlich • untreu • unzuverlässig

1. zuverlässig – _____
2. lustig – _____
3. hübsch – _____
4. ehrlich – _____
5. blond – _____
6. fleißig – _____
7. schlank – _____
8. optimistisch – _____
9. mutig – _____
10. kräftig – _____
11. klug – _____
12. treu – _____

b Typisch Mann, oder? Ergänzen Sie die Sätze. Schreiben Sie, wo nötig, auch die Endungen.

> ängstlich • dumm • fleißig • hübsch • klug • lustig • mutig • zuverlässig

1. Mein Bruder Leon ist sehr beliebt, weil er echt _____ ist. Mit ihm hat man immer Spaß.
2. Obwohl er in der Schule gut war, hat er zu Hause oft _____ Fragen gestellt.
3. Das Aussehen einer Frau ist für Leon unwichtig. Er möchte seiner Freundin vertrauen können. Das Wichtigste für ihn ist nämlich, dass sie _____ ist.
4. Leons neue Freundin ist trotzdem sehr _____, sie arbeitet manchmal als Model. Aber sie ist auch _____ und hat das beste Abitur ihrer Schule gemacht.
5. Im Büro arbeitet Leon viel, weil seine Eltern ihm beigebracht haben, _____ zu sein.
6. Als Kind war Leon _____ und hat sich vieles nicht getraut. Das hat sich nach der Schulzeit geändert und er ist _____ geworden. Jetzt liebt er das Risiko, manchmal zu sehr.

c Wie ist Ihr Traumpartner / Ihre Traumpartnerin? Beschreiben Sie.

Eine Familie als Patchwork

3

a **Familienmodelle. Welche Wörter fehlen? Lesen Sie die Forumstexte und ordnen Sie zu.**

Familienmodelle	Plattform	Forum	News

Also, mein Mann und ich haben sehr jung _____ (1). Bei der _____ (2) waren wir erst zwanzig Jahre alt. Es war ein tolles Fest! Leider ging es nicht gut mit uns und nach fünf Jahren haben wir uns _____ (3). Wir sind aber immer noch gute Freunde und kümmern uns _____ (4) um unsere Tochter.

Ich war noch nie verheiratet und bin damit glücklich. Wenn ich eine Freundin habe, hält das sowieso nie lang. Spätestens nach einem Jahr kommen die ersten _____ (5). Dann folgt ein paar Monate später die _____ (6) und man hört nichts mehr voneinander. Ich brauche keine Hochzeit, ich bin einfach kein Typ für die _____ (7). Ich habe eine große Familie und supernette Freunde und fühle mich wohl so, wie ich lebe.

Ich habe mich vor fünf Jahren scheiden lassen. Nach der _____ (8) von meinem ersten Mann habe ich lange allein gelebt und auch gedacht, dass das für immer so bleibt. Aber dann habe ich Fred getroffen und mich sofort in ihn _____ (9). Ich wusste: Er ist meine große Liebe. Und seit zwei Wochen ist es ganz offiziell: Wir sind _____ (10) und das wollen wir auch bleiben. Da Fred schon zwei Kinder hat und ich drei, sind wir jetzt eine große _____ (11).

Patchworkfamilie • Ehe • gemeinsam/zusammen • Probleme • geheiratet • Hochzeit • verheiratet • verliebt • Scheidung • getrennt • Trennung

b **Schreiben Sie über Ihre Familie auch einen Forumstext wie in 3a.**

c **Familienentwicklungen. Ergänzen Sie die Verben im Plusquamperfekt.**

> geben • gehen • streiten • sich entscheiden • ziehen • lernen • sprechen

1. Tom und Nina _hatten_ sich schnell _entschieden_, zusammenzuziehen. 2. Vor einem Jahr _____ Elisa sich mit ihrer Mutter _____ und _____ zu Tom und Nina _____. 3. Zuerst _____ es viele Probleme _____ und Elisa _____ nichts mehr für die Schule _____. 4. Dann _____ Tom und Nina zu einer Beratungsstelle _____ und _____ über alles _____. Danach konnten sie wieder besser miteinander reden und jetzt verstehen sich alle eigentlich ganz gut.

d Was war vorher passiert? Schreiben Sie Sätze im Plusquamperfekt.

1. Ich war sauer.   *Ich hatte mich mit meiner Mutter gestritten.*

2. Ich konnte nicht schlafen. _____

3. Ich war glücklich.   _____

4. Ich war total überrascht. _____

5. Ich war enttäuscht.   _____

4

a Ein normaler Familientag. Was passt zusammen? Ordnen Sie zu.

1. Die Familie streitet weniger, _____

2. Elisa versteht sich wieder besser mit

   ihrer Mutter, _____

3. Elisa muss das Geschirr spülen, _____

4. Nina macht für alle das Frühstück, _____

5. Am Abend isst die Familie zusammen, _____

6. Alle waschen sich die Hände, _____

A ... bevor sie mit ihrer Freundin chatten darf.

B ... bevor sie zum Abendessen kommen.

C ... nachdem sie sich den ganzen Tag nicht gesehen haben.

D ... nachdem sie zu ihrem Vater gezogen ist.

E ... nachdem alle zusammen bei der Beratungsstelle gewesen sind.

F ... bevor sie zur Arbeit geht.

b *Bevor* oder *nachdem*? Was passt? Kreuzen Sie an.

	bevor	nachdem	
1. Pia und Jan zogen gleich zusammen,	☐	☐	sie sich kennengelernt hatten.
2. Sie kannten sich schon lange,	☐	☐	sie heirateten.
3. Sie hatten immer genug Geld,	☐	☐	Jan arbeitslos wurde.
4. Jan war frustriert,	☐	☐	er seinen Job verloren hatte.
5. Pia zog aus,	☐	☐	sie sich mal wieder gestritten hatten.
6. Sie lebte allein,	☐	☐	sie mit einer Freundin zusammenzog.

c Den Tag beginnen. Bilden Sie die Sätze mit *bevor* oder *nachdem*.

1. Jeden Morgen dusche ich, _____

   _____.

   (aufstehen)

2. Ich decke den Tisch fürs Frühstück,

   _____

   _____. (Kinder wecken)

3. Die Kinder kommen erst zum Frühstück,

   _____. (sich waschen)

4. Die Kinder gehen zur Schule, _____. (frühstücken)

5. Ich räume noch alles auf, _____. (zur Arbeit gehen)

P **d Schreiben Sie eine E-Mail (circa 80 Wörter). Schreiben Sie etwas zu allen drei Punkten.**
B1 **Achten Sie auf den Textaufbau (Anrede, Einleitung, Reihenfolge der Inhaltspunkte, Schluss).**

> Sie waren auf der Hochzeitsfeier einer Freundin. Ein Freund / Eine Freundin von Ihnen konnte nicht mitkommen, weil er/sie krank war.
> – Beschreiben Sie: Wie war die Hochzeit?
> – Begründen Sie: Was hat Ihnen am besten gefallen und warum?
> – Machen Sie einen Vorschlag für ein Treffen.

nmer das Gleiche!

5 **a Lesen Sie den Text und wählen Sie die richtige Aussage: a, b oder c.**

Wie können Mann und Frau gut zusammenleben?

Eine neue Studie hat untersucht, worüber österreichische Paare streiten. Das Ergebnis unterscheidet sich wahrscheinlich kaum von anderen Ländern, denn die häufigsten Gründe für Streit sind Unordnung und Schmutz – und wer sich um beides kümmern soll.

Es könnte doch so schön sein mit einem Partner: Man frühstückt am Wochenende lange, schaut sich einen tollen Film im Fernsehen an oder unterhält sich stundenlang. Man muss auch gar nicht immer die gleichen Interessen haben, um glücklich zu sein. Aber zu jeder Beziehung gehören leider Dinge, die den Partner oder die Partnerin nerven und die immer wieder Grund für einen Streit sind.

Das Ergebnis der Studie ist wohl keine Überraschung: Der Haushalt bietet am meisten Stoff für Streitereien. Frauen ärgern sich besonders über Unordnung, schmutziges Geschirr bzw. Wäsche und werden sauer, wenn der Partner mit dreckigen Schuhen durch die Wohnung geht. Männer haben Probleme mit Haaren im Badezimmer und damit, dass Frauen beim Anziehen und Schminken zu lange brauchen. Andere Aufgaben im Haushalt, wie zum Beispiel das Kochen oder die Gartenarbeit, bieten viel weniger Diskussionsstoff. Das liegt wohl daran, dass diese Aufgaben nicht so oft als unangenehme Arbeit empfunden werden, sondern sogar Spaß machen.

Mann und Frau streiten sich also über eine faire Verteilung der „langweiligen" Aufgaben, denn keiner hat allzu große Lust auf Waschen und Putzen. Paare sollten also am besten möglichst früh und offen über diese Punkte diskutieren, damit es später nicht zu einem großen Streit und vielleicht sogar zur Trennung kommt. Die Experten des Partnerschaftsinstituts empfehlen, viele dieser Aufgaben einfach gemeinsam zu erledigen. Das macht mehr Spaß als allein und danach bleibt mehr Zeit für die gemeinsame Freizeit.

1. In dem Text geht es um
   - [a] Freizeitaktivitäten von Paaren.
   - [b] typisch österreichische Eigenschaften.
   - [c] Konfliktthemen in Beziehungen.

2. In einer guten Beziehung
   - [a] macht man alles zusammen.
   - [b] kann man unterschiedliche Hobbys haben.
   - [c] streitet man nicht.

3. Männer ärgern sich darüber, dass
   - [a] sie am Wochenende kochen sollen.
   - [b] sie auf die Partnerin warten müssen.
   - [c] Frauen in der Wohnung Schuhe tragen.

4. Streit lässt sich vermeiden, wenn
   - [a] man den passenden Partner wählt.
   - [b] jeder das macht, was er/sie gut kann.
   - [c] man gleich über Probleme spricht.

b *Bis*, *seit* oder *während*? Setzen Sie die passenden Konnektoren ein.

Britta und Eric sind schon lange ein Paar. Aber

_____ (1) sie sich kennen, hatten sie schon oft

Probleme. Es wurde nicht besser, _____ (2) sie zu

einem Paartherapeuten gegangen sind. _____ (3)

sie dort über ihre Probleme sprachen, verliebten sie sich

wieder neu ineinander.

Domenico will mit Pia einen schönen Abend verbringen und hat etwas Gutes

gekocht. Aber _____ (4) das Essen fertig ist, telefoniert Pia in

ihrem Zimmer mit ihrer Freundin. _____ (5) Domenico am Tisch

wartet, wird das Essen kalt. Er ärgert sich sehr. _____ (6) er Pia

kennt, gibt es deswegen immer wieder Streit.

Sara hatte endlich Zeit zum Shoppen. _____ (7) sie die neuen Sachen

anzieht, überlegt sie, was Tim wohl dazu sagen wird. _____ (8) sie

zusammengezogen sind, hat sie sich selten etwas Neues zum Anziehen gekauft.

Leider dauert es noch lange, _____ (9) Tim nach Hause kommt.

c Temporale Präpositionen. Lesen Sie den Text und ergänzen Sie die fehlenden Präpositionen.

> am • bis • bis • in • in • in • nach • nach • nach • seit • über • um • um • vor

_____ (1) dem ersten Juni hat Sara eine neue Stelle. Sie muss

jetzt genau _____ (2) sieben Uhr in der Praxis sein. Dann arbeitet

sie meistens _____ (3) halb fünf. Das sind _____ (4) acht

Stunden Arbeit, fünf Tage _____ (5) der Woche. _____ (6) der

Mittagspause geht sie nur schnell in

die Kantine und isst eine Kleinigkeit.

_____ (7) der Arbeit trifft sie am Abend manchmal eine Freundin.

Tim kommt auch nie _____ (8) sieben nach Hause, eher später.

Zweimal _____ (9) der Woche gehen sie _____ (10) der Arbeit

noch zusammen ins Fitness-

Studio. An diesen Tagen ist Sara abends schon _____ (11) zehn

Uhr normalerweise so müde, dass sie gleich _____ (12) dem

Sport ins Bett geht und ganz schnell einschläft. Nur _____

(13) Wochenende gehen sie oft tanzen und sind _____ (14)

Mitternacht unterwegs.

6

Kombinieren Sie. Schreiben Sie acht Sätze mit *seit, bis, während, bevor* und *nachdem*.

verheiratet sein	wenig Zeit haben
Sport machen	Mails schreiben
in die Stadt fahren	fernsehen
Freunde besuchen	telefonieren
Deutsch lernen	kochen
Urlaub machen	sich langweilen
krank sein	Fotos ansehen

Während du Deutsch lernst, solltest du nicht fernsehen.
Bevor er Deutsch lernt, sieht er noch ein bisschen fern.

Richtig streiten

7

a **Lesen Sie den Text und schließen Sie die Lücken 1 bis 10. Welche Lösung (a, b oder c) ist jeweils richtig? Markieren Sie Ihre Lösungen.**

P
ZD
DTZ

Hallo Hanna,

endlich finde ich Zeit, dir zu schreiben. Ich bin nämlich ziemlich im Stress, ___(1)___ ich eine

Ausbildung als Mediatorin begonnen habe. Dafür brauche ich ___(2)___ Zeit, als ich dachte. Aber es ist

total spannend und gefällt ___(3)___ sehr gut. Wie du weißt, wollte ich das ___(4)___ lange machen, und

nun hat es endlich geklappt.

Wir haben einmal im Monat ___(5)___ Wochenendkurs und in der restlichen Zeit müssen wir viel lesen

und Testaufgaben machen. Im Kurs sind noch fünf andere Teilnehmer, ___(6)___ alle sehr nett sind. Es

ist immer lustig, ___(7)___ wir Rollenspiele machen. Unsere Trainerin ist erfahren und erzählt viel aus

___(8)___ Praxis. Manchmal kann ich es kaum glauben, was für Probleme die Leute haben oder sich

machen. Zum Beispiel kam ein Geschwisterpaar ___(9)___ ihr, das Hilfe brauchte. Sie haben sich total

gestritten, weil sie beide den Hund der Mutter haben wollten. Und ___(10)___ Ende kam der arme Hund

zu einem anderen Besitzer – verrückt, oder?

Jetzt muss ich aber weiterlernen, lass uns doch bald mal wieder telefonieren.

Liebe Grüße

Sabine

1	a darum	4	a erst	7	a als	10	a am
	b deshalb		b noch		b wann		b ans
	c weil		c schon		c wenn		c im
2	a mehr	5	a ein	8	a ihrer		
	b meist		b eine		b ihre		
	c viel		c einen		c ihren		
3	a mich	6	a der	9	a für		
	b mir		b den		b zu		
	c sich		c die		c mit		

> ! Diese Aufgabe gibt es in den Prüfungen ZD und DTZ. Nur die Anzahl der Lücken variiert: Beim ZD gibt es 10 Lücken, beim DTZ nur sechs Lücken.

b Die eigene Meinung sagen. Wie heißen die Ausdrücke richtig?

1. bin / ich / Meinung / dass / der / , / ...   _____

2. Meinung / nach / meiner / ...   _____

3. auf / ich / , / Standpunkt / dem / stehe / dass / ...   _____

4. dass / , / überzeugt / bin / ich / ...   _____

5. das / ich / so / sehe / nicht / .   _____

6. am / das / scheint / wichtigsten / mir / .   _____

7. finde / ich / das / nicht richtig / .   _____

c Arbeiten Sie zu zweit. Sagen Sie Ihre Meinung zu den Themen und verwenden Sie die Redemittel aus 7b.

Streiten ist gesund.

Kollegen kann man kritisieren.

In einer Ehe darf man nicht streiten.

8

2.2–3

a Hören Sie zwei Streitgespräche. Worum geht es? Notieren Sie. Sind sie eher diplomatisch oder undiplomatisch? Markieren Sie die richtige Variante.

Thema in Gespräch 1: _____   Thema in Gespräch 2: _____
diplomatisch / undiplomatisch   diplomatisch / undiplomatisch

2.2–3

b Lesen Sie die Ausdrücke 1 bis 6 und hören Sie die Gespräche noch einmal. In welchem Gespräch hören Sie die Redemittel? Notieren Sie 1 oder 2.

1. Das nervt mich wirklich. _____   4. Immer das Gleiche! _____

2. Das ist ja nicht so schlimm. _____   5. Das kann doch nicht wahr sein! _____

3. Ich kann dich gut verstehen. _____   6. Ich wünsche mir, dass _____

9

2.4

Modalpartikel. Hören Sie und sprechen Sie nach.

1. a Beeil dich mal!
   b Du kannst uns mal besuchen.

2. a Das hat er ja schon gesagt.
   b Sie kommt ja immer zu spät.

3. a Was ist das denn?
   b Wie heißt du denn?

4. a Da fährt wohl kein Bus mehr.
   b Sie haben wohl keine Lust.

5. a Das ist aber teuer!
   b Er kocht aber gut!

Gemeinsam sind wir stark

10

P

DTZ

◉

2.5

Sie hören jetzt mehrere Gespräche. Zu jedem Gespräch lösen Sie zwei Aufgaben. Bitte kreuzen Sie die richtige Antwort an.

Beispiel

01 Julia und Cornelius möchten heiraten.　　　　　　　　| Richtig |　| ~~Falsch~~ |

02 Was wollen sie für die Kinder organisieren?
- ☒ Einen Spieleraum.
- b Einen Clown.
- c Ein Extra-Programm.

1 Thomas und Katja sind Nachbarn.　　　　　　　　| Richtig |　| Falsch |

2 Wie bekommt Katja die Konzertkarte?
- a Sie hat sie im Internet gekauft.
- b Thomas verkauft ihr eine.
- c Thomas gibt sie ihr gratis.

3 Frau Riedinger ist die Kollegin von Herrn Kaminski.　　　　| Richtig |　| Falsch |

4 Was hat Herr Kaminski im Urlaub gemacht?
- a Er ist zu Hause geblieben.
- b Er hat Verwandte besucht.
- c Er hat eine Fahrradtour gemacht.

5 Sie hören ein Gespräch zwischen zwei Lehrern.　　　　| Richtig |　| Falsch |

6 Was machen die Schüler der 7. Klasse?
- a Sie spielen zusammen Theater.
- b Sie haben einen Schüleraustausch.
- c Sie gehen Ski fahren.

7 Herr Schurig ist Hausmeister.　　　　　　　　| Richtig |　| Falsch |

8 Was ist kaputt?
- a Die Lampe im Flur.
- b Die Waschmaschine im Keller.
- c Die Klingel an der Haustür.

Die Moral von der Geschichte ...

11

Wortschatz

Kennen Sie die Tiere? Notieren Sie das Wort in Ihrer Sprache. Wie viele Wörter sind ähnlich?

die Giraffe　　　das Krokodil　　　die Mücke　　　der Hase　　　der Pinguin

_____　_____　_____　_____　_____

der Bär　　　der Elefant　　　der Löwe　　　die Fliege　　　der Rabe

_____　_____　_____　_____　_____

12 a Schön vorlesen. Lesen Sie die Fabel zuerst langsam und markieren Sie wichtige Wörter und Informationen, die Sie betonen möchten. Lesen Sie schwierige Wörter mehrmals laut.

Der Hase und die Frösche

Ein Hase saß in seinem Lager und grübelte[1]. „Wer furchtsam[2] ist", dachte er, „ist eigentlich unglücklich dran! Nichts kann er in Frieden genießen, immer gibt es neue Aufregung für ihn. Ich schlafe vor Angst schon mit offenen Augen. Das muss anders werden, sagt mir der Verstand. Aber wie?"

So überlegte er. Dabei war er aber immer auf der Hut[3], denn er war nun einmal misstrauisch und ängstlich. Ein Geräusch, ein Schatten, ein Nichts – alles erschreckte ihn.

Plötzlich hörte er ein leichtes Säuseln[4]. Sofort sprang er auf und rannte davon. Er hetzte bis an das Ufer eines Teiches. Da sprangen die aufgescheuchten Frösche alle ins Wasser. „Oh", sagte der Hase, „sie fürchten sich vor mir! Da gibt es also Tiere, die vor mir, dem Hasen, zittern! Was bin ich für ein Held!"

Da kann einer noch so feige[5] sein, er findet immer einen, der ein noch größerer Feigling ist.

[1] grübeln = intensiv nachdenken
[2] furchtsam = ängstlich
[3] auf der Hut sein = Acht geben, damit nichts passiert
[4] das Säuseln = leises Geräusch
[5] feige = ängstlich, furchtsam

b Lesen Sie dann den Text laut und nehmen Sie sich selbst auf. Hören Sie Ihre Aufnahme an: Was können Sie besser machen? Markieren Sie im Text und lesen Sie noch einmal.

Wortbildung – Adjektive mit *-ig* und *-lich*

A Welche Endungen haben diese Adjektive? Ergänzen Sie *-ig* oder *-lich*.

1. abhäng_____
2. salz_____
3. nebl_____
4. glück_____
5. fröh_____
6. ängst_____
7. freund_____
8. durst_____
9. neugier_____
10. schrift_____
11. berg_____
12. fried_____
13. nachdenk_____
14. lebend_____
15. mut_____
16. heut_____

> Im Norden Deutschlands spricht man *-ig* am Wortende „-ich", im Süden Deutschlands, in der Schweiz und in Österreich „-ik".

B Kennen Sie ein ähnliches Wort aus der Wortfamilie? Schreiben Sie für jedes Adjektiv aus A ein Wort in die Tabelle.

Substantiv	Verb	Adjektiv
das Salz	*abhängen*	

> **Adjektive mit *-ig* oder *-lich*** sagen aus, dass etwas existiert oder da ist, z. B.:
> *sonn**ig*** – Die Sonne ist da.
> *glück**lich*** – Jemand empfindet Glück.
> Manchmal kann man die Bedeutung nicht mehr erkennen (z. B. *plötzlich, eigentlich*).

Das kann ich nach Kapitel 7

R1

Schon wieder zu spät! Arbeiten Sie zu zweit. Führen Sie das Gespräch mit Ihrem Partner / Ihrer Partnerin zweimal: zuerst diplomatisch, dann undiplomatisch.

Person A:
Sie sind meistens im Stress und kommen oft zu spät. Heute waren Sie um 19 Uhr mit einem guten Freund / einer guten Freundin verabredet. Sie wollen um 20 Uhr zusammen ins Kino. Sie kommen um 19.45 direkt zum Kino. Dort steht er/sie mit verärgertem Gesicht.

Person B:
Sie hatten einen langen Arbeitstag und haben sich beeilt, um pünktlich um 19 Uhr einen guten Freund / eine gute Freundin zu treffen. Aber er/sie verspätet sich mal wieder. Sie haben schon Karten gekauft und Ihnen war langweilig. Jetzt ist es schon 19.45 Uhr und Person A kommt endlich.

	☺☺	☺	😐	☹	KB	AB
📞💬 Ich kann Konfliktgespräche verstehen und führen.	☐	☐	☐	☐	8	8

R2

Ergänzen Sie die Sätze.

1. Bevor ich heute in den Deutschkurs gekommen bin, _____

2. Während ich im Deutschkurs bin, _____

3. Nachdem der Kurs angefangen hatte, _____

	☺☺	☺	😐	☹	KB	AB
🖉 Ich kann zeitliche Abfolgen ausdrücken.	☐	☐	☐	☐	3e, 4, 5, 6	3c–d, 4a–c, 5b–c, 6

R3

Schreiben Sie einen Text über ein Paar. Es kann ein berühmtes Paar sein oder ein Paar wie Ihre Eltern oder Freunde.

	☺☺	☺	😐	☹	KB	AB
🖉 Ich kann ein Paar vorstellen.	☐	☐	☐	☐	10d	

Außerdem kann ich	☺☺	☺	😐	☹	KB	AB
📞 ... Informationen aus Alltagsgesprächen verstehen.	☐	☐	☐	☐		10
📞💬 ... über Fabeln sprechen.	☐	☐	☐	☐	11	
💬 ... über Konflikte sprechen.	☐	☐	☐	☐	5a	
💬 ... die eigene Meinung sagen.	☐	☐	☐	☐		7b–c
💬📖 ... einen Text lebendig lesen.	☐	☐	☐	☐	12	12
📖 ... zeitliche Abfolgen verstehen.	☐	☐	☐	☐	3b–d	
📖 ... Informationen über Familien verstehen.	☐	☐	☐	☐		3a
📖 ... kurzen Texten Informationen zuordnen.	☐	☐	☐	☐	10	
📖 ... einen Zeitungsartikel verstehen.	☐	☐	☐	☐		5a
📖🖉 ... einen persönlichen Brief schreiben und lesen.	☐	☐	☐	☐		4d, 7c
🖉 ... einen Kommentar zum Thema Klischees und zum Thema Streiten schreiben.	☐	☐	☐	☐	7b	1b
🖉 ... eine Familie beschreiben.	☐	☐	☐	☐		3b

Lernwortschatz Kapitel 7

Klischees über Männer und Frauen

der Humor (Singular) _____

die Parklücke, -n _____

ein|parken _____

rein|passen _____

Da passe ich nicht rein. _____

_____

ängstlich _____

blond _____

faul _____

gepflegt _____

kräftig _____

mutig _____

optimistisch ↔ pessimistisch _____

_____

schick _____

schlank _____

schwach _____

treu _____

Familienleben

die Beratungsstelle, -n _____

der Kompromiss, -e _____

die Patchworkfamilie, -n _____

die Pubertät (Singular) _____

in Schutz nehmen _____

Er nimmt sie in Schutz. _____

_____

klar|kommen (mit) _____

Sie kommt mit der Trennung klar. _____

_____

sich scheiden lassen _____

sich verlieben (in) _____

verwandt sein _____

wagen _____

Wir wagen einen Neuanfang. _____

Konflikte in Beziehungen

das Gift, -e _____

die Harmonie (Singular) _____

ab|spülen _____

Ich muss das Geschirr abspülen. _____

_____

(sich) auf|regen _____

auf|räumen _____

nach|geben _____

nerven _____

Das nervt total. _____

schweigen _____

beschäftigt sein _____

erschöpft sein _____

böse sein _____

Sei mir nicht böse, bitte! _____

_____

diplomatisch ↔ undiplomatisch _____

_____

tolerant _____

berühmte Paare

das Atelier, -s _____

die Gewalt (Singular) _____

Sie kämpfen gegen Gewalt gegen Kinder. _____

_____

der Kampf (für/gegen) (Singular) _____

_____

der Krebs (Singular) _____

Er hat Krebs. _____

der Künstler, – _____

die Konzentration (Singular) _____

die Inspiration (Singular) _____

sterben an _____

Er ist an Krebs gestorben. _____

_____

zwingen _____

Die Situation zwang sie dazu. _____

_____

finanziell _____

kommerziell _____

unabhängig _____

die Mücke, -n _____

der Rabe, -n _____

beißen _____

schmeicheln _____

Das hat ihm geschmeichelt. _____

wütend _____

Tier- und Fabelwelt

die Fabel, -n _____

die Feder, -n _____

die Jagd (Singular) _____

die Lebensweisheit, -en _____

die Fliege, -n _____

die Giraffe, -n _____

der Hase, -n _____

das Krokodil, -e _____

andere wichtige Wörter und Wendungen

Kopf hoch! _____

die Dusche, -n _____

die Gegenwart (Singular) _____

die Neuigkeit, -en _____

der Zahn, Zähne _____

zu etwas kommen _____

Ich komme zu nichts. _____

wahnsinnig _____

wichtig für mich

_____

_____

_____

Notieren Sie jeweils drei Adjektive, die zu Männern bzw. zu Frauen passen.

Frauen: _____   Männer: _____

Welche Wörter und Ausdrücke zum Thema Familie kenne Sie? Ergänzen Sie die Mindmap.

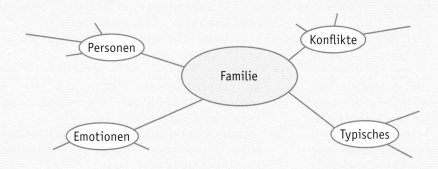

Von Kopf bis Fuß

1

a Rund um Körper und Gesundheit. Welches Wort passt? Kreuzen Sie an.

1. Frau Graf macht nur wenig Sport ☐ Bewegung ☐, aber sie fährt mit dem Fahrrad zur Arbeit.

2. Weil sie nach der Arbeit müde ist, beginnt sie ☐ schafft sie es nicht ☐, ins Fitness-Studio zu gehen.

3. Aber sie weiß, dass sie mehr Gesellschaft ☐ Bewegung ☐ braucht. Das wäre gut für sie.

4. Frau Fritz arbeitet halbtags und muss dann auch noch den Haushalt leiten ☐ erledigen ☐.

5. Sie macht viel Sport, um den Alltag ☐ das Wochenende ☐ zu schaffen.

6. Sie braucht jeden Tag ihren Sport, um den Stress ☐ die Fitness ☐ zu vergessen.

P
Z B1

b So machen Sie es richtig. Lesen Sie die Aufgaben 1 bis 3 und den Text dazu. Wählen Sie zu jeder Aufgabe die richtige Lösung ⓐ, ⓑ oder ⓒ.

0. Bei einem Bienen oder Wespenstich
   - ⓐ gehen Sie sofort zum Arzt.
   - ⓑ sollten Sie keine Salben verwenden.
   - ☒ hilft es, wenn man die Stelle des Stiches kühlt.

1. Wenn man einen Stich im Mund oder Hals hat, soll man
   - ⓐ sich hinlegen und ruhig atmen.
   - ⓑ Eiswürfel auf den Hals legen.
   - ⓒ sofort den Rettungsdienst rufen.

2. Wenn Ihr Körper stark auf Stiche reagiert,
   - ⓐ dürfen Sie im Freien kein Obst essen.
   - ⓑ sollten Sie immer Ihre Medikamente bei sich haben.
   - ⓒ sollten Sie besser nicht ins Freie gehen.

3. Man kann sich vor Stichen schützen, wenn man
   - ⓐ nicht nah zu Blumen oder Bäumen geht.
   - ⓑ nichts Süßes und kein Fleisch isst.
   - ⓒ schnell vor den Insekten wegläuft.

Verhalten bei Bienen- und Wespenstichen

Bienen und Wespen sind nicht gefährlich. Sie stechen nur selten, wenn man ruhig bleibt. Wenn Sie aber einmal eine Biene oder Wespe gestochen hat, kühlen Sie die Stelle mit Eiswürfeln oder mit einem nassen Tuch. Sie können auch eine Salbe verwenden, die kühlt.

Bei einem Stich im Mund oder im Hals rufen Sie sofort den Notarzt. Es besteht die Gefahr, dass es zu einer starken Schwellung kommt und diese das Atmen blockiert. In der Zwischenzeit lutschen Sie vorsichtig Eiswürfel oder trinken Sie immer wieder ein bisschen kaltes Wasser. Bleiben Sie ruhig, aber legen Sie sich nicht hin.

Wenn Sie wissen, dass Bienen- oder Wespenstiche für Sie gefährlich sind, weil Ihr Körper allergisch reagiert, müssen Sie vorsichtig sein. Nehmen Sie Ihre Medikamente für den Notfall mit, wenn Sie im Freien essen oder wenn es im Garten viele Blumen oder reifes Obst gibt.

Bienen und Wespen sind nicht gefährlich, wenn man aufpasst und an ein paar Regeln denkt:

- Vermeiden Sie schnelle, heftige Bewegungen, wenn Bienen oder Wespen herum fliegen.
- Besondere Vorsicht ist nötig in der Nähe von Blumen und Bäumen mit reifem Obst.
- Gehen Sie nie ohne Schuhe im Gras, besonders wenn es dort auch Blumen gibt.
- Lassen Sie keine Süßigkeiten oder Fleischwaren offen im Freien stehen. Das zieht Insekten – nicht nur Bienen und Wespen – an.

---

c Was machen die Personen? Schreiben Sie die Ausdrücke zur passenden Zeichnung.

> auf dem Rücken liegen • viel trinken • chillen • das Gehirn fit halten •
> das Gedächtnis trainieren • durch den Mund atmen • im Schatten bleiben • laut schnarchen •
> Rätsel lösen • sich nicht anstrengen • sich eincremen • sich konzentrieren • täglich üben

1

2

3

_____   _____   _____

_____   _____   _____

_____   _____   _____

_____   _____   _____

d „Was machen Sie für Ihre Gesundheit?" – Schreiben Sie einen Beitrag für ein Online-Forum. Schreiben Sie zu mindestens zwei Themen.

> Erholung und Entspannung •
> Sport • Schlaf • Ernährung • Bewegung

> **hatschi13**
> Um mich zu erholen, gehe ich ...

2

Was brauchen die Personen zum Wohlfühlen? Lesen und ergänzen Sie die Kommentare.

> anstrengen • Atem • ausreichend • draußen • frei • entspannen • Ernährung • Gewicht •
> Gymnastik • Herz • Rad fahren • Luft • schmecken • wohl

Ich arbeite gern und viel. Aber ich brauche jeden Tag auch kurz Zeit für mich, sodass ich mich richtig

_____ (1) kann. Am besten geht das bei mir, wenn ich _____ (2) bin,

wenn ich Bewegung an der frischen _____ (3) habe. Wenn ich eine halbe Stunde

spazieren gehe, dann wird mein _____ (4) ganz ruhig und tief. Und der Kopf wird

_____ (5). Oder ich setze mich für eine Stunde ins Café und lese. Dann fühle ich mich auch

richtig _____ (6).

Oh nein, das ist nichts für mich, da schlaf ich ja ein ;-)) Ich brauche nach der Arbeit Bewegung, ich

muss erst mal raus, laufen oder _____ (7). Ich mag es, wenn ich mich ein bisschen

_____ (8) muss, und das ist gut für das _____ (9). Und nachher mache

ich noch _____ (10), weil ich ja den ganzen Tag nur im Büro sitze. Außerdem muss ich

dann nicht so auf die _____ (11) achten und kann fast alle Sachen essen, die mir

_____ (12). Ich brauche _____ (13) Bewegung, sonst bekomme ich

Probleme mit dem _____ (14), weil ich einfach gern und viel esse.

Im Krankenhaus

3 **a Was sagt der Arzt / die Ärztin? Ordnen Sie die Aussagen den Situationen zu.**

Wortschatz

1. Sie haben sich in den Finger geschnitten, es blutet ziemlich stark. ____

2. Ihnen ist schlecht und Ihr Herz schlägt sehr schnell. Ein Freund hat Sie zum Arzt gefahren. ____

3. Der Arzt gibt Ihnen ein Rezept. Sie sollen in der Apotheke ein Mittel gegen Fieber holen. ____

4. Sie haben starke Schmerzen. Der Arzt verschreibt Ihnen ein Schmerzmittel. ____

5. Der Hausarzt untersucht Sie. Aber er braucht den Rat von einem Facharzt. ____

6. Sie hatten einen kleinen Unfall, man hat den Notarzt gerufen. ____

7. Sie haben eine Grippe, aber am nächsten Tag haben Sie einen wichtigen Termin. ____

A „Am besten ist, wenn Sie es nach dem Essen und mit ausreichend Flüssigkeit einnehmen. Dann sind die Schmerzen bald vorbei."

B „Dieses Medikament senkt die Temperatur. Am besten ist es, wenn Sie es in Wasser auflösen. Beachten Sie die Anweisungen auf der Schachtel."

C „Der Krankenwagen bringt Sie gleich ins Krankenhaus, in die Notaufnahme."

D „Es ist nicht schlimm, ich klebe Ihnen ein Pflaster auf die Wunde."

E „Sie müssen zu Hause und im Bett bleiben. Gehen Sie ja nicht arbeiten, das schadet der Gesundheit. Halten Sie sich bitte daran."

F „Ich schreibe Ihnen eine Überweisung für den Facharzt. Nach der Untersuchung bei ihm wissen wir Genaueres."

G „Gut, dass Sie gleich in die Praxis gekommen sind. Haben Sie Ihre Versichertenkarte dabei?"

b Hilfe anbieten und annehmen. Wie heißen die Ausdrücke? Ergänzen Sie.

Geht's allein? Oder _____ (1) Sie Hilfe?   *Ja, bitte, das _____ (2) sehr nett!*

Kann ich noch etwas für Sie _____ (3)?   *Nein, danke, das ist nicht _____ (4).*

Und _____ (5) noch was?   *Nein danke, du brauchst _____ (6) mehr zu machen.*

Rufen Sie mich, wenn ich Ihnen _____ (7) soll.   *Danke, das ist _____ (8) von Ihnen.*

brauchen • helfen • nett • nichts • nötig/notwendig • sonst • tun • wäre

c Jemanden warnen. Ergänzen Sie die Warnungen.

1

1. Langsam! Seien Sie ruhig ☐ vorsichtig ☐! Sie dürfen nicht schnell gehen ☐ aufstehen ☐. Das ist nicht locker ☐ gut ☐ für Sie.

2. Nein, das geht nicht. Ich muss Sie warnen ☐ beruhigen ☐. Das ist zu einfach ☐ gefährlich ☐. Sie müssen ☐ dürfen ☐ noch nicht ohne Hilfe gehen.

2

3. Tun Sie das nicht! Sie müssen ☐ dürfen ☐ heute noch nichts essen. Ich kann Ihnen nur dringend sagen ☐ raten ☐: Halten Sie sich daran.

4 Was müssen die Personen machen? Schreiben Sie Sätze mit *brauchen ... nur* oder *brauchen ... nicht/kein(e)*.

> In der gesprochenen Sprache lässt man „zu" oft weg:
> *Ich helfe dir gern, du brauchst es nur sagen.*
> *Du brauchst keine Angst haben!*

1. _Sie brauchen nur mit dem Rezept in die Apotheke zu gehen._
   mit dem Rezept / in die Apotheke / Sie / gehen / nur / .

2. _Nein, morgen_
   nein / morgen / Sie / wieder kommen / nicht / .

3. _Wenn_
   wenn / einen Tee / Sie / möchten / , / nur / etwas / sagen / Sie / .

4. _Sie_
   keine Angst / haben / Sie/ , / die Untersuchung / nicht / weh tun / .

5. _Wenn_
   die Schmerzen / sein / vorbei / , / keine Tabletten / nehmen / Sie / mehr / .

5

a Ergänzen Sie das passende Verb und das Reflexivpronomen in der richtigen Form.

> sich beeilen • sich bemühen • sich entschuldigen •
> sich kümmern • sich rasieren • sich umziehen • sich entscheiden

1. Das tut mir wirklich leid. Ich möchte _____ bei Ihnen _____ .

2. Meine Freundin kommt gleich. Sie will _____ nur noch schnell _____ .

3. Elias kommt erst später. Er muss _____ noch um seine Arbeit _____ .

4. Wenn wir doch mehr Zeit hätten! Dann müssten wir _____ nicht so _____ .

5. Kommt ihr morgen mit oder nicht? Ihr müsst _____ langsam _____ .
   Ich muss nämlich Plätze reservieren.

6. Seit dem Urlaub hat er diesen hässlichen Bart. Ich finde, er sollte _____ endlich mal wieder

   _____ .

7. Ich bin nicht zufrieden mit Ihrer Arbeit. Sie müssen _____

   wirklich mehr _____ .

> Reflexivpronomen 3. Person Singular und Plural im Dativ und Akkusativ immer *sich*.

b Bitten und Ausreden. Ergänzen Sie das Reflexivpronomen in der richtigen Form.

1. ◆ Wir müssen gehen! Zieh _dich_
   bitte noch schnell um.

   ◆ Aber ich will _____
   diese blöden Schuhe nicht anziehen.

2. ◆ Bitte dusch _____!
   Und vergiss nicht, deine Haare zu
   waschen.

   ◆ Es ist kein Shampoo da. Wir können
   _____ die Haare nicht
   waschen.

3. ◆ Gleich müssen wir in die Schule.
   Wir müssen _____
   beeilen!

   ◆ Ich bin ja schon fertig. Und du
   musst _____ nur noch die
   Zähne putzen.

4. ◆ Was nimmst du denn mit, Brot
   oder Obst? Entscheide
   _____ endlich!

   ◆ Gar nichts. Ich kaufe
   _____ in der Schule ein
   Brötchen.

6

a Im Krankenhaus. Zu welchem Thema passen die Wörter? Notieren Sie.

> das Mobiltelefon • das Nachthemd • der Schlafanzug • der Trainingsanzug • die Besuchszeit •
> die Chipkarte • der Bademantel • die Diät • die Gebühren (Pl.) • die Getränke • die Hausschuhe (Pl.) •
> die Rufnummer • die Zwischenmahlzeit • Rücksicht nehmen • die Hauptmahlzeit • sich leise unterhalten

CHECKLISTE	
Was für Kleidung sollte man mitbringen?	
Wie sieht es mit der Ernährung aus?	
Telefonieren im Krankenhaus?	
Was müssen Besucher beachten?	

b Sich entschuldigen. Schreiben Sie eine E-Mail (ca. 40 Wörter). Vergessen Sie nicht die Anrede und den Gruß am Schluss.

P
Z B1

Sie besuchen zweimal pro Woche einen Yoga-Kurs. Die Kursleiterin, Frau Moser, hat für morgen Abend organisiert, dass alle nach dem Kurs zusammen essen gehen. Informieren Sie Frau Moser, dass Sie nicht kommen können.

Schreiben Sie an Frau Moser. Entschuldigen Sie sich höflich und berichten Sie, warum Sie nicht kommen können.

Alles Musik

7

Musik kann Wunder wirken. Hören Sie das Gespräch mit der Musikforscherin Kathrin Salomon. Richtig oder falsch? Kreuzen Sie an.

2.6

		r	f
1.	Musik wirkt nicht nur auf die Gefühle, sondern auch auf den Körper.	☐	☐
2.	Wenn man Musik hört, die einem nicht gefällt, dann kann das Schmerzen verursachen.	☐	☐
3.	Wenn kranke Menschen Musik hören, spüren sie ihre Schmerzen nicht so stark.	☐	☐
4.	In Schulklassen, die gemeinsam Musik machen, gibt es weniger Konflikte und Streit.	☐	☐
5.	Es macht nichts, wenn die Schüler beim Musikmachen öfter nicht aufmerksam sind.	☐	☐
6.	Das Klima in der Klasse ist nur während der Musikstunde ruhig und entspannt.	☐	☐
7.	Beim Musizieren sind oft Schüler besonders gut, die in anderen Fächern Probleme haben.	☐	☐
8.	Das Konzert am Schluss ist motivierend für die Schüler.	☐	☐

8

Wortschatz

a Musikinstrumente. Schreiben Sie die Namen der Instrumente zu den Zeichnungen.

> der Bass • die Flöte • die Geige / die Violine • die Gitarre • das Klavier • das Schlagzeug

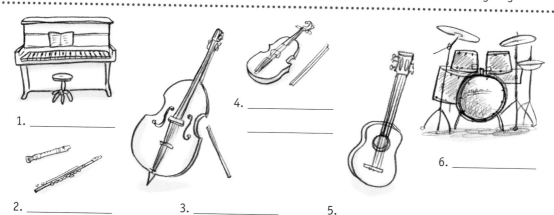

1. _____

2. _____

3. _____

4. _____

5. _____

6. _____

b Musik. Was gehört zusammen? Ordnen Sie zu.

1. _____ Kurt Cobain hat in der Band Nirvana nicht nur Gitarre gespielt und gesungen,

2. _____ John Lennon war sowohl mit den Beatles erfolgreich

3. _____ Lena Mayer-Landrut hatte ihre ersten Erfolge zwar als Sängerin,

4. _____ Nena ist einerseits die erfolgreichste Sängerin aus Deutschland,

5. _____ Louis Armstrong sagte, dass es nur zwei Arten von Musik gibt: entweder gute

6. _____ Das dänische Duo Sussi & Leo hat Erfolg, obwohl sie sagen, dass sie weder singen

A   als auch allein als Sänger.

B   noch spielen können.

C   andererseits hat sie mit ihrem Partner auch eine eigene Schule in Hamburg gegründet.

D   oder schlechte.

E   aber sie ist inzwischen auch Moderatorin im Fernsehen.

F   sondern er hat auch fast alle Lieder selbst geschrieben.

c Musiker und Instrumente. Schreiben Sie Sätze mit den zweiteiligen Konnektoren.

> Zweiteilige Konnektoren können ganze Sätze oder nur Satzteile verbinden.
> Satzteile: *Ella spielt nicht nur Flöte, sondern auch Klavier.*
> Ganze Sätze: *Brian spielt nicht nur Gitarre, sondern er singt auch gut.*

1. *nicht nur ...*   Hanna _*spielt nicht nur gut Klavier,*_____
   (gut Klavier spielen und kann toll singen)

2. *sowohl ...*   Lilian _____
   (kann Flöte spielen und auch Saxophon)

3. *zwar ...*   Daniel _____
   (kann Trompete spielen, noch lieber spielt er Saxophon)

4. *weder ...*   Manuel _____
   (spielt nicht Trompete und auch nicht Geige)

5. *entweder ...*   Miriam _____
   (spielt bei Konzerten Trompete oder singt)

6. *einerseits ...*   Denis _____
   (hat Spaß beim Spielen, mag nicht üben)

d **Musikstile und Instrumente. Lösen Sie das Rätsel: Vier Musikerinnen – Wer spielt Gitarre?**

Anna, Ella, Jana und Eva hören gern Musik und sie machen auch selbst Musik. Eine findet Jazz und Rock spitze, eine mag klassische Musik, eine hat Volksmusik gern und eine Pop. Eine ist Sängerin, die anderen drei spielen Instrumente: Klavier, Gitarre und Saxophon.

Anna findet Rock und Jazz super, sie spielt nicht Gitarre. Ella spielt Klavier. Jana mag besonders klassische Musik. Die Sängerin mag gern Volksmusik.

Name	Musikstil	Instrument/Stimme
Anna	Rock und Jazz	
Ella		Klavier
Jana		
Eva		

9 **a** **Ich und meine Musik, du und deine Musik. Unterhalten Sie sich mit Ihrem Partner / Ihrer Partnerin.**

P
ZD
DTZ

Diese Themen sind für das Gespräch mit Ihrem Partner / Ihrer Partnerin möglich.

> Im ersten Teil der **Prüfung** antworten Sie auf die Fragen links. Der Prüfer / Die Prüferin kann auch Fragen zu einem anderen Thema stellen, z.B. wie die Fragen rechts zum Thema Musik.
>
> Diese Aufgabe ist in der Prüfung DTZ ähnlich. Dort stellen Sie sich selbst vor.

– Name
– Wo er/sie herkommt
– Wo und wie er/sie wohnt (Wohnung, Haus ...)
– Familie
– Was er/sie macht (Beruf, Studium, Schule ...)
– Ob er/sie schon in anderen Ländern war
– Sprachen (welche? wie lange? warum?)

– Ob Musik für ihn/sie wichtig ist
– Wer seine/ihre Lieblingsmusiker sind
– Ob er/sie auch selbst Musik macht
– Welches Konzert für ihn/sie am schönsten war
– Welchen Musiker / Welche Musikerin er/sie treffen möchte (warum?)
– Welches Lied ihm/ihr oft durch den Kopf geht

b **Musikalische Redewendungen. Wie sagt man das in Ihrer Sprache? Schreiben Sie.**

Das ist Musik in meinen Ohren.   _____

Das Lied ist ein Ohrwurm.   _____

Hier spielt die Musik!
(= Das Wichtige passiert hier!)   _____

10 **a** **Wie ist die Satzmelodie: steigend ↗, fallend ↘ oder gleichbleibend →? Markieren Sie.**

◆ Weißt du schon, ____ dass ich seit kurzem in einem Chor bin? ____

◆ Ach wirklich? ____ Das habe ich nicht gewusst, ____ aber du hast ja schon immer gern gesungen. ____

◆ Eben. ____ Und als mich ein Freund gefragt hat, ____ ob ich auch Lust habe, ____ da habe ich sofort ja gesagt. ____

◆ Und? ____ Wie ist es? ____ Gefällt es dir? ____

◆ Oh ja! ____ Es macht wirklich Spaß. ____ Und nächste Woche ____ haben wir einen Auftritt. ____ Ich freu mich schon. ____

 b **Hören und kontrollieren Sie. Lesen Sie das Gespräch dann mit einem Partner / einer Partnerin laut.**

2.7

Gedächtnisleistung

11 a Das Gedächtnis trainieren – Fehler suchen. In jedem Wort ist ein Buchstabe falsch.
Markieren Sie den Fehler und schreiben Sie das Wort richtig.

Die Wirkung von Musik

1. sich erintern   *sich erinnern*
2. sich berunigen _____
3. beeinklussen _____
4. aufnihmen _____

5. das Erlefnis _____
6. das Gebäusch _____
7. die Stammung _____
8. feiertich _____

b Wählen Sie zwölf neue Wörter aus dem Kapitel.
Schreiben Sie jedes Wort mit einem falschen Buchstaben.
Ihr Partner / Ihre Partnerin schreibt die Wörter richtig.

STANNEND   **SPANNEND**

12 a Sich etwas merken. Was funktioniert bei Ihnen gut? Kreuzen Sie an und ergänzen Sie.

Ich merke mir neue Informationen – auch Wörter – besonders gut, ...

☐ wenn ich Bilder oder Zeichnungen dazu sehe.

☐ wenn ich mich beim Zuhören oder Lernen bewegen kann.

☐ wenn ich an meinem Lieblingsplatz sitze und es ganz ruhig ist.

☐ wenn ich auf dem Bett oder der Couch liege und im Hintergrund leise Musik läuft.

☐ wenn ich mir Notizen mache und diese später noch mal in Ruhe durchgehe.

☐ wenn ich einer anderen Person etwas über die neuen Dinge erzähle.

☐ wenn mir jemand die Dinge mit guten Beispielen erklärt.

☐ wenn mich die neuen Informationen und das Thema wirklich interessieren.

☐ wenn ich die neuen Informationen oder Wörter gleich verwende.

☐ _____

b Vergleichen Sie Ihre Ergebnisse aus 12a mit Ihrem Partner / Ihrer Partnerin. Geben Sie sich
gegenseitig Tipps, wie man sich Dinge besser merken kann.

13 a Mit Wörtern spielen – neue Wörter suchen. Suchen Sie acht bis zehn Wörter, die Sie aus den
Buchstaben von „Deutsch lernen" machen können.

D E U T S C H   L E R N E N

Lust, und, reden, ...

b Schreiben Sie eine kurze Geschichte zum Thema „Deutsch lernen". Verwenden Sie in jedem
Satz mindestens ein Wort aus Ihrer Liste in 13a und markieren Sie es.

Deutsch lernen
Gestern hatte ich keine Lust, Deutsch zu lernen. Und ich habe ...

Neue Lernwege in der Schule

14 a Welche Sätze gehören zusammen? Ordnen Sie zu. Der Text 14b im Kursbuch hilft.

1. _____ Eine Gesamtschule bringt Schüler in einer Klasse zusammen,

2. _____ Die Schüler bringen gute Leistungen,

3. _____ An der Lichtenberg-Schule gibt es keine Noten, sondern ein Feedback für die Schüler,

4. _____ Wenn Schüler in Gruppen zusammenarbeiten und Probleme lösen,

5. _____ Wenn stärkere und schwächere Schüler gemeinsam arbeiten,

6. _____ Die Lehrer einer Schulstufe tauschen sich in dieser Schule intensiv aus,

A weil das Lernen ohne Druck besser funktioniert.

B dann kann jeder von den Stärken der anderen Schüler profitieren.

C die sonst verschiedene Schultypen besuchen würden, z. B. Hauptschule oder Gymnasium.

D so lernen auch sie von den Erfahrungen ihrer Kollegen.

E dann wechseln oft die Rollen, denn je nach Fach sind mal die einen, mal die anderen die Stärkeren.

F wenn sie den Stoff selbstständig bearbeiten und selbst Lösungen entdecken.

b Was möchten Sie von Ihrem Partner / Ihrer Partnerin wissen? Notieren Sie sechs Fragen zum Thema Schule. Machen Sie ein Interview und notieren Sie die Antworten.

Welches Schulfach hat dir am meisten Spaß gemacht?

Wortbildung – Verben mit *weg-, weiter-, zusammen-, zurück-* und *mit-*

A Welches Verb ist richtig? Kreuzen Sie an.

1. Feierabend! Ich fahre jetzt nach Hause. Möchtest du mitfahren ☐ wegfahren ☐?
2. Ich habe die Jacke vergessen. Ich muss noch mal ins Café zusammengehen ☐ zurückgehen ☐.
3. Ich bin morgen im Büro, dann können wir an unserem Projekt mitmachen ☐ weitermachen ☐.
4. Wir kennen uns gut, wir haben lange weitergearbeitet ☐ zusammengearbeitet ☐.
5. Die Ware ist schon zu Ihnen unterwegs, wir haben sie gestern weggeschickt ☐ zurückgeschickt ☐.

B Ergänzen Sie *mit-, weg-, weiter-, zusammen-* oder *zurück-*.

1. Gestern sind wir nach der Arbeit alle noch gemeinsam

   _____gegangen, in eine Kneipe bei uns um die Ecke.

2. Auch Christine und Luis sind _____gekommen.

3. Ich musste leider früher gehen, denn meine Eltern sind aus dem

   Urlaub _____gekommen und ich musste sie abholen.

4. Mein Kollege und ich, wir passen einfach gut _____!

5. Feierabend! Wir können morgen _____arbeiten!

> Verben mit *mit-, weg-, weiter-, zusammen-* oder *zurück-* sind trennbar:
> *Ich will am Freitagabend weggehen.*
> *Ich gehe am Freitag weg.*

C Welche anderen Verben kennen Sie? Ergänzen Sie in jeder Spalte mindestens drei Verben. Das Wörterbuch hilft.

mit-	weg-	weiter-	zusammen-	zurück-
mitmachen, ...				

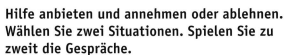  

Das kann ich nach Kapitel 8

R1 Hilfe anbieten und annehmen oder ablehnen. Wählen Sie zwei Situationen. Spielen Sie zu zweit die Gespräche.

	☺☺	☺	☺	☹	KB	AB
💬 Ich kann Hilfe anbieten und annehmen/ablehnen.	☐	☐	☐	☐	3b, c, 4c	3b

R2 Hören Sie die beiden Gespräche. Richtig oder falsch? Kreuzen Sie an.

🔘 2.8

	richtig	falsch
1. Der Mann sagt, dass er eine weniger anstrengende Arbeit suchen will.	☐	☐
2. Die Ärztin sagt dem Mann, dass er auf das Gewicht aufpassen und abnehmen muss.	☐	☐
3. Das Kind will Rad fahren und möchte keinen Helm aufsetzen.	☐	☐
4. Der Vater erlaubt, dass es ohne Helm fährt, wenn es vorsichtig ist.	☐	☐

	☺☺	☺	☺	☹	KB	AB
👂 Ich kann Warnungen verstehen.	☐	☐	☐	☐	3b, c	3c

R3 Alinas Schule. Schreiben Sie Sätze mit den Ausdrücken. Wählen Sie die passenden Konnektoren.

> das Gebäude – alt und hässlich
> der Unterricht – modern und offen

1. Das Gebäude ist zwar _____

> nicht nur viel lernen –
> auch Spaß haben dabei

2. Alina lernt _____

> es gibt keine Noten –
> keinen Prüfungsstress

3. _____

	☺☺	☺	☺	☹	KB	AB
✏ Ich kann eine besondere Schule beschreiben.	☐	☐	☐	☐	14a–d	14a,b

Außerdem kann ich	☺☺	☺	☺	☹	KB	AB
👂 ... ein Gespräch über Musik verstehen.	☐	☐	☐	☐		7
👂💬 ... Aussagen über Wohlfühlen verstehen und machen.	☐	☐	☐	☐	2	2
💬 ... über Gewohnheiten sprechen.	☐	☐	☐	☐	5a, b	
💬 ... über das eigene Gedächtnis sprechen.	☐	☐	☐	☐	11–13	12b
📖 ... Anweisungen zum richtigen Verhalten verstehen.	☐	☐	☐	☐	1a	1b
📖💬 ... Informationen für einen Aufenthalt im Krankenhaus verstehen und darüber sprechen.	☐	☐	☐	☐	6a, b	6a
📖💬 ... einen Text über eine alternative Schule verstehen und über Schulerfahrungen sprechen.	☐	☐	☐	☐	14a–d	14
📖💬 ... einen Zeitungsartikel über Musik und Gefühle verstehen und über Musik sprechen.	☐	☐	☐	☐	7–9	8, 9

Lernwortschatz Kapitel 8

Körper und Gesundheit

der Atem (Singular) _____

die Bewegung, -en _____

die Diät, -en _____

die Ernährung (Singular) _____

die Entspannung (Singular) _____

das Gehirn, -e _____

die Gymnastik (Singular) _____

der Muskel, -n _____

der Schlaf (Singular) _____

(sich) an|strengen _____

atmen _____

(sich) ein|cremen _____

(sich) entspannen _____

schaden _____

Das schadet der Gesundheit. _____

_____

schlagen _____

Ihr Herz schlägt sehr schnell. _____

_____

schnarchen _____

stechen _____

üben _____

verschlucken _____

(sich) wohl|fühlen _____

ausreichend _____

Sie sollten sich ausreichend bewegen! _____

_____

roh _____

rohes Fleisch essen _____

vegetarisch _____

Personen im Krankenhaus

der Facharzt, -ärzte _____

der Patient, -en _____

der Notarzt, -ärzte _____

die Pflegerin, -nen _____

die Schwester, -n _____

krank sein – gesund werden

die Flüssigkeit, -en _____

die Hilfe (Singular) _____

das Medikament, -e _____

das Mittel, – (für/gegen) _____

der Rettungsdienst, -e _____

die Schachtel, -n _____

der Schmerz, -en _____

die Überweisung, -en _____

die Versichertenkarte, -n _____

die Wunde, -n _____

auf|lösen _____

ein|nehmen _____

senken _____

Das Medikament senkt die Temperatur. _____

_____

untersuchen _____

verschreiben _____

schlecht _____

Mir ist schlecht. _____

schwindlig _____

Mir wird schwindlig. _____

eine Warnung ausdrücken

(sich) halten an _____

Halten Sie sich daran! _____

raten _____

warnen _____

Es ist notwendig/nötig, dass ... _____

glatt _____

Aufenthalt im Krankenhaus

die Besuchszeit, -en _____

die Fernbedienung, -en _____

die Gebrauchsanweisung, -en _____

die Mahlzeit, -en _____

das Nachthemd, -en _____

die Notaufnahme (Singular) _____

der Notausgang, -ausgänge _____

der Notfall, -fälle _____

der Schlafanzug, -anzüge _____

die Rücksicht (Singular) _____

Bitte nehmen Sie Rücksicht! _____

_____

die Rufnummer, -n _____

die Wertsachen (Plural) _____

Musik und Gefühle

das Geräusch, -e _____

die Tonart, -en _____

Dur ↔ Moll _____

aus|lösen _____

Musik löst Gefühle aus. _____

_____

beeinflussen _____

Musik beeinflusst die Stimmung. _____

_____

verarbeiten _____

Musik wird im Gehirn verarbeitet. _____

der Bass, Bässe _____

die Flöte, -n _____

das Klavier, -e _____

das Schlagzeug, -e _____

die Violine, -n (=die Geige, -n) _____

Gedächtnis und Lernen

der Druck (Singular) _____

die Entwicklung, -en _____

die Förderung (Singular) _____

die Schwäche, -n ↔ die Stärke, -n _____

_____

die Strategie, -n _____

sich aus|tauschen _____

sich etwas merken _____

motiviert _____

andere wichtige Wörter und Wendungen

die Reklame, -n _____

brauchen _____

Sie brauchen das nicht zu machen. _____

_____

loben _____

sichtbar _____

daher _____

offenbar _____

Das Konzept funktioniert offenbar gut. _____

_____

wichtig für mich

_____

_____

_____

Was kann Musik auslösen? Notieren Sie fünf Wörter für Gefühle und Stimmungen.

_____

1

a **Welches Wort passt nicht? Streichen Sie durch.**

1. Schmuck: der Ohrring, der Ring, die Reihe, die Kette, der Anhänger
2. Architektur: das Gebäude, das Schloss, das Haus, das Gemälde, die Burg
3. Museum: das Bild, die Ausstellung, der Gast, der Maler, die Kunst
4. Bild: die Farbe, der Autor, der Vordergrund, der Hintergrund, die Mitte
5. öffentliche Verkehrsmittel: der Zug, das Fahrrad, die Tram, die Bahn, der Bus

Wortschatz **b** **In Österreich heißt das anders. Welche Wörter haben dieselbe Bedeutung?**

> **!** Für manche deutschen Wörter gibt es in **Österreich** oder auch in der **Schweiz** ein anderes Wort. Diese Varianten verwendet man oft nur dort.

> die Praxis • die Ecke • die Kartoffeln •
> die Streichhölzer • der Metzger/der Fleischer • ~~die Treppe~~ •
> die Gaststätte • der Briefumschlag • die Geldbörse

1. die Stiege _die Treppe_
2. die Zünder/Zündhölzer _____
3. das Eck _____
4. die Erdäpfel _____
5. der Fleischhauer _____
6. das Gasthaus _____
7. die Brieftasche _____
8. das Kuvert _____
9. die Ordination _____

2

Kommentare zum Blog. Lesen Sie den Kommentar von Adrian und die Aussagen dazu. Richtig oder falsch? Kreuzen Sie an.

> **Marias Blog** ☒
>
> Hallo Maria,
> dein neuer Blogeintrag gefällt mir gut. Ich habe bisher gar nicht darüber nachgedacht, wie viel Kunst auch mir einfach so im Alltag begegnet. Irgendwie war für mich Kunst immer mit Museen und Ausstellungen verbunden, aber du hast natürlich recht. Auf deinem Weg zum Büro gefällt mir die Station der Hungerburgbahn am besten. Und rate mal, warum? Ich bin nämlich auch ein großer Fan von moderner Architektur, außerdem sind im Hintergrund die Berge – das sieht toll aus. Hier in Leipzig gibt es zum Glück auch einige moderne Gebäude. Leider sind manche davon auch nicht schön, aber die meisten sehen futuristisch und toll aus. Auf meinem Weg  zur Arbeit komme ich an einem witzigen Haus vorbei, nämlich mit aufgemalten Figuren an der Hauswand. Egal wie das Wetter ist, die bunten Figuren schauen immer auf die Straße. Ich bin zwar nicht sicher, ob das Kunst ist, aber es ist viel schöner als eine graue Wand!

	richtig	falsch
1. Adrian hat sich schon oft mit Kunst im Alltag beschäftigt.	☐	☐
2. Adrian ist der Meinung, dass es echte Kunst nur im Museum gibt.	☐	☐
3. Für Adrian ist die Hungerburgbahn-Station auch schön, weil man dort die Berge sieht.	☐	☐
4. Manchmal findet Adrian moderne Architektur auch hässlich.	☐	☐
5. Adrian findet die Malerei auf der Wand eine gute Idee.	☐	☐

3

Lesen Sie Marias Aussagen und ergänzen Sie den Chat mit Ihren Angaben.

Maria	Schön, dass du meinen Blog gut findest. Welche Art von Kunst gefällt dir denn am besten? Und warum?
Sie	Also mir gefällt _____ _____ _____
Maria	Das klingt ja interessant. Ich mag moderne Kunst sehr gern, aber nicht nur. Besonders beeindruckt hat mich zum Beispiel Leonardo da Vinci. Er war so vielseitig und talentiert, ein echtes Genie. Welcher Künstler hat dich beeindruckt?
Sie	_____ _____ _____
Maria	Das werde ich gleich googeln! Am Wochenende war ich im Museum und habe mir eine Ausstellung über die Geschichte der Musikinstrumente angeschaut. Die Ausstellung war toll gemacht und ich habe viel Neues erfahren. Wann warst du das letzte Mal in einer Ausstellung? Was hast du gesehen?
Sie	_____ _____ _____
Maria	Oh, bei mir klingelt es. Bis später!

Wir machen Theater!

4

Wortschatz

a **Im und ums Theater. Lesen Sie die Sätze und ergänzen Sie das passende Wort aus dem Kasten.**

> auftreten • das Ballett • die Broschüre • das Büfett • der Einfall • erforderlich • die Garderobe • die Qualifikation

GARDEROBE

1. Schauspieler brauchen nicht unbedingt ein offizielles Zeugnis von der Schauspielschule. Manchmal reicht ihr Talent als _____.

2. In der _____ finden Sie Informationen zum Theater.

3. Im _____ erzählen die Tänzer mit ihrem Tanz eine Geschichte.

4. In einem Stück können viele verschiedene Schauspieler _____.

5. Ein Theaterregisseur braucht immer wieder einen neuen _____, um ein Stück originell zu inszenieren.

6. Neben Schauspielern und Regisseurin sind noch einige andere Personen _____, damit die Aufführung gelingt.

7. Vor der Aufführung gibt man seinen Mantel an der _____ ab.

8. Bei der Premiere gibt es manchmal ein _____ mit leckerem Essen.

P
Z B1
ZD
DTZ

b **Lesen Sie die Situationen 1 bis 7 und die Anzeigen A bis J aus verschiedenen deutsch-sprachigen Medien. Wählen Sie: Welche Anzeige passt zu welcher Situation? Sie können jede Anzeige nur einmal verwenden. Für eine Situation gibt es keine passende Anzeige. In diesem Fall schreiben Sie 0.**

Ihre Freunde interessieren sich in ihrer Freizeit für Kunst/Kultur und suchen passende Angebote.

> Diese Aufgabe gibt es in allen drei Prüfungen. Nur die **Anzahl der Situationen und Anzeigen** variiert.
> ZD: 10 Situationen – 12 Anzeigen
> DTZ: 5 Situationen – 8 Anzeigen

Beispiel: 0 Alexander möchte einen Fotokurs für Fortgeschrittene machen. _F_
1 Oskar interessiert sich für Architektur und möchte eine Ausstellung besuchen. ____
2 Cassandra spielt Theater und möchte noch besser werden, hat aber nur am Wochenende Zeit. ____
3 Liam würde gern in seiner Freizeit in einer Band spielen. ____
4 Lara möchte mit ihrer Mutter zu einem klassischen Konzert gehen. ____
5 Anton würde gern ein Instrument lernen. ____
6 Noah interessiert sich für Kunst, findet Museen aber langweilig. ____
7 Isabella möchte am Sonntag mit ihrer Freundin ins Theater gehen. ____

Ein ganz besonderes Erlebnis

Bei diesem interessanten 4-stündigen Kunst-Spazier-gang durch die Innenstadt erfahren Sie viel Spannendes über die vielfältigen Kunstobjekte: an unseren Straßen, auf den Plätzen und in den Parks.
Kosten: 18 Euro
Anmeldung unter: kunst@stadtführung.de   **A**

Jedes Wochenende Workshops

Sie fotografieren gern? Lernen Sie mit einem professionellen Fotografen, wie man die besten Bilder macht. Die besten Fotos unserer Kursteilnehmer zeigen wir in einer großen Ausstellung. Für Fotoliebhaber! Vorkenntnisse erwünscht!

www.Ilovefoto.com   **F**

Architektur in Bildern

Dieser herausragende Bildband zeigt uns auf 200 Seiten die wunderbare europäische Architekturfotografie. Lassen Sie sich faszinieren von den schönsten und modernsten Gebäuden in Europa.

Jetzt im Buchhandel für 39,90 Euro   **B**

Wir fördern Dich!

Du hast Talent für die Bühne und möchtest dein Können weiterentwickeln? Dann melde dich bei unserer Schule für Tanz, Gesang und Schauspiel an. Wir bieten 2-Tageskurse (Samstag und Sonntag) und 5-Tageskurse.
www.theatertheater.de   **G**

Lange Nacht der Musik

Es ist wieder so weit! 100 Konzerte warten an diesem Wochenende auf Sie. Suchen Sie sich aus, was Ihnen gefällt: Jazz, Klassik, Pop und Rock. Seien Sie dabei, wenn am Samstag wieder zahlreiche Musiker ihre Instrumente auspacken, und feiern Sie mit. Tickets: www.lndm.com   **C**

Alles fürs Theater

Großer Fachhandel für Spiel- und Theaterbedarf bietet alles, was man für die Bühne braucht. Für Profis und Laiengruppen. Wir haben Kostüme, Hüte, Perücken, Schminke und vieles mehr.

www.allesfürstheater.net   **H**

Neue Ausstellung in der Galerie Müller

Schmuck für die Wand – Der international bekannte Künstler Kilian Meister zeigt seine besten Bilder.
Vernissage am 5.11. Der Künstler ist anwesend.
Die Ausstellung läuft bis zum 31.12.
Weitere Infos auf unserer Webseite
www.galeriem.com   **D**

Heute Premiere!

Sehen Sie das neue Stück "Auf dem Kopf" von der großen Regisseurin Anna Weißhaupt. Ein Klassiker für Sie neu interpretiert. Vergessen Sie den Alltag und lassen Sie sich von dem Geschehen auf der Bühne überraschen. Ab heute täglich um 20 Uhr.

www.aufdemkopf.de   **I**

Mit Spaß an der Musik

Wir bieten Unterricht mit professionellen Lehrern für alle Instrumente, für Anfänger und Fortgeschrittene von Klassik über Blues bis zur Popmusik. Zweimal im Jahr können unsere Schüler ihr Können bei einem Konzert zeigen.

Informieren Sie sich über unsere Angebote:
www.spassanmusik.de   **E**

Große Wiedereröffnung!

Nach der langen Renovierungsphase eröffnen wir unser Museum am 2.11. gleich mit zwei interessanten Ausstellungen:

*Zeitgenössische Architektur in Afrika
Berlin heute – Fotos in Schwarzweiß*

Beide Ausstellungen laufen bis 22.4.
www.hausdermodernenkunst.de   **J**

5

a Adjektivdeklination mit dem bestimmten Artikel. Ergänzen Sie die Endungen.

1.

◆ Hast du schon das aktuell_*e*_ (1) Theater-Programm zu Hause?

◆ Nein, ich interessiere mich eigentlich nur für die neu____ (2) Kinofilme.

> Bei der **Adjektiv-deklination nach dem bestimmten Artikel** gibt es nur die Endungen -*e* und -*en*.

2.

◆ Hast du dieses bekannt____ (3) Stück von Dürrenmatt im Capitol-Theater gesehen?

◆ Nein, in dieses altmodisch____ (4) Theater gehe ich nicht gern. Und ich mag den arrogant____ (5) Regisseur nicht.

3.

◆ Die Stadt hat die alt____ (8) Oper renoviert.

◆ Ich weiß. Ich warte schon auf die groß____ (9) Eröffnungsfeier.

4.

◆ Gestern habe ich diesen gutaussehend____ (6) Schauspieler getroffen, der die Hauptrolle spielt.

◆ Ich finde den nicht gut. Für diese langweilig____ (7) Rolle braucht man nicht viel Talent.

5.

◆ Müssen die Schauspieler die lang____ (10) Texte auswendig lernen?

◆ Natürlich, das ist für die meist____ (11) Schauspieler auch kein Problem.

b Adjektivdeklination mit dem unbestimmten Artikel. Welche Endung ist richtig? Kreuzen Sie an.

1. Gestern habe ich einen interessanter ☐ interessanten ☐ Artikel über ein modernes ☐ moderne ☐ Theaterstück gelesen.
2. Das Stück erzählt eine spannende ☐ spannenden ☐ Geschichte.
3. Ein bekannte ☐ bekannter ☐ Regisseur hat das Stück realisiert.
4. Schauspielern gefällt es, mit einem erfahrenen ☐ erfahrener ☐ Regisseur zu arbeiten.
5. Die Hauptrolle spielt eine berühmten ☐ berühmte ☐ Schauspielerin.
6. Auf der Bühne sieht man nur ein altes ☐ alten ☐ Sofa mit einer schmutzige ☐ schmutzigen ☐ Decke und natürlich die Schauspieler.

c Adjektivdeklination ohne Artikel. Was passt wo? Ergänzen Sie die Adjektive in den Anzeigen.

altmodische • sympathischem • rotes • erfahrenen • junge •
kleinen • kreativer • jahrelanger • interessantes

1. Suchen _____ Techniker für _____ Projekt.

2. _____ Friseur mit _____ Erfahrung sucht Job.

3. In _____ Team arbeiten? Dein Traum? Ruf an!

4. „Theater der Jugend" sucht _____ Schauspie-lerinnen + Schauspieler!

5. Verkaufe _____ Lampe und _____ Tisch.

6. Brauchen dringend _____ Sofa für Theaterstück!!!

d Ergänzen Sie die Adjektivendungen.

Für neu____ Projekt mit klein____ Schauspielgruppe suchen wir motiviert____ und engagiert____ Kollegin. **1**

Kreativ___ Theater-Workshop hat noch frei____ Plätze für interessiert____ Leute. **2**

Klein____ Theater benötigt dringend neu____ Probenraum mit alt____ Möbeln. Groß____ Keller auch o.k. **3**

Erfolgreich____ Band sucht nett____ Sängerin mit tief____ Stimme. Ab sofort! **4**

Für klein____ Rolle in modern____ Stück suchen wir älter____ Schauspieler mit bayrisch____ Dialekt. **5**

6

a Vokal am Wortanfang. Spricht man verbunden ⌒ oder getrennt |? Markieren Sie.

1. In | unserem Theater gibt es jeden Abend eine andere spannende Aufführung.

2. Das aktuelle Stück ist für Alt und Jung interessant.

3. Mein Onkel geht jede Woche mindestens einmal ins Theater.

4. Ich unterrichte an einer Schauspielschule. Die Schule bietet eine gute Ausbildung.

> Wörter, die mit einem Vokal oder Diphthong beginnen, verbindet man beim Sprechen nicht mit dem Wort davor.

b Hören Sie zur Kontrolle und sprechen Sie nach.

2.9

Wa(h)re Kunstwerke

7

a Lesen Sie die Texte im Kursbuch noch einmal und korrigieren Sie die Sätze.

1. Die Putzfrau hat das Kunstwerk ~~mit Absicht~~ zerstört. _aus Versehen_

2. Sie hat gewusst, dass die schmutzige Wanne ein Kunstwerk war. _____

3. Das Kunstwerk von Kippenberger war 500 Euro wert. _____

4. Der Zoo hat Bilder von Menschen verkauft. _____

5. Die Frau hat den Teppich für 900 Euro gekauft. _____

6. Das Auktionshaus verkaufte den Teppich in London für wenig Geld. _____

7. Das Auktionshaus hat keinen Fehler gemacht. _____

b Etwas verneinen. Was ist richtig? Ergänzen Sie kein/e in der richtigen Form oder nicht.

1. Wir waren im Museum, dort gab es _kein_ Kunstwerk von Martin Kippenberger.

2. Ich habe _____ gewusst, dass Kippenberger schon 1997 gestorben ist.

3. Mir gefällt moderne Kunst _____ so richtig, trotzdem sehe ich sie mir manchmal im Museum an.

4. Der Zoo hatte _____ Geld und hat deshalb Bilder, die Affen gemalt haben, verkauft.

5. Leider hatte ich _____ Zeit und konnte _____ zu der Auktion kommen.

6. Ich glaube, ich würde _____ Bild von einem Tier in meiner Wohnung aufhängen.

7. Die Frau hatte _____ Glück, sie hat _____ viel Geld für den Teppich bekommen.

8. Der Teppich ist sehr teuer, aber ich finde ihn _____ schön.

c Verneinen Sie die Sätze mit *nicht*. Markieren Sie, wo *nicht* steht.

       nicht

1. Wir gehen ↓ ins Museum.

2. Die Ausstellung ist interessant.

3. Die Kunstwerke gefallen mir.

4. Ich habe die Einladung bekommen.

5. Ich lese gern Bücher über Kunst.

6. Man darf in der Galerie fotografieren.

7. Das Museum macht heute auf.

8. Ich interessiere mich für Kunst.

d Wo steht *nicht*? Schreiben Sie die Sätze.

1. den Künstler / Ich / kennen / nicht / .

_____

2. Die meisten Leute / schön / dieses Kunstwerk / finden / nicht / .

_____

3. Der Maler / das Bild / verkaufen wollen / nicht / .

_____

4. sich freuen auf / Wir / den Verkauf des Gemäldes / nicht / .

_____

5. die Stadt / Haben renoviert / das Museum / nicht / ?

_____

6. den Teppich / Ich / kaufen wollen / nicht / .

_____

7. Ich / verstehen können / moderne Kunst / nicht / .

_____

8. Meine Freunde / teilnehmen / an der Museumsführung / nicht / .

_____

e Verneinen Sie die markierten Satzteile und führen Sie den Satz mit *sondern* fort.

1. Ich gehe heute ins Museum.

   Nicht ich gehe heute ins Museum, sondern meine Schwester.

2. Ich gehe heute ins Museum.

_____

3. Ich habe meiner Freundin das Bild gezeigt.

_____

4. Ich habe meiner Freundin das Bild gezeigt.

_____

5. Ich habe meiner Freundin das Bild gezeigt.

_____

In der Ausstellung

8

a **Sehen Sie das Bild an und ergänzen Sie die Bildbeschreibung.**

_____ (1) stehen drei Frauen, die

sich an den Händen halten und in den Himmel schauen.

_____ (2) steht ein Baum mit bunten Blättern.

_____ (3) von den Frauen sieht man ein rundes

Haus, in das gerade jemand reingeht.

_____ (4) sieht man einen dunklen See.

_____ (5) des Sees sieht man

ein Boot ohne Menschen. _____ (6) am Himmel fliegt ein großer Vogel.

Im Hintergrund • Oben • Links • In der Mitte • Rechts • Im Vordergrund

b **Suchen Sie sich ein interessantes Bild oder Foto im Internet und schreiben Sie eine Bildbeschreibung.**

c **Aussagen verstärken oder abschwächen. Was passt? Kreuzen Sie an.**

1. ☺☺ : Der Film ist   ziemlich ☐   wirklich ☐   gut.
2. ☺ : Ich finde dieses Bild   nicht gerade ☐   total ☐   kreativ.
3. ☹☹ : Der Text über den Künstler war   ziemlich ☐   schrecklich ☐   uninteressant.
4. ☺ : Dieses Bild ist   nicht so ☐   besonders ☐   fantasievoll gemalt.
5. ☺☺ : Die Künstlerin hat   besonders ☐   ziemlich ☐   gute Ideen.
6. ☺ : Die Ausstellung ist   ziemlich ☐   richtig ☐   gut besucht.
7. ☹☹ : Die Bilder sind   total ☐   nicht so ☐   langweilig.

P
ZD

d **Lesen Sie den folgenden Text und entscheiden Sie, welches Wort aus dem Kasten in die Lücken 1 bis 10 passt. Sie können jedes Wort nur einmal verwenden. Nicht alle Wörter passen in den Text.**

> ## Das Karls-Museum sucht Verstärkung!
> Wir suchen Studenten für Kasse,
> Museumsladen und Aufsicht.
> Bei Interesse bitte melden bei
> Frau Backmann unter
> job@karlsmuseum.de

Sehr geehrte Frau Backmann,
ich habe Ihre Anzeige gelesen und interessiere mich sehr __1__ Ihr
Angebot. Ich studiere Kunstgeschichte __2__ der Freien Universität
Berlin und bin zeitlich sehr flexibel. Trotzdem würde ich natürlich gern wissen, wie die Arbeitszeiten
sind und __3__ man auch am Wochenende arbeiten muss. Ich habe __4__ Erfahrung im Verkauf
gesammelt, __5__ ich in den letzten Semesterferien in einem kleinen Geschäft ausgeholfen habe.
Aber ich arbeite auch __6__ an der Kasse. Leider steht in Ihrer Anzeige __7__ zur Bezahlung. Bitte
teilen Sie mir mit, __8__ hoch der Stundenlohn ist.
Ich würde mich sehr freuen, __9__ ich bald von Ihnen hören würde und ich die Gelegenheit
bekommen würde, __10__ persönlich bei Ihnen vorzustellen.
Mit freundlichen Grüßen
Mario Alther

A alles	**B** als	**C** an	**D** bereits	**E** deshalb
F für	**G** gerne	**H** mich	**I** mit	**J** nichts
K noch	**L** ob	**M** wenn	**N** wie	**O** wo

1 _F_	2 ___	3 ___	4 ___
5 ___	6 ___	7 ___	8 ___
9 ___	10 ___		

Gespräch mit einem Regisseur

9

a Was passt zusammen? Ergänzen Sie.

1. sich mit einem Thema   _____
2. einen Preis   _____
3. eine Rolle   _____
4. Regisseur   _____
5. Musik   _____
6. in fremde Lebenswelten   _____
7. ein Problem   _____
8. am Herzen   _____

> machen •
> spielen •
> werden •
> bekommen •
> liegen •
> klären •
> beschäftigen •
> eintauchen

b Wählen Sie drei Kombinationen aus 9a und schreiben Sie Sätze.

c Sie hören nun ein Gespräch. Dazu sollen Sie zehn Aufgaben lösen. Sie hören das Gespräch zweimal. Entscheiden Sie beim Hören, ob die Aussagen 1 bis 10 richtig oder falsch sind. Lesen Sie jetzt die Aufgaben 1 bis 10. Sie haben dazu eine Minute Zeit.

	richtig	falsch
1. Film und Kino waren in Miriam Mulinos Familie sehr wichtig.	☐	☐
2. Als Teenager wollte Miriam Schauspielerin werden.	☐	☐
3. Nach einem Praktikum bei einer Filmproduktion war ihr Berufswunsch klar.	☐	☐
4. Sie hat an der Filmhochschule studiert.	☐	☐
5. Nach ihrem Studium ist sie erst mal ins Ausland gegangen.	☐	☐
6. Am meisten hat sie während ihrer Assistenzzeit gelernt.	☐	☐
7. Ihr erster Film war ein Erfolg.	☐	☐
8. Sie selbst sieht am liebsten lustige Filme.	☐	☐
9. Sie macht auch Filmprojekte mit Jugendlichen.	☐	☐
10. Sie kann sich nicht vorstellen, in der Zukunft etwas anderes zu machen.	☐	☐

Sound of Heimat

10

Welchen Film haben Sie zuletzt gesehen? Wie hat Ihnen der Film gefallen? Schreiben Sie eine kurze Filmkritik.

> Der Titel des Films ist ... / Der Film heißt ...
> In dem Film geht es um ... / Der Film handelt von ...
> Zuerst ... Dann ... Am Ende ...
> Außerdem ...
> Der Film ist sehr spannend/lustig/interessant/langweilig, weil ...
> Ich kann den Film (nicht) empfehlen, denn ...

11 Reime. Markieren Sie in den Texten die Wörter, die sich reimen, jeweils mit verschiedenen Farben. Lesen Sie dann beide Texte laut. Welcher gefällt Ihnen besser?

Ein kleines Lied

Ein kleines Lied, wie geht's nur an*,
Dass man so lieb es haben kann,
Was liegt darin? Erzähle!
Es liegt darin ein wenig Klang,
Ein wenig Wohllaut** und Gesang
Und eine ganze Seele.

* wie geht's nur an? = wie kommt das?
** Wohllaut = schöne Melodie

Marie von Ebner-Eschenbach 1830–1916,
österreichische Schriftstellerin

Der Mond ist aufgegangen

Der Mond ist aufgegangen,
die goldnen Sternlein prangen*
am Himmel hell und klar;
der Wald steht schwarz und schweiget**,
und aus den Wiesen steiget**
der weiße Nebel wunderbar.

* prangen = leuchten
** schweiget, steiget = alte Formen für: schweigt, steigt

Matthias Claudius 1740–1815, deutscher Dichter

Wortbildung – Zusammengesetzte Adjektive

A Farbwörter. Welche Wörter passen zusammen? Schreiben Sie.

Schnee   rot   schwarz
~~gelb~~
Himmel   grün
Feuer   ~~Zitrone(n)~~
Gras   Rabe(n)
braun
blau   weiß   Kastanie(n)

zitronengelb
_____
_____
_____
_____
_____

> **Beschreibungen** werden bildlicher, wenn man mit einem Substantiv und einem Adjektiv ein neues Adjektiv bildet:
> *Er hat **blaue** Augen.*
> *Er hat **himmelblaue** Augen.*

B Wie heißen die Adjektive? Schreiben Sie.

1. weich wie Butter: _butterweich_

2. schnell wie der Blitz: _____

3. schön wie ein Bild: _____

4. alt wie ein Stein: _____

5. glatt wie ein Spiegel: _____

6. süß wie Zucker: _____

Das kann ich nach Kapitel 9

R1 Was verkaufen die Personen? Schreiben Sie kurze Anzeigen und verwenden Sie alle Adjektive.

bequem • rot • praktisch • schick • alt • neu • blau • groß • dunkel

	☺☺	☺	☺	☹	KB	AB
💬✏ Ich kann Personen oder Dinge genauer beschreiben.					5	5

R2 Wo steht *nicht*? Korrigieren Sie die Sätze.

1. Ich finde dieses Theaterstück gut nicht. _____
2. Ich nicht gehe ins Kino. _____
3. Ich will die Bilder kaufen nicht. _____

	☺☺	☺	☺	☹	KB	AB
💬✏ Ich kann etwas verneinen.					7	7

R3 Lesen Sie die Aussagen und verstärken (+) Sie sie oder schwächen Sie sie ab (−). Verwenden Sie bei jedem Satz einen anderen Ausdruck.

1. Das Bild ist schön. (+)
2. Ich finde die Künstlerin sympathisch. (−)
3. Der Vortrag war langweilig. (−)
4. Die Ausstellung ist interessant. (−)
5. Das Museum gefällt mir gut. (+)
6. Das Stück war spannend. (+)

	☺☺	☺	☺	☹	KB	AB
💬✏ Ich kann Aussagen verstärken oder abschwächen.					8	8

Außerdem kann ich	☺☺	☺	☺	☹	KB	AB
👂 ... ein Interview verstehen.					9a–d	9c
💬👂 ... ein Volkslied verstehen und darüber sprechen.					11	11
💬📖 ... über Kunst im Alltag lesen und sprechen.					1–3	2a
💬✏ ... über Bilder sprechen und schreiben.					8	8a–c
💬✏ ... über Filme sprechen und schreiben.					10	10
📖 ... einen Zeitungsbericht verstehen.					4b, 7	
📖 ... Hauptinformationen in Zeitungstexten finden.					7a	
📖 ... in Anzeigen nach bestimmten Informationen suchen.						4b
✏ ... ein Kurzporträt schreiben.					9f	
✏ ... in einem Chat über Vorlieben und Interessen schreiben.						3

Lernwortschatz Kapitel 9

Kunst

der Blick _____

Mein Blick wandert zu diesem Bild. _____

_____

das Detail, -s _____

das Kunstwerk, -e _____

die Kurve, -n _____

die Linie, -n _____

schätzen _____

Ich schätze dieses Gemälde sehr. _____

_____

die Installation, -en _____

ins Auge fallen _____

sich etwas vor|stellen _____

geometrisch _____

senkrecht _____

schräg _____

original _____

waagerecht _____

Schmuck

das Exemplar, -e _____

das Handwerk (Singular) _____

die Kette, -n _____

die Kunsterzieherin, -nen _____

der Ohrring, -e _____

der Schmuck (Singular) _____

das Schmuckstück, -e _____

greifen zu _____

Gewöhnlich greift sie zu einer Kette. _____

_____

im Theater

die Aufführung, -en _____

die Ausstattung (Singular) _____

das Ballett, -s _____

die Broschüre, - _____

die Bühne, -n _____

das Büfett, -s _____

der Einfall, Einfälle _____

die Garderobe, -n _____

die Premiere, -n _____

die Regie _____

Regie führen _____

der Scheinwerfer, – _____

der Tanz, Tänze _____

das Theaterstück, -e _____

auf|treten _____

schminken _____

erfahren _____

Wir suchen erfahrene Techniker. _____

_____

erforderlich _____

miteinander _____

pfiffig _____

Kunst verkaufen

die Auktion, -en _____

der Wert _____

Ein Bild im Wert von 3500 Euro kaufen. _____

_____

schätzen _____

Sie schätzt den Teppich auf 900 Euro. _____

_____

an|kommen _____

Die Bilder kommen bei den Besuchern gut an. _____

_____

preiswert _____

Kraft schöpfen durch Kunst

der Flüchtling, -e _____

die Kraft, Kräfte _____

Hier können die Flüchtlinge Kraft schöpfen. _____

_____

der Krieg, -e _____

der Stoff, -e _____

flüchten _____

nähen _____

Film und Musik

die Entdeckungsreise, -n _____

der Regisseur, -e _____

die Volksmusik (Singular) _____

das Volkslied, -er _____

der Reim, -e _____

aus der Arbeitswelt

die Leistung, -en _____

die Pflicht _____

Sie wollte nur ihre Pflicht tun. _____

_____

die Putzfrau _____

die Qualifikation, -en _____

die Versicherung, -en _____

Angst haben um _____

Viele Leute haben Angst um ihren Job. _____

_____

prüfen _____

Die Versicherung prüft das. _____

wichtig für mich

_____

_____

_____

verklagen _____

schuldig _____

Sie halten die Putzfrau für schuldig. _____

_____

andere wichtige Wörter und Wendungen

der Brunnen, – _____

die Burg, -en _____

die Brieftasche, -n (= die Geldbörse) _____

die Gaststätte _____

das Inserat, -e _____

das Missgeschick, -e _____

das Opfer, – _____

der Terminkalender, – _____

das Verhältnis _____

Ich habe ein schwieriges Verhältnis zu dem Thema. __

_____

hierher|kommen _____

hinauf|fahren _____

vorbei|kommen an _____

zerstören _____

gewöhnlich _____

Gewöhnlich trage ich keinen Schmuck. _____

_____

gründlich _____

stumm _____

Notieren Sie zu jedem Buchstaben ein passendes Wort zum Thema Kunst.   K U N S T W E R K
                                                                                                    K
                                                                                                    e
                                                                                                    t
                                                                                                    t
                                                                                                    e

10 Miteinander

1

a Werte in der Gesellschaft. Wie heißen die Wörter?

> die Bildung • die Demokratie • die Fairness • der Respekt • die Rücksicht • die Zivilcourage

1. _____ – eine politische Staatsform, in der die Bürger frei wählen

4. _____ – die gerechte Behandlung von anderen, ohne Tricks

2. _____ – Wissen und Können, das man auf verschiedenen Wegen, z. B. in der Schule, erworben hat

5. _____ – andere achten, auch wenn sie andere Meinungen vertreten o. Ä.

3. _____ – Mut, das zu sagen und für das zu kämpfen, was man für richtig hält

6. _____ – bei dem, was man tut, an die Gefühle von anderen denken

b Kennen Sie das passende Adjektiv? Arbeiten Sie mit dem Wörterbuch.

1. Rücksicht   *rücksichtsvoll*_____

3. Respekt   _____

2. Fairness   _____

4. Demokratie_____

Wortschatz c Lesen Sie den Text. Welche Ausdrücke haben die gleiche Bedeutung? Ordnen Sie zu.

Die Politik muss für alle da sein

Gestern Abend konnte man bei einer Veranstaltung im Rathaus (_C_) Eichdetten die neue Kandidatin (____) der „Partei für alle" kennenlernen.

Ursula Seibold ist wohl für die meisten eine ungewöhnliche Kandidatin. Sie ist seit ihrer Geburt blind (____) und setzt sich besonders für die Rechte von Menschen mit speziellen Bedürfnissen ein, also zum Beispiel für körperlich behinderte (____) Menschen wie für Blinde oder Gehörlose (____). Durch ihre lebendige und humorvolle Art konnte sie das Publikum für ihre Ideen begeistern.

Ein wichtiges Thema war das Gesetz zur Einbürgerung. Auch zahlreiche Migranten (____) waren anwesend. Sie diskutierten mit Ursula Seibold über das Gesetz, denn sie sehen Nachteile für die Integration (____) und möchten, dass die „Partei für alle" für die Rechte von Migranten kämpft.

Nach der Wahl möchte Ursula Seibold als Abgeordnete im Bundestag ihre Partei und die Regierung (____) unterstützen. Im Internet kann man darüber abstimmen, welche Themen ihre Schwerpunkte sein sollen.

A Aufnahme in eine Gesellschaft
B Einwanderer
C Arbeitsort des Bürgermeisters
D sich nicht so bewegen können wie andere

E Personen, die nicht hören können
F in Deutschland: Bundeskanzler/in und alle Minister
G nicht sehen können
H Bewerberin für ein Amt oder für eine Arbeitsstelle

2

Z B1

Lesen Sie den Text und die Aufgaben 1 bis 6 dazu. Wählen Sie: Sind die Aussagen
| Richtig | **oder** | Falsch |?

Hallo Antonia,

endlich finde ich mal wieder Zeit, dir zu schreiben. Bei mir im Büro ist wie immer viel zu tun, also nichts Neues. Bei uns im Haus schon. Wir haben nämlich einen neuen Nachbarn bekommen, Robert, er ist vor drei Wochen eingezogen. Robert ist blind, aber er kommt super allein zurecht. Stell dir vor, ich habe das nicht gleich gemerkt, weil er im Haus so sicher und schnell gegangen ist. Als wir uns das erste Mal unterhalten haben, hat er dann aber mehr von sich erzählt.

Wir haben doch mal diesen Film über Blinde zusammen gesehen, erinnerst du dich? Jetzt lerne ich so ein anderes Leben aus der Nähe kennen. Es beeindruckt mich sehr, dass Robert in seiner Wohnung keine Hilfe braucht. Aber im Viertel kennt er vieles noch nicht und da kann ich ihm sogar ein bisschen helfen. Ich bin nämlich schon einige Male mit ihm draußen gewesen und erkläre ihm, was wo ist. Das Tolle ist, dass er sich alles gleich merkt, und beim nächsten Spaziergang kennt er das schon. Du weißt ja, wie lange ich immer brauche, um mich zurechtzufinden … und jetzt hat er mir schon einige gute Tipps gegeben, wie man sich orientieren und sich Dinge merken kann.

Robert arbeitet als Lehrer an einer Blindenschule. Er bringt den Kindern auch Lesen bei – für mich sieht das ja total schwer aus. Er hat mir nämlich auch Bücher in Blindenschrift gezeigt, aber bisher kann ich noch nichts erkennen, alles fühlt sich gleich an.

Gestern wollte ich ausprobieren, wie es ist, sich komplett im Dunkeln zu bewegen, und ich habe alles in meiner Wohnung dunkel gemacht. Zuerst war es schwer und ich habe mich mehrmals gestoßen und blaue Flecken bekommen. Aber nach einer Weile ging es ganz gut und ich konnte fast alles machen. Irgendwie wirkt im Dunkeln alles ruhiger – probier es doch auch mal aus!

Wir wollen bald mal einen Ausflug zusammen machen. Hast du vielleicht Lust, mich übernächstes Wochenende zu besuchen? Dann könntest du mit uns mitfahren. Robert gefällt dir sicher auch gut. Melde dich doch, dann können wir etwas ausmachen.

Viele Grüße
Jakob

> Sehen Sie sich in der Prüfung immer genau an, wie im Beispiel die Lösung markiert ist. Machen Sie es dann genauso.

Beispiel

0 Jakob muss viel arbeiten. | Richtig | | Falsch |

1. Jakob wusste von Anfang an, dass der Nachbar blind ist. | Richtig | | Falsch |
2. Robert und Jakob kennen sich von der Arbeit. | Richtig | | Falsch |
3. Jakob lernt nützliche Dinge von Robert. | Richtig | | Falsch |
4. Jakob kann einige Buchstaben in Blindenschrift lesen. | Richtig | | Falsch |
5. Jakob hatte am Anfang Probleme, ohne Licht zu Hause herumzugehen. | Richtig | | Falsch |
6. Robert möchte Antonia bald kennenlernen. | Richtig | | Falsch |

Freiwillig

3

a Lesen Sie im Kursbuch die Texte in Aufgabe 3b noch einmal und beantworten Sie die Fragen in ganzen Sätzen.

> Häufige **Abkürzungen:**
> **z.B.** = zum Beispiel
> **bzw.** = beziehungsweise

A Freiwillige Feuerwehr

1. Wo gibt es viele Ehrenamtliche bei der Feuerwehr? _Auf dem Land und in kleinen Städten_

   arbeiten viele Leute ehrenamtlich bei der Feuerwehr.

2. Welche Ausbildung erhalten die Ehrenamtlichen? _____

3. Wen alarmiert man, wenn man ein Feuer entdeckt? _____

B „Die Tafel"

4. Von wem bekommt die „Tafel" Lebensmittel? _____

5. Wo können Arme die Lebensmittel abholen? _____

6. Wer ist für die „Tafel" tätig? _____

C Patenschaften

7. Warum brauchen manche Familien Unterstützung? _____

8. Wie oft sehen sich Pate und Patenkind oder Patenfamilie? _____

9. Wie finden die Paten Familien, die ihre Hilfe brauchen? _____

b Was würden Sie gern tun und warum? Schreiben Sie Begründungen mit den Ausdrücken im Kasten.

1. bei der „Tafel" mitarbeiten – vielen Menschen helfen
2. mit Kindern lernen – als Pate tätig sein
3. im Notfall helfen – Geld an die Feuerwehr spenden
4. individuell unterstützen – mitmachen wollen bei
5. gemeinsam in einem Verein tätig sein – sich engagieren für

> Ich würde gern ..., weil
> .... finde ich gut, deshalb ...
> ... ist für mich ein wichtiger Grund, deshalb ...
> ... ist/finde ich am sinnvollsten, darum ...
> Da ... wichtig ist, würde ich ...

> 1. Ich finde es am sinnvollsten, vielen Menschen zu helfen, darum möchte ich bei der „Tafel" mitarbeiten.

4

a Der Weg der Tomaten. Ordnen Sie die Bilder den Sätzen zu.

A   **B**   **C**   **D**   **E**

1. Das Gemüse wird bestellt.   Bild _____

2. Dann wird das Gemüse in den Supermarkt gebracht.   Bild _____

3. Im Supermarkt wird das meiste Gemüse gekauft.   Bild _____

4. Lebensmittel, die niemand gekauft hat, werden der „Tafel" gegeben.   Bild _____

5. Bei der „Tafel" werden die Lebensmittel verteilt.   Bild _____

b Lesen Sie die Sätze im Aktiv und notieren Sie darunter den entsprechenden Passivsatz aus 4a. Markieren Sie dann die gleichen Elemente in jeweils einer Farbe.

> Auch im Passivsatz kann man sagen, **wer etwas tut**. Dafür verwendet man **von + Dativ**:
> *Das Gemüse wird **vom Verkaufsleiter** bestellt.*

1. Der Verkaufsleiter bestellt das Gemüse.

   Das Gemüse wird bestellt. _____

2. Ein LKW bringt dann das Gemüse in den Supermarkt.

   _____

3. Die Kunden kaufen das meiste Gemüse im Supermarkt.

   _____

4. Der Supermarkt gibt der „Tafel" Lebensmittel.

   _____

5. Ehrenamtliche Helfer verteilen bei der „Tafel" die Lebensmittel.

   _____

c Bei der Feuerwehr. Lesen Sie den Text und setzen Sie das passende Verb im Passiv ein.

> alarmieren • ausbilden • feiern • kontrollieren • planen • reinigen • üben

Immer im Einsatz

Auch wenn es nicht brennt, gibt es bei der Feuerwehr immer viel zu tun. Die Feuerwehrautos

_____ regelmäßig _____ (1), denn alles muss funktionieren. Die Einsätze

_____ mit dem Team regelmäßig _____ (2), damit es keine Probleme beim

richtigen Einsatz gibt. Damit die Feuerwehrleute die beste Leistung bringen können, _____

jedes Mitglied gut _____ (3). Wenn es einen Notruf gibt, _____

die Feuerwehrleute sofort _____ (4), sodass der Einsatz möglichst schnell

starten kann. Nach den Einsätzen _____ die Uniformen für den nächsten Einsatz

_____ (5). Aber das Leben der Feuerwehrleute besteht nicht nur aus Üben und

Helfen, sondern auch Feste _____ oft _____ (6) – und dann zusammen

_____ (7).

d „Tag der offenen Tür" bei der Feuerwehr. Was wird gemacht? Formulieren Sie Sätze im Passiv.

1. Programm planen
2. Plakate drucken und aufhängen
3. Helfer informieren
4. Bürgermeisterin einladen
5. Wasserspiele vorbereiten
6. Feuerwehrautos putzen
7. Gäste empfangen und herumführen

1. Zuerst wird ...

5

a **Passiv in der Vergangenheit. Welche Form ist richtig? Streichen Sie die falschen Formen durch.**

> Unser Verein „Nachbarschaftshilfe" wird/werden/wurde/wurden (1) 1998 gegründet. Seitdem sind
>
> verschiedene Projekte umgesetzt werden/worden/geworden (2), wie zum Beispiel der Tauschclub.
>
> 2000 wird/werden/wurde/wurden (3) mit Ihren Spenden der Kinderspielplatz an der Bahnhofsstraße
>
> gebaut und 2010 wird/werden/wurde/wurden (4) fünfzig Bäume im Park gepflanzt. Auf dem
>
> Weihnachtsmarkt im letzten Jahr wird/werden/wurde/wurden (5) Geld für einen Brunnen
>
> gesammelt. So ist die Atmosphäre in unserem Viertel verbessert werden/worden/geworden (6).
>
> Damit es so weitergeht, brauchen wir auch weiterhin Ihre Unterstützung – machen Sie mit!

b **Feierabend im Verein „Nachbarschaftshilfe". Vergleichen Sie die beiden Bilder. Was wurde gemacht? Schreiben Sie sieben Sätze im Passiv Präteritum zu Bild B.**

> ~~ausschalten~~ • gießen • spülen • essen • stellen • schließen • wegräumen • ziehen

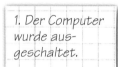

1. Der Computer wurde ausgeschaltet.

6

P

Z B1

Sie hören nun eine Diskussion. Sie hören die Diskussion zweimal. Dazu lösen Sie acht Aufgaben. Ordnen Sie die Aussagen zu: Wer sagt was?
Lesen Sie jetzt die Aussagen 1 bis 8. Dazu haben Sie 60 Sekunden Zeit.

2.11 *Die Moderatorin der Radiosendung „Diskussion aktuell" diskutiert mit dem Vorsitzenden des Vereins „Schüler-paten" Gregor Saalfeld und der Patin Julia Hofer über die Bedeutung von ehrenamtlicher Hilfe für Schüler.*

	Moderatorin	Gregor Saalfeld	Julia Hofer
Beispiel:			
0. Der Verein „Schülerpaten" unterstützt Schüler bei Schulproblemen.	a	⊠	c
1. Manche Schüler werden später selbst Schülerpate.	a	b	c
2. Schülerpaten bekommen eine Einführung in die Arbeit.	a	b	c
3. Die Schülerpaten regeln die Treffen mit den Schülern selbst.	a	b	c
4. Paten und Schüler sprechen auch über allgemeine Themen.	a	b	c
5. Der Zeitplan berücksichtigt die individuellen Bedürfnisse der Schüler.	a	b	c
6. Die Schüler werden bei Bedarf auf die Arbeitswelt vorbereitet.	a	b	c
7. Paten und Schüler haben oft nach dem Schulabschluss noch Kontakt.	a	b	c
8. Die Hilfe ist für die Schüler kostenlos.	a	b	c

Mini-München

7

a Rund um die Kinderstadt Mini-München. Schreiben Sie die Substantive mit Artikel und schreiben Sie mit jedem Wort einen Satz.

MRATHAUSGULLÄRXLMÜLLAEIGRUNDSTÜCKBKRPGEHALTARMITARBEITERSTIBÜRGERMEISTERWA-
STRASSEBPOLZARBEITSZEITOKAL

> 1. das Rathaus – Das Rathaus ist ab 8 Uhr geöffnet.

b *Innerhalb* und *außerhalb*. Lesen Sie die Sätze und ergänzen Sie *innerhalb* oder *außerhalb*.

Ortsangaben

1. Bei Fahrten _____ des Stadt-
   gebiets sind die Fahrkarten billiger.

2. Manchmal hat man _____ der
   Stadt einen schlechten Handyempfang, zum
   Beispiel in den Bergen oder im Wald.

3. _____ von Mini-München kann
   man das Spielgeld verwenden.

4. Mini-München ist _____ von
   München auch bekannt.

Zeitangaben

1. _____ der Geschäftszeiten sind
   nur wenig Menschen in der Fußgängerzone.

2. Berufstätige ohne Kinder fahren lieber
   _____ der Saison in den Urlaub,
   weil es billiger ist.

3. Die Kinder können _____ der
   Sommerferien das Stadtleben kennenlernen.

4. Die Tickets sind _____ einer
   Stunde ausverkauft.

> Bei **Ländernamen ohne Artikel
> und bei Städten** verwendet man
> *innerhalb* und *außerhalb* + *von*:
> *Reisen innerhalb von Deutschland ist
> einfach.*

c Wegbeschreibung in Mini-München. Verwenden Sie die lokalen Präpositionen aus dem Schüttelkasten und ergänzen Sie die Lücken.

> an ... vorbei • außerhalb • bis zu • durch • entlang • gegenüber • hinter

Du willst zum Rathaus? Also, da gehst du am besten zuerst

_____ Kino _____. Dann musst du nach rechts

_____ das Kaufhaus gehen. _____ des

Kaufhauses siehst du ein Café. _____ dem Café

gehst du zuerst am Fit-Zentrum und dann am Park

_____. Jetzt ist es nicht mehr weit.

Du gehst noch _____ Post und dann ist

_____ von der Post das Rathaus.

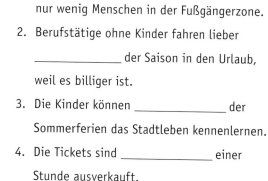

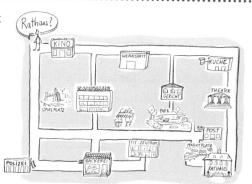

d Arbeiten Sie zu zweit. Zeichnen Sie einen Weg in Ihrem Stadtplan und beschreiben Sie ihn Ihrem Partner / Ihrer Partnerin. Er/Sie zeichnet den Weg ein. Vergleichen Sie die Wege.

e Diskussion unter Freunden. Wo passen die Äußerungen A bis E? Ordnen Sie zu.

1. ___ Sag mal, wie findest du eigentlich Mini-München?

2. ___ Mir gefällt es auch ganz gut, aber ich weiß nicht, ob das etwas für meine Kinder wäre.

3. ___ Ja, das stimmt. Aber meiner Meinung nach kann das ohne Erwachsene nicht funktionieren.

4. ___ Meinst du nicht, dass sie mit Erwachsenen mehr lernen würden?

5. ___ Na ja, vielleicht hast du recht.

A Nein, ganz im Gegenteil: Es ist für die Kinder besonders spannend, weil es ohne Erwachsene ist.

B Bestimmt ist das richtig!

C Ich finde die Idee eigentlich ganz gut. Und du?

D Nein, das glaube ich nicht. Außerdem ist das Projekt doch nicht nur zum Lernen da.

E Warum denn nicht? Da kann doch jedes Kind etwas lernen und Spaß haben, oder?

f Hören Sie das Gespräch auf der CD. Sie hören das Gespräch zweimal. Sprechen Sie beim zweiten Hören die Rolle in der rechten Spalte.

2.12

8

a Passiv mit Modalverb. Schreiben Sie die Sätze mit den Angaben in Klammern zu Ende.

1. In Mini-München darf _alles gemacht werden._ _____ (alles machen)

2. Das Spielgeld kann _____ (für Tickets ausgeben)

3. Aber auch Steuern müssen _____ (bezahlen)

4. Vor der Eröffnung muss _____ (vieles organisieren)

5. Auch dort muss _____ (Essen kochen)

6. Der Bürgermeister kann _____ (wählen)

b Vor den Ferien. Was muss noch alles gemacht werden?

1. Programm ausdrucken
2. Fahrkarte kaufen
3. Taschen packen
4. Imbiss vorbereiten
5. den Kindern den Weg erklären
6. Freunde abholen
7. Kinder zum Bus fahren

1. Das Programm muss …

9

2.13

a Satzmelodie: Kontrastakzente in *oder*-Fragen. Hören Sie die Sätze und ergänzen Sie die fehlenden Wörter.

1. Möchten Sie lieber _____ oder _____?

2. Wart ihr im Urlaub in _____ oder in der _____ ?

3. Seid ihr _____ oder _____ Wochen dort gewesen?

4. Hat dir das _____ besser gefallen oder der _____?

5. Schaust du Filme lieber im _____ oder im _____ an?

b Hören Sie noch einmal zur Kontrolle und lesen Sie dann die Sätze laut.

2.13

Europa

10 Die EU. Ergänzen Sie die fehlenden Wörter.

1. 1952 gründeten sechs _____ die Europäische Gemeinschaft.

2. Europäische _____ wollten dafür sorgen, dass die Menschen friedlich zusammenleben.

3. 1992 entstand mit dem _____ von Maastricht die EU.

4. Heute können EU-_____ frei, also ohne Grenzkontrollen, reisen.

5. Es ist auch möglich, in einem anderen _____ zu leben und zu studieren.

6. Seit 2002 verwenden viele Länder das gleiche Geld, den _____.

7. Schon von Anfang an gab es _____ an der EU und ihren Gesetzen.

Bürger • Euro • Kritik • Land • Politiker • Staaten • Vertrag

11 Eine misslungene Präsentation. Was ist alles schiefgegangen? Notieren Sie fünf Stichpunkte und schreiben Sie dann eine Mail an eine gute Freundin.

– *der Redner hat niemanden angeschaut*
– ...

12 a Wichtige Redemittel. Was gehört zusammen? Ordnen Sie zu. Markieren Sie dann mit drei Farben die Redemittel für Einleitung, Hauptteil und Schluss.

ein Beispiel: *Fragen zum Thema?*   *einen Überblick geben.*   *über folgende Punkte:*

nach sollte ...

zum zweiten Punkt.   *Ihre Aufmerksamkeit.*   *Präsentation zum Thema ...*   *folgendermaßen gegliedert:*

1. Meiner Meinung _____
2. Haben Sie noch _____
3. Ich mache eine _____
4. Zum Schluss möchte ich _____
5. Damit komme ich _____

6. Vielen Dank für _____
7. Ich spreche _____
8. Ich gebe Ihnen _____
9. Die Präsentation ist _____
   _____

b Als Zuhörer Rückmeldung geben. Ergänzen Sie die fehlenden Wörter.

besonders • fragen • Frage • interessant • mir • schöne • Thema • verstanden

Rückmeldung geben

Ihre Präsentation war sehr _____.

Die Präsentation hat _____ gut gefallen.

Das ist ein spannendes _____!

Sie haben eine _____ Präsentation gehalten.

Fragen stellen

Ich habe noch eine _____ zu Ihrem Thema.

Ein Punkt interessiert mich noch _____.

Ich möchte Sie gern noch etwas _____.

Eine Sache habe ich nicht ganz _____.

P
Z B1

c **Sie sollen Ihren Zuhörern ein aktuelles Thema präsentieren. Dazu finden Sie hier fünf Folien. Folgen Sie den Anweisungen links und schreiben Sie Ihre Notizen und Ideen rechts daneben.**

> In der Prüfung hat jeder Kandidat **zwei Themen zur Auswahl**.

Arbeiten Sie zu zweit. Jeder wählt **ein** Thema.

Stellen Sie Ihr Thema vor. Erklären Sie den Inhalt und die Struktur Ihrer Präsentation.

Thema A	Thema B
Politik als Schulfach?	**Ein Studienjahr im Ausland**

_____

_____

Berichten Sie von Ihrer Situation oder einem Erlebnis im Zusammenhang mit dem Thema.

Folie 1 **Meine persönlichen Erfahrungen**

_____

_____

Berichten Sie von der Situation in Ihrem Heimatland und geben Sie Beispiele.

Folie 2 **In meinem Heimatland**

_____

_____

Nennen Sie die Vor- und Nachteile und sagen Sie dazu Ihre Meinung. Geben Sie auch Beispiele.

Folie 3 **Vor- und Nachteile & Meine Meinung**

_____

_____

Beenden Sie Ihre Präsentation und bedanken Sie sich bei den Zuhörern.

Folie 4 **Abschluss & Dank**

_____

_____

_____

P
Z B1

d **Arbeiten Sie zu zweit. Beide halten ihre Präsentation, geben dem anderen Rückmeldung und stellen Fragen. Antworten Sie auf die Fragen Ihres Partners / Ihrer Partnerin.**

> In der Prüfung stellt Ihnen danach auch der Prüfer / die Prüferin Fragen.

Wortbildung – Adjektive mit -los und -bar

A **Adjektive mit -bar. Ergänzen Sie das passende Adjektiv in der richtigen Form.**

> sichtbar • machbar • ~~lieferbar~~ • anwendbar

> **Adjektive mit -bar** kommen von einem Verb. Oft drücken sie aus, dass man etwas machen kann: _Diesen Pilz kann man essen._ _Dieser Pilz ist **essbar**._

1. Wir bestellen über Nacht alle __lieferbaren__ Bücher.

2. Diese Regel ist auch auf andere Formen _____.

3. Wir helfen bei Computerproblemen – für uns ist alles _____!

4. Von hier oben hat man einen tollen Blick, sogar die Berge sind _____.

B **Adjektive mit -los. Formulieren Sie die Sätze um und verwenden Sie das Adjektiv.**

1. Er ging, ohne etwas zu sagen. _Er ging wortlos._

2. Die Karte kostet nichts. _____

3. Er hat seit zwei Monaten keine Arbeit mehr. _____

4. Nach dem Unfall war das Auto nichts mehr wert. _____

> **Adjektive mit -los** drücken aus, dass etwas <u>ohne</u> das ist, was das Nomen bedeutet: _glücklos – ohne Glück_

> ~~wortlos~~ • arbeitslos • kostenlos • wertlos

Das kann ich nach Kapitel 10

R1

Ehrenamtliche erzählen. Hören Sie die drei Personen. Für welche Organisation engagieren Sie sich? Warum? Notieren Sie.

2.14

	1. Carsten Weber	2. Anita Nowak	3. Michael Turk
Organisation?	_____	_____	_____
Warum?	_____	_____	_____

	☺☺	☺	😐	☹	KB	AB
📖💬 Ich kann Texte über soziales Engagement verstehen und darüber sprechen.	☐	☐	☐	☐	3	3a

R2

Was passiert? Schreiben Sie Sätze im Passiv.

1. die Feuerwehr – anrufen
2. die Mitarbeiter – alarmieren
3. die Feuerwehrautos – bereit machen
4. das Feuer – löschen
5. ein Hund – retten
6. ein Bericht – schreiben

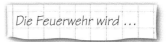
Die Feuerwehr wird …

	☺☺	☺	😐	☹	KB	AB
✎ Ich kann Vorgänge beschreiben.	☐	☐	☐	☐	4c, 5b, 8b	4, 8

R3

Arbeiten Sie zu zweit. Sehen Sie die Bilder an. Beschreiben Sie abwechselnd, was sich verändert hat. Verwenden Sie das Passiv und kontrollieren Sie sich gegenseitig.

	☺☺	☺	😐	☹	KB	AB
💬 Ich kann über Veränderungen sprechen.	☐	☐	☐	☐		5b

Außerdem kann ich	☺☺	☺	😐	☹	KB	AB
🎧 ... eine Radiodiskussion verstehen.	☐	☐	☐	☐		6
🎧💬 ... Projekte beschreiben, über Projekte sprechen.	☐	☐	☐	☐	7d	7d–e
🎧📖 ... Informationen über die EU verstehen.	☐	☐	☐	☐	10b, 11a–b	10
💬 ... eine kurze Präsentation halten.	☐	☐	☐	☐	11c, 12	12a
💬 ... Rückmeldung geben.	☐	☐	☐	☐		12b
📖 ... einen Text über ein Projekt verstehen.	☐	☐	☐	☐	7b–c	
📖 ... eine private Mail verstehen.	☐	☐	☐	☐		2
✎ ... etwas begründen.	☐	☐	☐	☐		3b
✎ ... Angaben zu Ort und Zeit machen.	☐	☐	☐	☐		7c
✎💬 ... Wegbeschreibungen geben.	☐	☐	☐	☐		7c–d

Lernwortschatz Kapitel 10

Werte in der Gesellschaft

die Demokratie, -n _____

die Ehrlichkeit (Singular) _____

die Fairness (Singular) _____

die Freiheit, -en _____

die Gerechtigkeit (Singular) _____

die Hilfsbereitschaft (Singular) _____

das Recht, -e _____

die Religion, -en _____

der Respekt (Singular) _____

die Rücksicht, -en _____

die Sicherheit (Singular) _____

die Toleranz (Singular) _____

die Zivilcourage (Singular) _____

aus|üben _____

Ich will meine Religion ausüben. _____

_____

demokratisch _____

tolerant _____

Engagement

die Behörde, -n _____

der Einsatz, Einsätze _____

Die Einsätze werden vorher geübt. _____

_____

die Kantine, -n _____

der Lehrgang, -gänge _____

die Organisation, -en _____

der Pate, -n _____

das Vereinsmitglied, -er _____

_____

alarmieren _____

bewältigen _____

eine Aufgabe bewältigen _____

_____

brennen _____

sich ein|setzen (für) _____

spenden _____

vernichten _____

Lebensmittel werden vernichtet. _____

_____

verteilen _____

weg|werfen _____

bedürftig _____

ehrenamtlich _____

qualitativ _____

rund um die (Spiel-)Stadt

das Arbeitsamt, -ämter _____

der Ausweis, -e _____

der Bürgermeister, – _____

das Gebiet, -e _____

das Grundstück, -e _____

die Halle, -n _____

die Lieferung, -en _____

der Streik, -s _____

aus|zahlen _____

Haben sie dir dein Gehalt schon ausgezahlt? _____

_____

ein|tragen _____

Tragen Sie hier bitte den Namen ein. _____

_____

entsorgen _____

Der Müll muss entsorgt werden. _____

_____

erledigen _____

reinigen _____

sorgen (für) _____

Sie sorgen gemeinsam für die Kinder. _____

_____

streiken _____

global _____

Politik

der Abgeordnete, -en _____

der Bundeskanzler, – _____

die Dienstleistung, -en _____

die Einbürgerung, -en _____

der Einwanderer, – _____

die Grenzkontrolle, -n _____

die Integration (= die Aufnahme) (Singular) _____

_____

die Kandidatin, -nen _____

der Migrant, -en _____

der Minister, – _____

die Partei, -en _____

das Recht, -e _____

die Regierung, -en _____

die Tradition, -en _____

der Vertrag, Verträge _____

ab|stimmen _____

beschließen _____

bewahren _____

Die Länder wollen ihre Traditionen bewahren. _____

_____

verschwinden _____

Nationale Besonderheiten könnten verschwinden. ___

_____

national _____

wirtschaftlich _____

wirtschaftlich eng zusammenarbeiten _____

_____

andere wichtige Wörter und Wendungen

die Besonderheit, -en _____

der Braten, – _____

die Margarine (Singular) _____

die Möhre, -n _____

die Sauce, -n _____

das Publikum (Singular) _____

der Schwerpunkt, -e _____

der Vortrag, Vorträge _____

anwesend _____

behindert _____

blind _____

gehörlos _____

gleichzeitig _____

speziell _____

ungewöhnlich _____

bereits _____

mittlerweile _____

Mittlerweile wurden über 900 *Tafeln* gegründet. _____

wichtig für mich

_____

_____

_____

Was ist wichtig für ein Land? Schreiben Sie die Wörter mit Artikel.

BE DEN DI FREI GE GIE HEIT HÖR ON RE RUNG SE TI TRA TZE

_____

_____

_____

11 Vom Leben in Städten

1

In der Stadt. Wie heißen die Wörter? Lösen Sie das Rätsel.

ß = ss   ä,ö,ü = ä,ö,ü

1. Wir wohnen am ... Da ist es viel ruhiger als im Zentrum.
2. Hier ist es viel zu laut. Bei diesem ... kann ich mich nicht entspannen.
3. Dort gibt es viele Geschäfte und keine Autos. Deshalb mag ich die ...
4. Hier sind zu viele Autos! Die Luft ist schrecklich, so viele ....
5. Mit welcher ... darf man in der Stadt fahren? 50 km/h, oder?
6. Die Viertel der Stadt sind sehr verschieden. Jeder ... sieht anders aus.
7. Alle Geschäfte waren geschlossen. Also habe ich mir nur die ... angesehen.
8. Diese Straße ist aber schmutzig! Und wer macht den ... weg?
9. Ich brauche einen neuen Pass. Wann hat das ... geöffnet?
10. Wenn ich im Urlaub bin, füttert meine ... die Katze.
11. So schön, direkt am Park! Die ... der Wohnung ist echt super.
12. Mein Arbeitsplatz ist am Rand der Stadt. In unserem ... gibt es 1000 Mitarbeiter.

Abgase • Amt • Betrieb • Dreck • Fußgängerzone • Geschwindigkeit • Lage • Lärm • Nachbarin • Schaufenster • Stadtrand • Stadtteil

2

a Was passt zusammen? Ordnen Sie zu.

ziehen • ~~leeren~~ • renovieren • beschweren • stinken • erreichen

1. die Mülltonnen _leeren_
2. sich über den Lärm _____
3. alte Häuser _____
4. in eine andere Stadt _____
5. nach Abgasen _____
6. einen Ort mit dem Bus _____

b Stadtleben – Was bedeutet das für Sie? Ergänzen Sie passende Wörter und vergleichen Sie mit einem Partner / einer Partnerin.

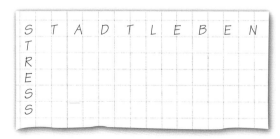

```
S T A D T L E B E N
T
R
E
S
S
```

3

P

DTZ

Sie sind im Rathaus Ihrer Stadt. Lesen Sie die Aufgaben 1 bis 5 und den Wegweiser. In welches Zimmer gehen Sie? Kreuzen Sie an.

Beispiel

Sie brauchen einen Anwohnerparkausweis.

a Zimmer 202

ⓧ Zimmer 203

c anderes Zimmer

1. Sie haben gestern Ihre Jacke an der Bushaltestelle vergessen.
   a Zimmer 201
   b Zimmer 204
   c anderes Zimmer

2. Sie möchten wieder arbeiten und brauchen eine Betreuung für Ihr Kind.
   a Zimmer 113
   b Zimmer 114
   c anderes Zimmer

3. Sie haben geheiratet und wollen Ihren Familiennamen ändern lassen.
   a Zimmer 111
   b Zimmer 112
   c anderes Zimmer

4. Sie sind wegen Ihrer neuen Stelle umgezogen und haben eine neue Adresse.
   a Zimmer 114
   b Zimmer 203
   c anderes Zimmer

5. Sie haben aus dem Urlaub einen Hund mitgebracht und möchten ihn jetzt anmelden.
   a Zimmer 112
   b Zimmer 202
   c anderes Zimmer

Zimmer	Mitarbeiter/in	Aufgaben
110	Sybille Kollmann	Gesundheitsberatung – Impfungen – Prävention – Untersuchungen für Kinder – meldepflichtige Krankheiten
111	Herbert Müller	Geburten – Eheschließungen – Lebenspartnerschaften – Namensänderungen – Sterbebüro – Kirchenaustritte – Beglaubigungen
112	Elke Tuschner	An-, Ab-, und Ummeldung einer Wohnung – Personalausweise – Reisepässe – Führerscheine – Kinderreisepässe – Meldebescheinigungen
113	Gabriele Ebert	Schulen – Kinderkrippen – Kindergärten – Horte Ferienprogramme – Elterngeld – Frauenbüro – Vereine – Veranstaltungen
114	Simone Tögel	Einbürgerungen – Aufenthaltsgenehmigungen – Arbeitserlaubnis – Visumserstellungen – Familiennachzug
201	Ralf Bönisch	Büchereien – Bibliotheken – Leseförderung – Städtepartnerschaften – Austauschprogramme – Befreiungen für öffentliche Verkehrsmittel
202	Hannah Diaz	Baugenehmigungen – Gartenbauamt – Hundesteuer – Parkanlagen – Stadtplanung – Denkmalschutz – Verkehrsplanung
203	Bernd Krail	KFZ-Zulassungsstelle – Parkausweise – verkehrsberuhigte Zonen – Spielstraßen – Parkverbote
204	Susanne Plath	Behindertenparkplätze – Bußgeldverfahren – Fundbüro – Sicherheitsangelegenheiten

Bist du ein Stadtmensch?

4

a Mein neues Leben auf dem Land. Was ist richtig? Kreuzen Sie an.

Jetzt wohne ich auf dem Land und da braucht man eigentlich ein Auto. Aber ich habe noch
keiner ☐ keins ☐ (1). Ich habe mir ein Haus gekauft. Es ist sehr klein, aber es ist meins ☐
meine ☐ (2)! Seid ihr Stadtmenschen? Ich bin keins ☐ keiner ☐ (3). Ich fühle mich auf dem
Land wohler. Einen Garten wollte ich schon immer haben. Jetzt habe ich endlich ein ☐
einen ☐ (4). Ich wusste nicht, ob es in dem Dorf auch Geschäfte gibt. Aber zum Glück gibt es
welche ☐ welchen ☐ (5). Die Nachbarn sind auch ganz nett. Neben mir wohnt einer ☐
eins ☐ (6), der drei Hunde hat. Wenn ihr mich besuchen kommt, gehen wir in ein schönes
Gasthaus. Es gibt da einer ☐ eins ☐ (7) gleich in der Nähe.

b Was passt wo? Ordnen Sie zu und ergänzen Sie die Sätze.

keins • eine • welche • keine • keinen • einer • keiner

1. Wo sind denn die anderen Studenten? Warum ist denn noch _____ da? Sind wir zu früh?

2. Morgen kaufe ich mir endlich einen Computer. – Was? Du hast noch _____? Wie schreibst
du denn deine E-Mails?

3. Entschuldigung, wo finde ich die weißen T-Shirts aus der Werbung? – Da hinten auf dem Tisch liegen
noch _____.

4. Wieder kein Parkplatz und es ist schon so spät. Ah, da ist ja _____!

5. Ich suche eine Bäckerei. Gibt es hier _____ in der Nähe? – Nein, tut mir leid, hier ist _____.

6. Haben Sie ein Buch über Zürich? Im Regal finde ich _____.

5

Wir räumen auf! Ergänzen Sie die Pronomen.

1. ◆ Wem gehört denn dieser Schlüssel? Ist das _____, David ?
   ◆ Nein, mir gehört der nicht.

2. ◆ Hast du vielleicht meine Jacke gesehen? Ich finde sie nicht.
   ◆ Ist das da hinten auf dem Stuhl nicht _____?

3. ◆ Ist das hier der Rucksack von Robert?
   ◆ Ja, das ist _____.

4. ◆ Sarah und David, wem gehören denn diese ganzen Sachen hier? Sind das _____?
   ◆ Nee, das sind nicht _____. Frag mal Robert.

5. ◆ Oh, schau mal, der Kalender gehört doch Mama, oder? ◆ Ja, ich glaube, das ist _____.

6. ◆ Du, Papa, mein Handy ist kaputt. Kann ich mal kurz _____ benutzen?
   ◆ Tut mir leid, ich habe _____ im Büro vergessen.

7. ◆ Robert, leg bitte deinen Pullover in den Schrank. ◆ Das ist nicht _____. Der gehört David.

unsere • deiner • meiner • eure • deins • meins • seiner • deine • ihrer

Wenn die Stadt erwacht

6

a **Morgens um fünf. Ergänzen Sie die Endungen.**

> **Adjektive als Substantive**
> Achten Sie bei diesen Substantiven auf den Kasus und das Artikelwort.

Ferry ist Angestellt____ (1) im Leipziger Krankenhaus

und arbeitet deshalb oft nachts. Auch für Max, den

Angestellt____ (2) des Bauhofs, beginnt der Arbeitstag meistens sehr früh. Mit einem anderen

Angestellt____ (3) fährt er schon um fünf Uhr morgens mit den Reinigungsfahrzeugen los.

Auch die Angestellt____ (4) der Bäckerei sind schon früh auf den Beinen. Zu den Aufgaben der

Bäckereiangestellt____ (5) Vera gehört morgens auch das Ausfahren der Ware.

b **Ergänzen Sie die passenden Substantive in den Texten und achten Sie auf die Endungen.**

> der/die Angehörige • der/die Arbeitslose • der/die Bekannte •
> der/die Erwachsene • der/die Jugendliche • der/die Kranke

Für die Patienten in einem Krankenhaus sind die Tage oft langweilig. Deshalb freut sich sicher jeder

_____ (1), wenn er Besuch bekommt. Gestern war ich bei meiner Freundin Ella, sie liegt

schon seit fünf Wochen im Krankenhaus. Ich wollte unbedingt mit dem Arzt sprechen, aber nur

_____ (2) bekommen Informationen über die Patienten. Für einen Freund oder einen

_____ (3) gibt es keine Möglichkeit, etwas vom Arzt zu erfahren.

Über die Vor- und Nachteile des Lebens in der Stadt wird oft diskutiert. Viele _____ (4)

sind gestresst und träumen von einem ruhigen Leben auf dem Land. Aber wie sehen das die

_____ (5) zwischen 14 und 17? Sie langweilen sich oft. Sie wollen lieber in der Stadt

leben, wo es mehr Freizeitmöglichkeiten gibt. Auch die beruflichen Möglichkeiten sind in der Stadt

besser. _____ (6) finden sicher in einer großen Stadt schneller eine neue Stelle als

auf dem Land.

7

P

ZD

2.15

**Sie hören jetzt fünf kurze Texte. Dazu sollen Sie fünf Aufgaben lösen. Sie hören jeden Text
zweimal. Entscheiden Sie beim Hören, ob die Aussagen 1 bis 5 richtig oder falsch sind.
Lesen Sie zuerst die Aufgaben 1 bis 5. Sie haben dazu 30 Sekunden Zeit.**

1. Der Film „Leben in der Stadt" beginnt um 17 Uhr.   R   F

2. Das Rathaus befindet sich in der Karlsstraße.   R   F

3. Das Bürgerbüro ist am Dienstagnachmittag geöffnet.   R   F

4. Der Zug nach Leipzig fährt von Gleis 3 ab.   R   F

5. Das Geschäft befindet sich am Schillerplatz.   R   F

Lebenswerte Städte

8

a **Was ist wichtig, damit Menschen sich in ihrer Stadt wohlfühlen? Suchen Sie die Wörter aus der Wortschlange und notieren Sie sie mit Artikel. Einige Wörter stehen im Plural.**

TARBEITSPLÄTZEWIBILDUNGSANGEBOTEOUEIPMAERFREIZEITANGEBOTEDWQP
WOHNUNGENPOLIMSICHERHEITBAMIKXGRÜNFLÄCHENRITULDKULTURLKINUTSPIEL
PLÄTZEKLEWFREUNDEAIQLSPORTMÖGLICHKEITENFIFVERKEHRSMITTELUMPFGOSE

der Arbeitsplatz,

b **Was ist für Sie wichtig? Welche Wörter würden Sie in 8a noch ergänzen?**

9

a **Leben in Zürich. Lesen Sie Diegos Blog und die Aussagen. Richtig oder falsch? Kreuzen Sie an.**

| Home | Blog |

Lebenswertes Zürich!

Zürich ist mal wieder unter den Top 3 beim neuesten Ranking zur lebenswertesten Stadt der Welt. Ich lebe ja mittlerweile seit zwei Jahren hier und kann nur bestätigen, dass Zürich wirklich toll ist. Zwar ist das Leben hier ganz schön teuer, aber Zürich bietet auch viel. Besonders gut gefällt mir, dass Zürich so international ist. Das liegt natürlich auch daran, dass die Wirtschaft hier sehr stark ist und es viele Arbeitsplätze gibt. Hier leben wirklich Menschen aus der ganzen Welt. Aber es gibt natürlich noch viel mehr, was hier richtig gut ist. Besonders im Sommer gibt es nichts Besseres als ein Bad in der Limmat (unser Fluss). Überall gibt es Freibäder, so viel wie sonst nirgends auf der Welt. Und der Zürichsee ist fantastisch mit den Bergen im Hintergrund. Super ist auch, dass man hier alles mit dem Fahrrad machen kann. Überall gibt es Radwege und so kann man stressfrei die Stadt erkunden. Für mich als Architekturstudent gibt es hier viele Highlights. Das Nebeneinander von Alt und Neu ist faszinierend. Und auch jeder Kunstfan wird hier zufrieden sein. Das Kunsthaus Zürich ist eins der besten Museen, das ich kenne. Überhaupt ist jeden Tag etwas los, Theater, Konzerte usw., das genieße ich sehr.
Und was gefällt euch an eurem Ort besonders gut? Was vermisst ihr?
Ich bin gespannt auf eure Berichte!

Auf dem Zürichsee ...

Das Kunsthaus – toll!

Unsere schöne Altstadt!

	richtig	falsch
1. In Zürich leben Menschen aus vielen verschiedenen Ländern.	☐	☐
2. Die wirtschaftliche Situation in Zürich ist nicht gut.	☐	☐
3. In Zürich gibt es im Sommer viele Bademöglichkeiten.	☐	☐
4. Radfahren in Zürich ist angenehm.	☐	☐
5. Das kulturelle Angebot in Zürich ist nicht besonders gut.	☐	☐

b **Schreiben Sie Diego eine Antwort.**

| *An meiner Stadt gefällt mir besonders ...* | *Hier gibt es zwar ..., aber ...* | *Wir haben weder ...* |
| *Mir gefällt nicht nur ..., sondern auch ...* | *Hier fehlt aber ...* | *Es wäre toll, wenn ...* |

10 a **Welches Relativpronomen ist korrekt? Streichen Sie das falsche durch. Achten Sie auch auf Präpositionen.**

	Städte	Plattform	Forum	News

Städterankings interessieren mich nicht. Für mich sind die Menschen wichtig. Da gibt es zum Beispiel meinen Nachbarn, der / den (1) meine Blumen gießt, wenn ich weg bin. Oder die Verkäuferin beim Bäcker, über die / mit der (2) ich jeden Morgen über das Wetter spreche. Auch Herrn Mayr, bei dem / mit dem (3) ich täglich meine Zeitung kaufe, würde ich vermissen. Wenn ich in meinem Stadtteil spazieren gehe, treffe ich immer Frau Hartmann, der / die (4) mir aus ihrem Leben erzählt. Jeden zweiten Tag gehe ich mit Moritz, der / den (5) ich schon seit vielen Jahren kenne, joggen. Am Donnerstag spiele ich immer Schach mit Udo, der / dem (6) leider immer gewinnt. Und am Wochenende treffe ich oft Gesa und Leon, mit denen / mit der (7) ich ins Restaurant oder ins Kino gehe. Das sind nur ein paar Beispiele, es gibt natürlich noch mehr Menschen, die / denen (8) in meinem Leben wichtig sind. Die Stadt, bei der / in der (9) ich wohne, ist sicher nicht sehr schön, aber ich kenne hier so viele nette Menschen. Das ist das Wichtigste!

b *Was* oder *wo*? **Ergänzen Sie das richtige Relativpronomen.**

1. In Berlin kann man viel unternehmen, _____ viele Leute super finden.

2. Alles, _____ man zum Leben braucht, gibt es in dieser Stadt.

3. Aber ich suche noch den richtigen Ort, _____ ich mit meiner Familie leben möchte.

4. Mir hat die Stadt, _____ meine Freundin und ich das Wochenende verbracht haben, gefallen.

5. Für meine Freundin gab es dort aber nichts, _____ ihr gefallen hat.

6. Das, _____ ich ihr gezeigt habe, fand sie langweilig.

7. Wenigstens hat sie in jedem Geschäft etwas gefunden, _____ sie schön fand.

8. Den nächsten Ort, _____ wir Urlaub machen, kann sie aussuchen.

c **Genauer gesagt ... Schreiben Sie passende Relativsätze mit *wo*.**

1. Der Park, ..., ist nicht sehr groß. *Der Park, wo ich immer jogge, ist nicht sehr groß.*

2. Das Café, ..., ist im Zentrum. _____

3. Das Fitnessstudio, ..., ist sehr teuer. _____

4. Der Stadtteil, ..., ist sehr beliebt. _____

5. In der Straße, ..., gibt es viele Baustellen. _____

d **Arbeiten Sie zu zweit und schreiben Sie fünf Quiz-Fragen mit *wo*. Stellen Sie dann einem anderen Paar im Kurs Ihre Fragen. Sind alle Antworten richtig?**

Wie heißt die Stadt, wo der Eiffelturm steht?
Wie heißt der Ort, wo Mozart aufgewachsen ist?
...

11 Ergebnisse eines Rankings vorstellen. Was gehört zusammen? Verbinden Sie.

1. Ich habe folgendes
2. Wir haben uns auf dieses Thema geeinigt,
3. Ich habe alles,
4. Wir waren uns nicht einig,
5. Wir sind zu folgendem

A was kein Problem war.

B was mir wichtig ist, bewertet.

C ob es in dieser Stadt genug Arbeitsplätze gibt.

D Thema ausgewählt.

E Ergebnis gekommen.

12

2.16

a Texte vorlesen. Hören Sie die Sätze. Wo sind die Pausen? Ergänzen Sie die Kommas.

1. Mir gefällt Köln besonders gut weil die Leute so nett sind.
2. Mein Freund studiert in Köln deshalb bin ich oft dort.
3. Viele Menschen sagen dass der Karneval in Köln toll ist.
4. Es gibt viele Sehenswürdigkeiten aber der Dom ist am bekanntesten.

> **Kommas** stehen **bei Aufzählungen und vor Konnektoren** (nicht vor *und*, *oder* und *sowie*):
> *Hier gibt es Kinos, Geschäfte und Museen. Ich glaube, dass Köln eine gute Stadt zum Leben ist.*
> *Viele Leute wollen in Köln wohnen, weil man dort viel unternehmen kann.*
> *Meine Cousine wohnt dort, deswegen kenne ich die Stadt gut.*

2.17

b Lesen Sie den Text. Ergänzen Sie Kommas und Punkte und korrigieren Sie die Satzanfänge. Hören Sie dann zur Kontrolle.

Es gibt sicher viele Städte in denen man gut leben kann viele Städte kommen nie in Städterankings vor

weil sie zu klein sind in so einer Stadt lebe ich seit ich mit dem Studium begonnen habe hier gibt es keine

tollen sehenswürdigkeiten aber das Leben ist angenehm die Stadt ist gemütlich und alles geht ein

bisschen langsamer was mir gut gefällt

Typisch Kölsch

13

P
Z B1
DTZ

Sie hören nun fünf kurze Texte. Sie hören jeden Text zweimal. Zu jedem Text lösen Sie zwei Aufgaben. Wählen Sie bei jeder Aufgabe die richtige Lösung. Lesen Sie zuerst das Beispiel. Dazu haben Sie 10 Sekunden Zeit.

Beispiel

2.18

Sonja will mit Marie nach Köln fahren.

Wo möchte Sonja am liebsten übernachten?

| Ri~~X~~tig | Falsch |

☐a im Hotel
☒b bei einer alten Freundin
☐c in der Jugendherberge

Text 1
1. Der Kurs von Kai und Annabell findet nicht statt.

| Richtig | Falsch |

2. Annabell möchte am liebsten

☐a in eine Ausstellung gehen.
☐b einen anderen Kurs machen.
☐c zu Hause bleiben.

Text 2
3. Sie hören Informationen über ein Kinderfest.

| Richtig | Falsch |

4. Man soll zu dem Fest

☐a zu Fuß kommen.
☐b mit dem Auto kommen.
☐c mit dem Bus kommen.

Text 3

5. Das Wetter wird zum Wochenanfang wärmer. | Richtig | Falsch |

6. Vorausgesagt werden sonnige Tage im
   - a Norden.
   - b Westen.
   - c Süden.

Text 4

7. Sie hören Informationen zu einer Veranstaltung. | Richtig | Falsch |

8. Im Stadtzentrum Köln gibt es Stau wegen
   - a eines Unfalls.
   - b des Berufsverkehrs.
   - c einer Baustelle.

Text 5

9. Wegen des Wetters gibt es Flugänderungen. | Richtig | Falsch |

10. Der Flug nach Köln
    - a ist pünktlich.
    - b hat Verspätung.
    - c fällt aus.

> In der DTZ-Prüfung ist das Hören 1 und 2 sehr ähnlich wie in dieser Aufgabe hier.
> DTZ Hören 1: 4 Ansagen auf dem Anrufbeantworter.
> DTZ Hören 2: 5 Ansagen aus dem Radio.
> Dazu gibt es jeweils Multiple-Choice-Aufgaben.

14 a Was kann man alles am „Büdchen" kaufen? Schreiben Sie die Wörter mit Artikel.

Streich   windeln   Katzen   zeug   Lebens   waren

Spül   hölzer   Zeit   Baby   mittel   Werk

Schreib   futter   Feuer   schrift   zeug   mittel

b Welche Bedeutungen sind ähnlich? Ordnen Sie zu.

1. Mein Magen knurrt. __H__
2. Ich habe schon so eine Ahnung. ____
3. Ich rase das Treppenhaus hinunter. ____
4. Wir wohnen in der vierten Etage. ____
5. Wie kommt sie darauf? ____
6. Das Geschäft hat rund um die Uhr geöffnet. ____
7. Das ist ihre Stammkneipe. ____
8. Wir sind per du. ____

A   Das Geschäft ist 24 Stunden offen.
B   Unsere Wohnung ist im vierten Stock
C   Das ist die Kneipe, in die sie immer geht.
D   Ich kann mir etwas bereits denken.
E   Ich laufe schnell die Treppen runter.
F   Wir duzen uns.
G   Warum denkt sie das?
H   Ich habe Hunger.

Meine Stadt

15 a Mit welchen Adjektiven kann man eine Stadt beschreiben? Ergänzen Sie die Buchstaben.

1. ge__ü__ __i__h
2. leb__ __d__ __
3. m__d__ __n
4. int__r__ __ __s a__t
5. la__ __w__ __li__
6. sa__b__ __
7. a__tr__kt__v
8. h__kt__s__h
9. sch__ __tz__ __
10. l__ __t
11. gr__ß
12. te__ __r

b **E-Mail an einen Geschäftspartner. Welche Formulierungen passen wo? Ergänzen Sie.**

> ... wäre sehr schön ... • Mit freundlichen Grüßen • Gerne zeigen ... • Sehr geehrter ... •
> Hoffentlich haben Sie Lust bekommen ... • Meine Kollegen und ich freuen uns darauf, ...

○○○

_____ (1) Herr Kreutzman,

bald findet unser großes Jahrestreffen statt. _____ (2),

Sie und Ihr Team kennenzulernen. Der erste Nachmittag des Treffens ist frei. _____ (3)

meine Kollegen und ich Ihnen dann die Sehenswürdigkeiten unserer schönen Stadt. Wir könnten zuerst

eine Stadtrundfahrt machen und anschließend eine Führung durch das Museum Ludwig. Auch ein

Spaziergang am Rhein _____ (4). Danach würden wir gerne mit Ihrem Team ein

traditionelles Restaurant besuchen, um dort gemeinsam unsere regionalen Spezialitäten zu genießen.

_____ (5), unsere Stadt kennenzulernen.

_____ (6)

Lars Thoeme

Wortbildung – Substantive mit *-chen* und *-lein*

A **So klein! Was ist das? Verbinden Sie. Markieren Sie dann die Änderungen in den Wörtern links.**

das Kindlein   das Gässchen   der kleine Bach   der kleine Stuhl

das Bällchen   das kleine Kind

das Stühlchen   die kleine Gasse   der kleine Ball

das Bächlein

> Mit *-chen* und *-lein* kann man **Substantive „verkleinern"**.
> Diese Formen kommen oft in Kindergeschichten oder Liedern
> vor. Der Artikel ist immer *das*.
> Die Vokale a, o und u werden zu Umlauten und die Pluralform
> ist immer identisch mit der Singularform:
> *der Hund – das Hündchen – die Hündchen*
> *die Blume – das Blümlein – die Blümlein*

B **Welches Wort ist richtig?**
Wenn beide Wörter richtig sind:
Welches passt besser?
Unterstreichen Sie.

1. In meiner Straße stehen viele große Häuser/Häuschen.

2. Aber ich wohne in einem kleinen, gemütlichen Haus/Häuschen.

3. Mit mir zusammen wohnt mein Hund/Hündchen Fiffi.

4. Leider haben unsere Nachbarn auch einen Hund / ein Hündchen namens Hasso.

5. Hasso ist besonders gern in unserem Garten. Dort stehen viele große und alte Bäume/Bäumchen,
   aber er geht am liebsten an den Baum / das Bäumchen, das wir erst letztes Jahr gepflanzt haben.

6. Auch die Blumen/Blümlein, die meine Oma besonders liebt, frisst er. Dummerweise
   ist Fiffi ganz verliebt in Hasso und ich muss zugeben, sie sind ein lustiges Pärchen.

Das kann ich nach Kapitel 11

R1 Ergänzen Sie die Sätze.

1. Ich finde alles langweilig, was …
2. Ich möchte an einem Ort leben, wo …
3. Man findet immer etwas, was …
4. Mir gefallen Städte, wo …

	☺☺	☺	😐	☹	KB	AB
💬✏ Ich kann etwas näher beschreiben.	□	□	□	□	10	10

R2 Arbeiten Sie zu zweit und sprechen Sie über die folgenden Fragen.

1. Was sind die Vorteile des Stadtlebens?
2. Was ist auf dem Land besser als in der Stadt?
3. Was gefällt Ihnen an Ihrem Kursort gut, was nicht?
4. Wo würden Sie später gern leben?

	☺☺	☺	😐	☹	KB	AB
💬✏ Ich kann über Stadt und Land sprechen und schreiben.	□	□	□	□	1, 3, 4b	8, 9b

R3 Wählen Sie eine E-Mail und schreiben Sie eine Antwort.

A

Liebe/r …,
jetzt haben wir uns so lange nicht gesehen und ich freue mich sehr, dass ich dich nächstes Wochenende endlich mal besuchen kann. Ich bin schon ganz gespannt, was du mir alles zeigen wirst. Hast du schon einen Plan gemacht? Und holst du mich eigentlich vom Bahnhof ab oder treffen wir uns in der Stadt?
Herzliche Grüße
Andy

B

Sehr geehrte/r …,
meine Kollegen und ich freuen uns, dass wir nächste Woche zu dem Treffen in Ihrer Firma kommen können. Wir werden zwei Tage bleiben und würden uns freuen, wenn Sie uns nach dem Seminar Ihre Stadt zeigen würden. Könnten Sie ein kleines Programm für uns organisieren?
Mit freundlichen Grüßen
Luisa Friedrichsen

	☺☺	☺	😐	☹	KB	AB
✏ Ich kann an unterschiedliche Empänger schreiben.	□	□	□	□	15b, c	15

Außerdem kann ich	☺☺	☺	😐	☹	KB	AB
🎧 … eine Umfrage verstehen.	□	□	□	□	2	
🎧 … kurze Nachrichten verstehen.	□	□	□	□		7, 13
🎧📖 … Meinungen über Städterankings verstehen.	□	□	□	□	9b	10a
💬 … ein Rankingergebnis vorstellen.	□	□	□	□	11c	11
📖 … Forumskommentare verstehen.	□	□	□	□	4a	
📖 … wichtige Informationen verstehen.	□	□	□	□	6b, c	7
📖 … Texte über Besonderheiten einer Stadt verstehen.	□	□	□	□	14a	9a
📖 … Übersichtstafeln verstehen.	□	□	□	□		3
✏ … einen Bericht schreiben.	□	□	□	□	7	

Lernwortschatz Kapitel 11

Stadtleben

der Abfall, Abfälle _____

die Abgase (Plural) _____

der Dreck (Singular) _____

die Fahrbahn, -en _____

das Fahrzeug, -e _____

der Gehsteig, -e _____

die Geschwindigkeit, -en _____

der Investor, -en _____

die Luft (Singular) _____

das Schaufenster, – _____

der Schmutz (Singular) _____

der Stadtmensch, -en _____

das Tempo (Singular) _____

der Tourismus (Singular) _____

der Wohnraum (Singular) _____

bewerten _____

Wie bewerten Sie Ihre Stadt? _____

_____

pflegen _____

Sie will den Garten besser pflegen. _____

_____

lebenswert _____

städtisch _____

Arbeiten in der Stadt

der/die Angestellte, -n _____

der/die Arbeitslose, -n _____

der Arbeitsplatz, -plätze _____

der Ausbildungsplatz, -plätze _____

der Arbeitstag, -e _____

die Bestellung, -en _____

der Betrieb, -e _____

der Dienst (Singular) _____

Ich bin seit 7 Uhr im Dienst. _____

der Nachtdienst, -e _____

die Frühschicht, -en _____

der Lehrling, -e _____

das Ministerium, Ministerien _____

das Reinigungsfahrzeug, -e _____

der Sozialarbeiter, – _____

das Tor, -e _____

auf Hochtouren arbeiten _____

_____

sich auf den Weg machen _____

_____

betreuen _____

Er ist Sozialarbeiter und betreut Jugendliche. _____

riechen _____

Es riecht nach frischem Brot. _____

_____

Orte in der Stadt

die Fußgängerzone, -n _____

die Lage (Singular) _____

der Rand, Ränder _____

der Stadtteil, – _____

das Stadtzentrum, -zentren _____

die Stammkneipe _____

das Viertel, m – _____

die Zone, -n _____

Einkaufen

die Aprikose, -n _____

die Chips (Plural) _____

das Gewürz, -e _____

das Feuerzeug, -e _____

das Hühnerfleisch (Singular) _____

der Magen, Mägen _____

Mein Magen knurrt! _____

das Katzenfutter (Singular) _____

der Ketchup (Singular) _____

die Konfitüre, -n _____

das Sandwich, -s _____

das Spülmittel, – _____

das Streicholz, -hölzer _____

begleiten _____

zu|machen _____

Fernsehen

die Flucht (Singular) _____

auf der Flucht sein _____

der Krimi, -s _____

der Täter, – _____

der/die Tote, -n _____

der/die Verdächtige, -n _____

der Zeuge, -n _____

fest|nehmen _____

vernehmen _____

Personen

der/die Verwandte, -n _____

der/die Deutsche, -n _____

der/die Jugendliche,-n _____

der/die Kranke, -n _____

der/die Obdachlose, -n _____

andere wichtige Wörter und Wendungen

das Ding, -e _____

Das ist (nicht) mein Ding. _____

_____

die Etage, -n _____

die Informationsquelle, -n _____

das Kriteritum, Kriterien _____

der Rang, Ränge _____

Wir wollen auf die vorderen Ränge kommen. _____

_____

Das geht doch keinen was an! _____

_____

per du sein _____

Karoline und ich sind jetzt per du. _____

_____

auf|halten _____

Keiner hält den Obdachlosen auf. _____

_____

rasen _____

mit rasender Geschwindigkeit _____

_____

rennen _____

populär _____

sämtlich _____

Die Stadt steht in sämtlichen Rankings weit hinten. _

_____

seriös _____

wichtig für mich

_____

_____

_____

Rund um die Arbeit. Ergänzen Sie weitere zusammengesetzte Wörter.

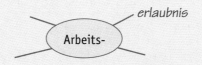

12 Geld regiert die Welt

1

a Welchen Rat würden Sie geben? Lesen Sie den Beitrag im Ratgeberforum. Schreiben Sie dann eine Antwort. Verwenden Sie mindestens fünf von den Ausdrücken.

> ... aufs Konto einzahlen

> einen Freund / eine Freundin unterstützen

> einen Kredit / Schulden zurückzahlen

> einen Kurs für ... besuchen

> sich einen Wunsch erfüllen

> Geld für ... ausgeben

> sich von einem Profi beraten lassen

> sich ... kaufen

> Menschen in Not unterstützen

www.fragdenhugo.de   Plattform   Forum   News

Hallo Hugo! Ich bin durch Glück zu 50.000 Euro gekommen. Was soll ich jetzt damit machen? Vielleicht denkst du, dass das die dümmste Frage ist, die dir auf dieser Plattform gestellt wurde. Aber ich meine es ernst! Ich freue mich auf deine Antwort. Simone

↳ Liebe Simone! Das ist doch keine dumme Frage. ...

Wortschatz **b** Welche Wörter passen? Das Wörterbuch hilft.

> anschaffen • Beleg • Brieftasche • einnehmen • ernsthaft • Mahnung • sparsam

1. Das ist kein Witz! Er glaubt ganz ..., dass ich ihm so viel Geld leihe. _____

2. Ich muss sparen, ich will mir ein neues Auto ... _____

3. Das Geschenk für die Kollegin hat 69 Euro gekostet, Hier ist der ... _____

4. Da habe ich Glück gehabt! Ich habe meine ... verloren und sie wieder bekommen, mit allen Ausweisen und dem Geld. _____

5. Unser Sportverein organisiert ein Fest, damit wir Geld für die Vereinskasse ... _____

6. Ich hatte vergessen die Miete zu überweisen, deshalb habe ich eine ... bekommen. _____

7. Frau Kirchner hat nie viel Geld ausgegeben. Sie war immer sehr ... _____

2

Redewendungen rund ums Geld. Welche Bedeutung passt? Ordnen Sie zu.

1. „Im Moment bin ich leider knapp bei Kasse." ___

2. „Der wirft das Geld mit beiden Händen zum Fenster raus." ___

3. „Das bekommt man für einen Apfel und ein Ei." ___

4. „Er hat richtig Kohle gemacht!" ___

5. „Das geht ganz schön ins Geld." ___

6. „Das kostet ja nicht die Welt." ___

A Dafür muss man viel ausgeben, das ist recht teuer.

B Die Person gibt sehr viel Geld aus, oft für ziemlich nutzlose Dinge.

C Die Person hat derzeit nicht viel Geld zur Verfügung, sie muss sparen.

D Etwas ist nicht besonders teuer.

E Etwas kostet kaum etwas, es ist ganz billig.

F Jemand hat sehr viel Geld verdient.

In der Bank

3

a **Eins führt zum anderen. Ergänzen Sie die passenden Adjektive im Komparativ.**

> dick • früh • lang • hoch • nutzlos • schick • schnell • selten • sparsam • teuer • viel • ~~wenig~~

1. Je _weniger_ Geld du zur Verfügung hast, desto _____ kannst du shoppen gehen.

2. Mit Auktionen kenne ich mich aus: Je _____ der Auktionator wartet, desto
   _____ steigt der Preis für das Gemälde.

3. Sieh mal, die tollen Kleider im Schaufenster hier! Aber je _____ die Sachen aussehen,
   desto _____ sind sie.

4. Ich muss sparen. Je _____ ich bin, desto _____ wird mein Portemonnaie.

5. Braucht sie all diese Sachen wirklich? Je _____ sie verdient, desto _____
   Dinge kauft sie sich für ihre Wohnung.

6. Komm, lass uns das noch fertig machen. Je _____ wir mit dem Projekt fertig sind,
   desto _____ können wir die Rechnung dafür schreiben.

b **So ist es in der Wirtschaft! Was muss zuerst passieren, damit dann etwas anderes passiert? Kreuzen Sie a oder b an. Schreiben Sie dann Sätze mit *je ... desto*.**

> Es gibt auch Ausdrücke mit *je ... desto* ohne Verb:
> *Je früher, desto besser!*
> *Je schneller, desto lieber.*

1. ☐ a Die Gehälter der Manager werden hoch.   ☒ b Eine Bank verdient viel.
   Je mehr eine Bank verdient, desto höher werden die Gehälter der Manager.

2. ☐ a Ein Angestellter muss viel Steuern zahlen.   ☐ b Er verdient gut.
   _____

3. ☐ a Jemand ist lang arbeitslos.   ☐ b Er findet schwer eine Stelle.
   _____

4. ☐ a Die Händler verdienen gut.   ☐ b Die Leute konsumieren viel.
   _____

5. ☐ a Eine Firma ist groß.   ☐ b Sie bekommt von der Bank leicht einen Kredit.
   _____

4

Wortschatz

a **Mit Geld umgehen. Schreiben Sie die Wörter an die passende Stelle.**

> die Ausgaben (Pl.) •
> (der) BIC •
> der Beleg •
> die Einnahmen (Pl.) •
> Geld einzahlen •
> die IBAN •
> Schulden (Pl.) •
> die Zahlung •
> Zinsen (Pl.)

1. Wenn man sich Geld leiht, dann hat man _____.

2. Für einen Kredit muss man _____ bezahlen.

3. Das Geld, das eine Person oder Firma einnimmt: _____

4. Das Geld, das eine Person oder Firma ausgibt: _____

5. Ich bezahle die Miete monatlich, am ersten ist _____ fällig.

6. Eine Person geht zur Bank, sie muss noch _____.

7. Bitte überweisen Sie den Betrag. _____ ist DE8050 0700 4000 0691 9202.

8. Vergessen Sie nicht, bei der Überweisung außer der IBAN auch den _____ anzugeben.

9. Ich habe die Rechnung schon bezahlt. Hier ist _____.

b Hören Sie das Gespräch in der Bank. Ergänzen Sie die Lücken. Hören Sie dann noch einmal zur Kontrolle.

2.19

◆ Grüß Gott. Was kann ich für Sie tun?

◆ Guten Tag, Hildebrand. Ich möchte ein _____ (1) eröffnen. Ich bin wegen der Arbeit vor kurzem nach Wien gekommen.

◆ Kommen Sie mit ins Besprechungszimmer, Herr Hildebrand. ...
Wenn Sie ein Konto _____ (2) wollen, brauchen wir Ihre Personalien, ein paar Angaben zur Person.
Haben Sie ein _____ (3) dabei, Ihren Pass oder Personalausweis, oder den Führerschein?

◆ Ja, hier ist mein _____ (4).

◆ Und ergänzen Sie hier auf dem _____ (5) bitte Name, Adresse, Telefonnummer und E-Mail-Adresse. Ich kopiere schnell die _____ (6) in Ihrem Pass. ...
Da haben Sie Ihren Pass zurück, danke. Was machen Sie denn _____ (7), Herr Hildebrand?

◆ Ich bin Trainer, ich _____ (8) im Studio „Move your Body" in der Währingerstraße.

◆ Und Sie bekommen das _____ (9) auf dieses Konto überwiesen, richtig?

◆ Ja, und deshalb brauche ich auch eine Bestätigung für den _____ (10).

◆ Das machen wir gleich. Nur noch eine Frage: Wie viel _____ (11) Sie denn pro Monat ungefähr?

◆ Ja, jetzt in der Probezeit 2.300. Hm, ich weiß noch nicht, was da nach der _____ (12) übrig bleibt, 1.700 vielleicht?

◆ Gut, das habe ich jetzt alles notiert. Sie brauchen natürlich auch eine Bankomatkarte, stimmt's?

◆ Entschuldigen Sie? Was für eine _____ (13)?

◆ Die EC-Karte, damit Sie überall _____ (14) abheben oder bezahlen können.

◆ Ach so, ja, die brauche ich dann auch.

◆ Also, wenn Sie mich noch einen Moment entschuldigen, Herr Hildebrand, ich gebe gleich die _____ (15) ein. Und dann kann ich Ihnen auch die _____ (16) mitgeben.

Angaben • arbeite • Arbeitgeber • Bargeld • beruflich • Bestätigung • Daten • Dokument • eröffnen • Formular • Gehalt • Karte • Konto • Pass • Steuer • verdienen

c Wortpaare bilden. Ergänzen Sie das passende Verb oder Substantiv mit Artikel.

1. einnehmen – *die Einnahmen* (Pl.)
2. _____ – die Ausgaben (Pl.)
3. _____ – die Einzahlung
4. fordern – _____
5. _____ – die Unterstützung
6. eröffnen – _____
7. _____ – die Erhöhung
8. _____ – die Förderung
9. _____ – die Fortsetzung
10. beantragen – _____

der Antrag • ausgeben • die Forderung • einzahlen • Einnahmen (Pl.) • die Eröffnung • erhöhen • fördern • fortsetzen • unterstützen

d **Rund ums Geld. Wie heißen die Ausdrücke? Ergänzen Sie. Vergleichen Sie mit Aufgabe 4c im Kursbuch.**

eingeben   Bargeld abheben   überweisen   beantragen   bezahlen   eintragen

erhöhen   sperren   falsch eingeben   überziehen

1. am Automaten _____
2. den PIN-Code _____
3. den offenen Betrag _____
4. einen Kredit _____
5. die EC-Karte _____

6. die Geheimzahl _____
7. BIC und IBAN _____
8. mit der EC-Karte _____
9. eine Kreditkarte _____
10. das Konto _____

5

P
DTZ

a **Lesen Sie zuerst die Aufgaben 1 bis 3 und suchen Sie dann die Informationen im Text.**

Sicherheitstipps

sicher bargeldlos zahlen und Bargeld abheben mit Ihrer neuen Karte

Ihre neue EC-Karte ist da. Beachten Sie bitte folgende Sicherheitshinweise.

- Unterschreiben Sie Ihre neue Karte jetzt gleich auf dem Unterschriftsfeld auf der Rückseite Ihrer Karte. Ihre bisherige Geheimnummer ist weiterhin gültig. Wenn Sie die neue Karte zum ersten Mal verwendet haben, ist ihre alte Karte nicht mehr gültig. Zerschneiden Sie die alte Karte. Achten Sie darauf, dass der Chip dabei zerstört wird.

- Die Geheimnummer ist nur für Sie persönlich! Geben Sie diese nie an andere weiter. Wenn Sie die Geheimnummer für sich notieren, dann bewahren Sie diesen Zettel nie zusammen mit der Karte auf! Sagen Sie niemandem Ihre Geheimnummer, auch nicht Ihrer Familie oder einem Freund. Und achten Sie darauf, dass Ihnen am Geldautomaten niemand über die Schulter sieht.

- In den folgenden Fällen lassen Sie Ihre Karte sofort sperren:
  - Wenn Sie Ihre Karte verloren haben oder wenn sie Ihnen gestohlen wurde.
  - Wenn Ihre Karte nicht mehr aus dem Geldautomaten herausgekommen ist.
  - Wenn nur Ihre Karte aus dem Geldautomaten herauskommt, aber kein Geld.

- Im Notfall: Bewahren Sie einen kühlen Kopf! Auf der beiliegenden Notfallkarte finden Sie alle wichtigen Angaben, um rasch und richtig reagieren zu können.

1. Die neue Geldkarte kann man mit der alten Geheimnummer verwenden. | Richtig | | Falsch |

2. Man darf seine Geheimnummer nicht aufschreiben, das ist zu gefährlich. | Richtig | | Falsch |

3. Wenn der Geldautomat die Karte nicht zurückgibt, dann lassen Sie die Karte sperren. | Richtig | | Falsch |

b Markieren Sie das Partizip II im jeweils ersten Satz. Schreiben Sie es dann im nächsten Satz in der richtigen Form in die Lücke.

1. ◆ Ich habe mein Konto überzogen und brauche trotzdem Bargeld.

   ◆ Das geht nicht. Sie können kein Geld von Ihrem _überzogenen_ Konto abheben.

2. ◆ Noch eine Frage: Haben Sie den Betrag schon überwiesen?

   ◆ Ja, der _____ Betrag müsste schon auf Ihrem Konto eingegangen sein.

3. ◆ Wir haben Ihnen die EC-Karte zugeschickt. Haben Sie noch Fragen?

   ◆ Ja. Kann ich die _____ EC-Karte mit der alten Geheimzahl verwenden?

4. ◆ Ich habe den Antrag noch nicht ausgefüllt.

   ◆ Geben Sie den _____ Antrag einfach in den nächsten Tagen am Bankschalter ab.

5. ◆ Ich habe die beiden Rechnungen schon bezahlt.

   ◆ Dann schicken Sie mir doch bitte eine Kopie der beiden _____ Rechnungen.

6. ◆ Was ist, wenn jemand mit meiner Kreditkarte etwas kauft, obwohl sie gesperrt ist?

   ◆ Machen Sie sich keine Sorgen, niemand kann mit der _____ Kreditkarte bezahlen.

c Ergänzen Sie das Partizip II.

> angeben • ausfüllen • finden • sperren • unterschreiben

1. Achtung, wir können nur Ihren vollständig _____ Antrag bearbeiten.

2. Wir haben eine gute Nachricht. Sie können die _____ Geldbörse bei uns abholen.

3. Bitte geben Sie in den nächsten Tagen die _____ Bestätigung im Büro ab.

4. Ich habe meine EC-Karte wieder gefunden. Können Sie die _____ Karte wieder frei geben?

5. Überweisen Sie den Betrag innerhalb von 14 Tagen auf das unten _____ Konto.

Total global

6

a Stichwort Globalisierung. Ergänzen Sie die Lücken.

Wir le_ _ _ _ (1) in einer globalisierten W_ _ _ (2), die Wirtschaft hat s_ _ _ _ (3) stark verändert. Die Fi_ _ _ _ _ (4) lassen ihre Waren d_ _ _ (5) produzieren, wo es a_ (6) billigsten ist. Diese we_ _ _ _ _ (7) schnell in viele andere Lä_ _ _ _ _ (8) transportiert und verkauft. M_ _ (9) kann immer wieder n_ _ (10) entwickelte Geräte kaufen, w_ _ _ (11) man genug Geld dafür h_ _ (12). Zur Globalisierung gehört auch das Internet. An jedem O_ _ (13) und zu jeder Z_ _ _ _ (14) k_ _ _ (15) man mit anderen L_ _ _ _ _ _ (16) kommunizieren. Und man bek_ _ _ _ _ (17) schnell alle gesuchten Inf_ _ _ _ _ _ _ _ _ _ _ (18). Die Menschen müssen ab_ _ _ (19) in der veränderten Si_ _ _ _ _ _ _ (20) auch flexibler sein: D_ _ (21) ganze Leben l_ _ _ (22) bei der gleichen Firma zu ar_ _ _ _ _ _ (23) ist selten gew_ _ _ _ _ (24). Und die Menschen s_ _ _ (25) mobiler geworden, jedenfalls in_ _ _ _ _ _ (26) der EU, der Europäischen U_ _ _ _ _ (27).

P
ZD

b Gespräch über ein Thema. Sprechen Sie mit Ihrem Partner / Ihrer Partnerin.

Sie haben in einer Zeitschrift etwas zum Thema „Arbeitswelt: mobil und flexibel" gelesen. Berichten Sie Ihrem Partner / Ihrer Partnerin, welche Informationen Sie dort bekommen haben.
Ihre Partnerin bzw. Ihr Partner hat zum gleichen Thema andere Informationen und berichtet auch darüber. Unterhalten Sie sich danach über das Thema. Erzählen Sie von persönlichen Erfahrungen, stellen Sie Fragen und reagieren Sie auf die Fragen Ihrer Partnerin bzw. Ihres Partners.

A

Peter Klasnic (36 Jahre, Mechatroniker)
Ich habe in Bremerhaven eine Lehre als Mechatroniker gemacht und 12 Jahre in einem großen Betrieb gearbeitet. Wir haben große Schiffe gebaut. Aber weil in anderen Ländern die Löhne niedriger sind, habe ich meinen Job verloren. In Ingolstadt in einer Autofabrik habe ich wieder Arbeit gefunden. Die Kinder mussten die Schule wechseln. Leider ist die Stelle hier auch unsicher.

B

Mercedes Weber (28 Jahre, Pflegerin)
Ich bin in Portugal geboren. Ich habe in Lissabon Abitur gemacht und Wirtschaft studiert. Aber man findet in Portugal nur schwer eine Stelle. Ich hatte immer nur für kurze Zeit Arbeit, meistens kleine Jobs. Dann habe ich meinen Mann kennengelernt und bin mit ihm nach Salzburg gezogen. Aber es ist hier auch schwer für mich, eine Arbeit zu finden. Deshalb werde ich jetzt Krankenpflegerin.

7

a Thema Globalisierung: Zu welcher Wortfamilie passen die Wörter aus dem Silbenrätsel? Schreiben Sie.

> BE • BLE • ~~DU~~ • DEN • FOR • FOR • GEND • IN • KON • KRI • MA • MENT • MIE • PRO • ~~PRO~~ •
> REN • ~~REN~~ • RUHI • SCHEN • SCHEI • SU • TER • TIK • TISCH • UN • ~~ZIE~~

das Produkt, *produzieren*_____   der Unterschied,_____

konsumieren,_____   das Problem, _____

die Forschung, _____   kritisieren, _____

die Information,_____   die Ruhe,_____

b Argumente formulieren. Wie heißen die Formulierungen richtig? Ergänzen Sie die fehlenden Vokale. Vergleichen Sie mit den Texten im Kursbuch 7a.

1. _I_ch f__nd__ es eig__ntl__ch g__t, dass …

2. D__s ist ein gr__ß__r V__rt__il.

3. Pos__t__v ist a__ch, dass …

4. Auß__rd__m g__f__llt es m__r, …

5. Es g__bt üb__rz__ __gende Arg__m__nte f__r …

6. Ich s__he das eh__r kr__t__sch.

7. Das ist eine f__rchtb__re S__t__ati__n.

8. Das ist ein w__cht__ges Arg__m__nt g__g__n …

9. M__n m__ss auch bed__nk__n, d__ss …

10. Ich f__nde es s__hr pr__bl__m__tisch, wenn …

8

a **Die Welt zu Gast in der Küche. Machen Sie aus dem zweiten Satz einen Relativsatz.**

1. In einer Schüssel liegen Bananen, *die in Costa Rica gewachsen sind.*
   Sie sind in Costa Rica gewachsen.

2. Ich trinke meinen Tee, _____
   Frauen in Sri Lanka haben ihn geerntet.

3. Dazu genieße ich eine Schokolade aus Kakao, _____
   Arbeiter in Ghana haben ihn geerntet und verpackt.

4. Am Abend essen wir Fische, _____
   Sie wurden im Meer vor Norwegen gefangen.

5. Dazu essen wir Reis, _____
   Bauern in Indonesien haben ihn gepflanzt.

b **Wie heißt der markierte Ausdruck in Ihrer Sprache oder in anderen Sprachen? Notieren und vergleichen Sie.**

Meine Sprache, andere Sprachen

1. Die Globalisierung hat sinkende Löhne gebracht. _____

2. Die gesunkenen Löhne machen Probleme. _____

3. Auf der Bank sitzt eine lesende Frau. _____

4. Sie wirft die gelesene Zeitung weg. _____

c **Am Strand. Schreiben Sie Sätze. Verwenden Sie das markierte Verb als Partizip I.**

1. Kinder – schreien, ins Wasser springen. *Schreiende Kinder springen ins Wasser.*

2. ein Mann – schlafen, schnarchen _____

3. das Kind – spielen, ein Eis essen _____

4. eine Frau – lesen, in der Sonne sitzen _____

6. Leute – winken, in einem Boot fahren _____

d **In der Küche. Was ist richtig: Partizip I oder II? Kreuzen Sie an.**

1. In der Küche ist es heiß. Der schwitzende ☐ geschwitzte ☐ Mann steht am Herd und kocht.

2. Es gibt heute bratenden ☐ gebratenen ☐ Fisch, Reis und Salat.

3. Der Mann gibt den Reis in das kochende ☐ gekochte ☐ Wasser.

4. Dann gibt er Pfeffer, Salz, Essig und Öl zum waschenden ☐ gewaschenen ☐ Salat.

5. Der wartende ☐ gewartete ☐ Sohn deckt lustlos den Tisch.

6. Bald sitzen sie am deckenden ☐ gedeckten ☐ Tisch und essen.

9

2.20

a **Wortakzent. Hören Sie und markieren Sie den Wortakzent.**

1. schreiben – beschreiben – die Beschreibung

2. gleich – vergleichen – der Vergleich

3. finden – erfinden – die Erfindung

4. gehen – vergehen – die Vergangenheit

5. fangen – empfangen – der Empfänger

6. packen – verpacken – die Verpackung

2.20

b **Hören Sie noch einmal.**
Lesen Sie dann laut.

> Bei **trennbaren Verben** ist die Betonung anders:
> Das Präfix wird betont, z.B. *zahlen – ein*zahlen – *die Ein*zahlung

c **Wortakzent in zusammengesetzten Substantiven. Hören Sie und markieren Sie den Wortakzent.**
2.21

1. pflegen – der Pfleger – der Krankenpfleger
2. fliegen – der Flug – der Flugbegleiter
3. arbeiten – der Arbeiter – der Sozialarbeiter
4. der Zug – die Zugfahrt – der Schnellzug
5. die Zeit – der Zeitraum – die Freizeit
6. der Teil – die Teilzeit – der Nachteil

2.21

d **Hören Sie noch einmal und sprechen Sie nach.**

Mit gutem Gewissen

10 **a** **Sehen Sie die Bilder an. Was denken die Personen? Überlegen Sie sich auch einen Schluss und schreiben Sie eine Geschichte. Verwenden Sie die Ausdrücke im Kasten.**

> die Geldbörse verlieren • fragen, ob … • nichts merken • weitergehen • überlegen •
> den Inhalt ansehen • ins Fundbüro gehen • die Geldbörse (nicht) wiederbekommen

An einem schönen Tag im Mai …

b **Schreiben Sie zu jeder Situation Ihre Meinung. Wählen Sie Ausdrücke aus dem Kasten.**

> Ich finde es (nicht) in Ordnung, dass … • Für mich ist es okay, … • Ich habe ein/kein Problem damit,
> dass … • Man muss akzeptieren, wenn/dass … • Ich kann es nicht leiden, wenn … • So ein Verhalten
> lehne ich ab, weil … • Ich finde es schlimm/falsch, wenn … • …

1  **2**  **3**

1. Hier sieht man, wie …

Gutes tun mit Geld

11 Lesen Sie die Mitteilung und lösen Sie die Aufgaben.

P
DTZ

> ## Hilfsprojekt braucht Hilfe
>
> Das Hilfsprojekt von Ute Bock hilft Flüchtlingen und Personen, die in Österreich Asyl gesucht haben. Wie jedes Jahr wird auch heuer wieder auf dem Wiener Weihnachtsmarkt um Geld oder Spenden gebeten. Am Stand des Flüchtlingsprojekts können Sie selbstgemachten Punsch trinken – und Sie bezahlen, so viel Sie wollen! Mit Ihrer frei gewählten Spende können Sie sich nicht nur mit einem süßen, heißen Getränk wärmen, sondern Sie tun auch etwas für andere, die Ihre Hilfe brauchen.
>
> Gerne können Sie uns unterstützen und an einem oder mehreren Tagen selbst Punsch und Tee servieren. Wir sind auch dankbar, wenn Sie Kuchen oder Kekse zum Verkaufen vorbeibringen. Eröffnung ist am 18. November, Sie finden den Stand auf der Mariahilfer Straße.

> In der DTZ-Prüfung lösen Sie zu drei Texten jeweils zwei Aufgaben wie diese.

1. Auf dem Weihnachtsmarkt verkaufen Flüchtlinge Getränke. | Richtig | | Falsch |

2. Das Hilfsprojekt sucht Menschen, die
   - a für den Weihnachtsmarkt Werbung machen.
   - b auf dem Weihnachtsmarkt mitarbeiten.
   - c auf dem Markt Kuchen und Kekse backen.

12 Rund ums Geld. Wählen Sie eine Aussage. Schreiben Sie einen Kommentar in 5 bis 7 Sätzen.

> *Es stimmt, dass Geld nicht glücklich macht. Allerdings meint man damit das Geld der anderen.*
> George Bernhard Shaw

> Ein Bankmanager ist ein Mensch, der seinen Schirm verleiht, wenn die Sonne scheint, und ihn sofort zurückhaben will, wenn es zu regnen beginnt.
> Mark Twain

> *Wer einem Menschen einen Fisch schenkt, gibt ihm für einen Tag zu essen. Wer ihn das Fischen lehrt, gibt ihm ein Leben lang zu essen.*
> *Chinesisches Sprichwort*

> *Man sagt, Geld macht nicht glücklich. Das ist doch ...*

Wortbildung – Verben mit *her-* und *hin-*

A Wer sagt das? Notieren Sie „F" für die Frau oder „M" für den Mann.

1. _F_ Komm **her**auf, dann müssen wir nicht so laut reden.

2. ___ Ich kann nicht **hin**aufkommen, die Tür ist zu.

3. ___ Willst du nicht **her**unterkommen?

4. ___ Ich kann nicht **hin**unterkommen, ich koche gerade.

5. ___ Machst du bitte die Tür auf? Ich kann nicht ins Haus **hin**ein.

6. ___ Einen Moment bitte, ich lasse dich gleich **her**ein.

> Die Präfixe **hin-** und **her-** zeigen die Richtung an. Oft kommt noch eine Präposition dazu: *herauf, hinunter.*
>
>
>
> Oft sagt man nur *rauf, runter, rein, ...*

Das kann ich nach Kapitel 12

R1 Hören Sie: Wofür geben Menschen ihr Geld aus? Richtig oder falsch? Kreuzen Sie an.

2.22

	richtig	falsch
1. Die Kosten für das Wohnen sind in den letzten zehn Jahren um ein Viertel gestiegen.	☐	☐
2. Im Durchschnitt geben die Menschen mehr Geld für Verkehr als für Lebensmittel aus.	☐	☐
3. Die Ausgaben für Freizeit, Unterhaltung und Kultur sind in etwa gleich geblieben.	☐	☐
4. Die Ausgaben für Zigaretten und Tabakwaren sind deutlich kleiner geworden.	☐	☐
5. Die Menschen verdienen mehr und können auch mehr sparen als vor zehn Jahren.	☐	☐

	☺☺	☺	☺	☹	KB	AB
💬✏ Ich kann Informationen über Konsum und Ausgaben verstehen.	☐	☐	☐	☐	2a, b	2

R2 Welches Wort passt nicht? Streichen Sie durch.

1. leihen – ausgeben – einzahlen – sperren
2. gratis – günstig – kostenlos – umsonst
3. das Gehalt – die Mahnung – das Einkommen – die Einnahmen
4. der Arbeitgeber – der Beleg – das Formular – der Antrag

	☺☺	☺	☺	☹	KB	AB
💬✏ Ich kann wichtige Ausdrücke zum Thema Geld und Aktivitäten in einer Bank verstehen.	☐	☐	☐	☐	4, 5a	4, 5

R3 Wie heißen die Sätze richtig? Ergänzen Sie das Partizip in der richtigen Form.

1. Bewahren Sie Ihre _____ EC-Karte sicher auf. (unterschreiben)

2. Sie finden wichtige Hinweise auf der _____ Notfallkarte. (beiliegen)

3. Achten Sie darauf, dass hinter Ihnen _____ Personen die Geheimzahl nicht sehen. (stehen)

4. Rufen Sie gleich an, damit wir die _____ EC-Karte sperren können. (verlieren)

	☺☺	☺	☺	☹	KB	AB
💬✏ Ich kann Sicherheitshinweise verstehen und geben.	☐	☐	☐	☐	5	5a, b

Außerdem kann ich	☺☺	☺	☺	☹	KB	AB
🗨💬 ... Gespräche in einer Bank verstehen und führen.	☐	☐	☐	☐	4, 5	4, 5b–c
💬 ... über Verhalten diskutieren.	☐	☐	☐	☐	10c	
💬✏ ... meine eigene Meinung ausdrücken und schreiben.	☐	☐	☐	☐	7d, 10d	7b, 10
💬✏ ... über ein Hilfsprojekt berichten.	☐	☐	☐	☐	11a, 12	
📖 ... Informationen in einem Werbetext finden.	☐	☐	☐	☐	3a	
📖 ... einen informativen Text, z. B. über Hilfsprojekte, verstehen.	☐	☐	☐	☐	11a–d	11
📖💬 ... Argumente und Meinungen in Texten erkennen.	☐	☐	☐	☐	7a–d	
📖💬 ... Hinweise verstehen und geben.	☐	☐	☐	☐	5a, c	5a, b
✏ ... eine Geschichte schreiben.	☐	☐	☐	☐		10a

Lernwortschatz Kapitel 12

mit Geld umgehen

der Kredit, -e _____

die Mahnung, -en _____

die Not, Nöte _____

das Portemonnaie, -s (= die Brieftasche, -n) _____

_____

die Schulden (Plural) _____

an|schaffen _____

Ich will mir ein neues Auto anschaffen. _____

_____

ein|nehmen _____

Sie nehmen Geld für einen guten Zweck ein. _____

_____

erfüllen _____

Erfüll dir einen Wunsch! _____

_____

unterstützen _____

Er will Menschen in Not unterstützen. _____

_____

zurück|zahlen _____

Ich muss noch einen Kredit zurückzahlen. _____

_____

sparsam _____

Bank und Konto

das Konto, Konten/Kontos _____

der Beleg, -e _____

die EC-Karte, -n _____

die Gebühren (Plural) _____

der Geldautomat, -en _____

die PIN (= die Geheimnummer, -n) _____

der Schalter, – _____

ab|heben _____

Geld vom Konto abheben _____

_____

ein|geben _____

Hast du die Geheimzahl richtig/falsch eingegeben? _

_____

ein|ziehen _____

Der Automat hat meine EC-Karte eingezogen. _____

_____

erhöhen _____

Können Sie meinen Kredit kurzfristig erhöhen? _____

_____

sperren _____

Du musst die EC-Karte sperren lassen! _____

überziehen _____

kurzfristig _____

kostenlos _____

umsonst (= gratis) _____

über Bankgeschäfte reden

das Bargeld (Singular) _____

der Dauerauftrag, -aufträge _____

der Empfänger, – _____

der Kontoauszug, -auszüge _____

die Überweisung, -en _____

aus|führen _____

beschädigen _____

Die Kreditkarte wurde beschädigt. _____

_____

eröffnen _____

Kann ich hier ein Konto eröffnen? _____

_____

verwalten _____

Sie können das Konto online verwalten. _____

_____

zu|schicken _____

zuständig _____

Wir sind nicht für Sie zuständig. _____

_____

über Globalisierung sprechen

die Auswahl (Singular) _____

Es gibt eine große Auswahl an Produkten. _____

_____

die Bedingung, -en _____

unter schlechten Bedingungen arbeiten _____

die Forschung, -en _____

der Fortschritt, -e _____

die Konkurrenz (Singular) _____

der Konsument, -en _____

der Weltmarkt (Singular) _____

der Wohlstand (Singular) _____

produzieren _____

profitieren _____

sinken _____

beunruhigend _____

Da ist eine beunruhigende Situation. _____

_____

kritisch _____

mobil _____

Mit gutem Gewissen

der Dieb, -e _____

das Verhalten (Singular) _____

der Vorwurf, Vorwürfe _____

Du kannst mir keinen Vorwurf machen. _____

_____

ab|lehnen _____

wichtig für mich

_____

_____

_____

Dieses Verhalten lehne ich ab. _____

_____

betrügen _____

leiden _____

Ich kann es nicht leiden, wenn ... _____

_____

stehlen _____

tolerieren _____

Das sollte man nicht tolerieren. _____

_____

verzichten (auf) _____

Gutes tun

die Siedlung, -en _____

gründen _____

Die Siedlung wurde 1521 gegründet. _____

_____

bedürftig _____

fortschrittlich _____

andere wichtige Wörter und Wendungen

kein Problem mit etwas haben _____

_____

ernsthaft _____

Er glaubt ernsthaft, dass ... _____

_____

furchtbar _____

schließlich _____

Was haben Sie in letzter Zeit mit Geld gemacht? Notieren Sie fünf Aktivitäten.

_____

Unregelmäßige Verben

Diese Liste bietet nur eine Auswahl der unregelmäßigen Verben. Eine vollständige Liste finden Sie im Internet unter www.klett-sprachen.de/netzwerk in der Rubrik *Lernen*.

Infinitiv	Präsens	Präteritum	Partizip II
abheben	er hebt ab	hob ab	hat abgehoben
anbieten	er bietet an	bot an	hat angeboten
anfangen	er fängt an	fing an	hat angefangen
anrufen	er ruft an	rief an	hat angerufen
auffallen	er fällt auf	fiel auf	ist aufgefallen
aufladen	er lädt auf	lud auf	hat aufgeladen
aufstehen	er steht auf	stand auf	ist aufgestanden
auftreten	er tritt auf	trat auf	ist aufgetreten
backen	er backt/bäckt	backte	hat gebacken
beginnen	er beginnt	begann	hat begonnen
bekommen	er bekommt	bekam	hat bekommen
beraten	er berät	beriet	hat beraten
beschließen	er beschließt	beschloss	hat beschlossen
betragen	er beträgt	betrug	hat betragen
betrügen	er betrügt	betrog	hat betrogen
beweisen	er beweist	bewies	hat bewiesen
bewerben (sich)	er bewirbt	bewarb	hat beworben
bitten	er bittet	bat	hat gebeten
bleiben	er bleibt	blieb	ist geblieben
brechen	er bricht	brach	hat gebrochen
brennen	er brennt	brannte	hat gebrannt
bringen	er bringt	brachte	hat gebracht
denken	er denkt	dachte	hat gedacht
einfallen	es fällt ein	fiel ein	ist eingefallen
einladen	er lädt ein	lud ein	hat eingeladen
empfangen	er empfängt	empfing	hat empfangen
empfehlen	er empfiehlt	empfahl	hat empfohlen
entscheiden (sich)	er entscheidet	entschied	hat entschieden
entstehen	es entsteht	entstand	ist entstanden
erfahren	er erfährt	erfuhr	hat erfahren
erschießen	er erschießt	erschoss	hat erschossen
erschrecken	er erschrickt	erschrak	ist erschrocken
essen	er isst	aß	hat gegessen
fahren	er fährt	fuhr	ist gefahren
fallen	er fällt	fiel	ist gefallen
fernsehen	er sieht fern	sah fern	hat ferngesehen
finden	er findet	fand	hat gefunden
fliegen	er fliegt	flog	ist geflogen
fliehen	er flieht	floh	ist geflohen
fressen	er frisst	fraß	hat gefressen
geben	er gibt	gab	hat gegeben
gefallen	es gefällt	gefiel	hat gefallen
gehen	er geht	ging	ist gegangen
gelingen	er gelingt	gelang	ist gelungen
gelten	es gilt	galt	hat gegolten
genießen	er genießt	genoss	hat genossen
geraten	er gerät	geriet	ist geraten
geschehen	er geschieht	geschah	ist geschehen
greifen	er greift	griff	hat gegriffen
gewinnen	er gewinnt	gewann	hat gewonnen
gießen	er gießt	goss	hat gegossen
halten	er hält	hielt	hat gehalten
hängen	er hängt	hing	hat gehangen
heißen	er heißt	hieß	hat geheißen
helfen	er hilft	half	hat geholfen
kennen	er kennt	kannte	hat gekannt

Infinitiv	Präsens	Präteritum	Partizip II
klingen	er klingt	klang	hat geklungen
kommen	er kommt	kam	ist gekommen
laden	er lädt	lud	hat geladen
lassen	er lässt	ließ	hat gelassen
laufen	er läuft	lief	ist gelaufen
leihen	er leiht	lieh	hat geliehen
lesen	er liest	las	hat gelesen
liegen	er liegt	lag	hat gelegen
lügen	er lügt	log	hat gelogen
messen	er misst	maß	hat gemessen
mögen	er mag	mochte	hat gemocht
nehmen	er nimmt	nahm	hat genommen
nennen	er nennt	nannte	hat genannt
reiten	er reitet	ritt	ist geritten
rennen	er rennt	rannte	ist gerannt
riechen	er riecht	roch	hat gerochen
scheinen	er scheint	schien	hat geschienen
schlafen	er schläft	schlief	hat geschlafen
schlagen	er schlägt	schlug	hat geschlagen
schließen	er schließt	schloss	hat geschlossen
schneiden	er schneidet	schnitt	hat geschnitten
schreiben	er schreibt	schrieb	hat geschrieben
schweigen	er schweigt	schwieg	hat geschwiegen
schwimmen	er schwimmt	schwamm	ist geschwommen
sehen	er sieht	sah	hat gesehen
singen	er singt	sang	hat gesungen
sinken	er sinkt	sank	ist gesunken
sitzen	er sitzt	saß	hat gesessen
sprechen	er spricht	sprach	hat gesprochen
springen	er springt	sprang	ist gesprungen
stattfinden	es findet statt	fand statt	hat stattgefunden
stechen	er sticht	stach	hat gestochen
stehen	er steht	stand	hat gestanden
stehlen	er stiehlt	stahl	hat gestohlen
steigen	er steigt	stieg	ist gestiegen
sterben	er stirbt	starb	ist gestorben
streiten	er streitet	stritt	hat gestritten
teilnehmen	er nimmt teil	nahm teil	hat teilgenommen
tragen	er trägt	trug	hat getragen
treffen	er trifft	traf	hat getroffen
trinken	er trinkt	trank	hat getrunken
tun	er tut	tat	hat getan
überweisen	er überweist	überwies	hat überwiesen
unternehmen	er unternimmt	unternahm	hat unternommen
unterscheiden (sich)	es unterscheidet	unterschied	hat unterschieden
unterschreiben	er unterschreibt	unterschrieb	hat unterschrieben
verbinden	er verbindet	verband	hat verbunden
vergessen	er vergisst	vergaß	hat vergessen
vergleichen	er vergleicht	verglich	hat verglichen
verlieren	er verliert	verlor	hat verloren
verstehen	er versteht	verstand	hat verstanden
vorschlagen	er schlägt vor	schlug vor	hat vorgeschlagen
wachsen	er wächst	wuchs	ist gewachsen
waschen	er wäscht	wusch	hat gewaschen
werden	er wird	wurde	ist geworden
werfen	er wirft	warf	hat geworfen
widersprechen	er widerspricht	widersprach	hat widersprochen
wiederfinden	er findet wieder	fand wieder	hat wiedergefunden
wissen	er weiß	wusste	hat gewusst
zerreißen	er zerreißt	zerriss	hat zerrissen
ziehen	er zieht	zog	hat gezogen
zwingen	er zwingt	zwang	hat gezwungen

Audio-CDs zu Netzwerk Arbeitsbuch B1

Sprecherinnen und Sprecher:
Ulrike Arnold, Julia Cortis, Angelika Fink, Vanessa Jeker, Crock Krumbiegel, Detlef Kügow, Johanna Liebeneiner, Saskia Mallison, Lars Mannich, Verena Rendtorff, Jakob Riedl, Leon Romano, Kiara Schuster, Louis F. Thiele, Peter Veit, Martin Walch, Sabine Wenkums, Laura Worsch, Laura Zöphel

Regie: Sabine Wenkums

Aufnahme und Postproduktion: Christoph Tampe, Plan 1, München

Laufzeiten: Arbeitsbuch-CDs 95 min.

Quellenverzeichnis

Cover	oben: iStockphoto – nensuria
	unten: Fotolia – Christian Schwier
S. 4	1 shutterstock – Sergey Krasnoshchokov, 2 Dieter Mayr, 3 Getty Images – F1 online – Norbert Michalke, 4 Dieter Mayr, 5 shutterstock – SergeyIT, 6 Sabine Wenkums
S. 5	7/8/12 Dieter Mayr, 9 Paul Rusch, 10 Getty Images (Dougal Waters), 11 Uwe Steinbrich – pixelo.de
S. 6	Fotolia – konik60, mauritius images – Chris Seba
S. 8	shutterstock – RicoK
S. 13	CH: shutterstock – Watchtheworld, A: Alamy – INSADCO Photography, D: shutterstock – Tomasz Bidermann
S. 23	Getty Images – Peathegee Inc
S. 26	shutterstock – Vladislav Gajic, Text (leicht geändert): Jenni Zwick - www.t-online.de/eltern/erziehung
S. 31	Markus Holubek, Schweisfurth-Stiftung – Hans-Günther Kaufmann
S. 33	Getty Images / WireImages – Steve Granitz
S. 34	iStock – EdStock, Text (verändert): www.radiobremen.de/wissen
S. 37	GettyImages – Premium Archive – Tom Stoddart Archive
S. 39	shutterstock – Cheryl Savan
S. 43	iStockphoto – Derek-Latta
S. 46	1 Angela Kilimann, 2 Fotolia – Kablonk Micro
S. 57	Fotolia – Pavel Losevsky
S. 58	v.l.: shutterstock – lightpoet, shutterstock – pkchai, shutterstock – Anna Omelchenko
S. 70	shutterstock – Dr_Flash
S. 73	Ferenc Szelepcsenyi – shutterstock.com
S. 74	1 shutterstock – Noam Armonn, 2 Peter Scholz – Shutterstock.com
S. 79	Shutterstock – YURALAITS ALBERT (N.Y.), Shutterstock – Pavel L Photo and Video (N.Y.), Karl-Heinz Laube / pixelio.de, Shutterstock – Olga Sapegina (N.Y.)
S. 90	fotolia – Anatolii (N.Y.), Fotolia – Alekss (N.Y.)
S. 92	Sabine Franke, Paul Rusch
S. 96	Shutterstock – Monkey Business Images (N.Y.)
S. 102	Hartmut Demand / pixelio.de
S. 105	Shutterstock – Joao Seabra (N.Y.)
S. 109	Shutterstock – BlueSkyImage (N.Y.)
S. 114	fotolia – Halfpoint (N.Y.)
S. 117	fotolia – Tino Hemmann (N.Y.)
S. 126	Sabine Franke
S. 130	Shutterstock – Andrey_Popov (N.Y.), Fotolia – matteocozzi (N.Y.), Shutterstock – Alexander Chaikin (N.Y.)
S. 133	© www.abracus.de / Max Julius Schmidt
S. 141	Sabine Franke
S. 143	Fotolia – Karin & Uwe Annas (N.Y.), Shutterstock – Monkey Business Images (N.Y.)

MATH *for* HVACR

GARY B. XAVIER

Library of Congress Catalog Card Number 2016048080

ISBN 978-1-63126-928-8

3 4 5 6 7 8 9 – 18 – 21 20 19

Cover images: ZakS Photography/Shutterstock.com

Library of Congress Cataloging-in-Publication Data

Names: Xavier, Gary B., author.
Title: Math for HVACR / by Gary B. Xavier.
Description: First edition. | Tinley Park, IL : The
    Goodheart-Willcox Company, Inc., [2018] |
    Includes index.
Identifiers: LCCN 2016048080 | ISBN 9781631269288
Subjects: LCSH: Refrigeration and refrigerating
    machinery--Mathematics. | Buildings--
    Environmental engineering--Mathematics. |
    Engineering mathematics--Textbooks.
Classification: LCC TH7223 .X38 2018 | DDC
    697.001/51--dc23 LC record available at http://
    lccn.loc.gov/2016048080

Preface

Twenty years ago, I first stepped in front of a class of students who wanted to learn the HVACR trade. Over the next few days, it became apparent that some of the concepts I was trying to explain were lost on the students unless they had a good working knowledge of mathematics.

Sensible and latent heat values, the measurement of heat versus temperature, and pressure/temperature relationships are all frequently used in our trade, and all of these involve mathematics. When I saw my students struggling to understand simple, yet critical computations, I decided to spend some time teaching math. The result was so amazing that I repeated the process with each subsequent trade school class I taught. Though the students groaned when I took away their calculators, they soon learned that success in our jobs as HVACR tradespeople depends on a complete working knowledge of mathematics—from basic arithmetic to algebra, geometry, and even a bit of trigonometry.

I struggled through those classes for lack of a textbook that was directed toward the group I was trying to train. High school and college textbooks were generally too abstract, and grade school textbooks were too basic. So I improvised, and much of this book is a culmination of my time spent teaching students—from novices to professional engineers—how to apply mathematical concepts in real-world situations. The practical exercises used within this text are often ones I use in my classes. Most of these come from actual situations I encountered in over 25 years of working with commercial and industrial HVACR and boiler systems.

This book begins with a review of the basic math operations and concepts, such as adding, subtracting, multiplying, dividing, fractions, decimals, and percentages. These are used by everyone from the apprentice installer to the master technician. The text continues with ratios, proportions, estimating, and measurement and then covers algebraic formulas, geometry, and trigonometry. Each of these chapters shows how these concepts and theories apply to everyday work in the mechanical trades. The book culminates in a series of practical applications of the material learned in each of the chapters.

Measurement is of such importance that I devoted an entire chapter (5) to it. If initial measurements are flawed, all calculations based on those values will be flawed as well. The potential for error in measurement and subsequent calculations and conversions is very real, and the consequences can be costly. This chapter covers dozens of measurement variables, and we work in both US Customary (I-P or inch-pound) and Systems International (SI) metric units. Also included are many charts for conversion within each system of measurement and also conversion between the two systems. Immediately following this is a chapter (6) that explains many HVACR formulas that are commonly needed but seldom memorized! These formulas are explained and example calculations are provided.

While there are many good textbooks available that explain the fundamentals of heating, ventilation, air-conditioning, and refrigeration, there was, until now, a deficit in the mathematical instructional tools available to those in our trade. Filling that gap is the role of this text.

Gary B. Xavier

About the Author

Gary B. Xavier is a Stationary Engineer with nearly 50 year's experience in the HVACR field. He began working with refrigeration equipment as a teenager, eventually starting a service company that dealt with the waterside service of large boilers and cooling systems. Gary is licensed to work in both New York and Pennsylvania. He is the author of over a dozen technical training books and slide presentations used to train engineers and technicians throughout the US and Canada. He has also published numerous technical trade magazine articles.

An instructor for the past 20 years, Gary currently conducts training seminars as well as providing consulting services on HVACR and boiler systems. His clients include the United States Department of State, Department of Defense, Bureau of Prisons, U.S. Army, U.S. Navy, Ford, General Motors, Boeing, Pepsi, several major pharmaceutical manufacturers, and both fossil-fuel and nuclear power plants.

He is a member of the American Society of Heating, Refrigerating, and Air-Conditioning Engineers (ASHRAE), the Refrigerating Engineers and Technicians Association (RETA), and the National Association of Power Engineers (N.A.P.E.).

Reviewers

The author and publisher wish to thank the industry and teaching professionals listed below for their valuable input into the development of *Math for HVACR*.

Anthony Saccavino
Porter and Chester Institute
Watertown, Connecticut

Mike Jonas
Morton College
Cicero, Illinois

G-W Integrated Learning Solution

Together, We Build Careers

At Goodheart-Willcox, we take our mission seriously. Since 1921, G-W has been serving the career and technical education (CTE) community. Our employee-owners are driven to deliver exceptional learning solutions to CTE students to help prepare them for careers. Our authors and subject matter experts have years of experience in the classroom and industry. We combine their wisdom with our expertise to create content and tools to help students achieve success. Our products start with theory and applied content based on a strong foundation of accepted standards and curriculum. To that base, we add student-focused learning features and tools designed to help students make connections between knowledge and skills. G-W recognizes the crucial role instructors play in preparing students for careers. We support educators' efforts by providing time-saving tools that help them plan, present, assess, and engage students with traditional and digital activities and assets. We provide an entire program of learning in a variety of print, digital, and online formats, including economic bundles, allowing educators to select the perfect mix for their classroom.

Student-Focused Curated Content

Goodheart-Willcox believes that student-focused content should be built from standards and accepted curriculum coverage. *Math for HVACR* also uses a building block approach with attention devoted to a logical teaching progression that helps students build on their learning. We call on industry experts and instructors from across the country to review and comment on our content, presentation, and pedagogy. Finally, in our refinement of curated content, our editors are immersed in content checking, securing and sometimes creating figures that convey key information, and revising language and pedagogy.

Features of the Textbook

Features are student-focused learning tools designed to help you get the most out of your studies. This visual guide highlights the features designed for the textbook.

Objectives clearly identify the knowledge and skills to be obtained when the chapter is completed.

Technical Terms list the key terms to be learned in the chapter. Review this list after completing the chapter to be sure you know the definition of each term.

Introduction provides an overview and preview of the chapter content.

CHAPTER 2

Fractions

Objectives

Information in this chapter will enable you to:
* Recognize each of the parts of a fraction and understand what they mean.
* Identify proper fractions, improper fractions, and mixed numbers.
* Compare, reduce, and raise fractions.
* Find the lowest common denominator (LCD) among fractions.
* List the factors of numbers and determine the greatest common factor.
* Understand prime numbers and recognize some of the most common prime numbers.
* Reduce fractions to their lowest terms.
* Add, subtract, multiply, and divide fractions.
* Convert a mixed number into an improper fraction.

Technical Terms

common denominator	improper fraction	numerator
denominator	lowest common	prime number
factor	denominator (LCD)	proper fraction
fraction	lowest terms	reducing
greatest common factor	mixed number	

2.1 Introduction to Fractions

A fraction is defined as a portion of a whole. A fraction, therefore, is part of a whole number. HVACR technicians commonly work in situations with fractions, such as pipe and tubing sizing (1/4 inch, 1/2 inch, 3/4 inch). An understanding of fractions, their use, and basic mathematical functions, such as adding and subtracting fractions, is critical in the trade.

If the number 1 is broken into four equal portions, each portion would be 1/4 of the whole.

25

Illustrations have been designed to clearly and simply communicate the specific topic.

190   Math for HVACR

Main Plenum — West View
Main Plenum — East View
Main Plenum — Bottom View
Main Plenum — Top View

Review Questions allow you to demonstrate knowledge, identification, and comprehension of chapter material.

Chapter 3 Decimals 53

Name _____ Date _____ Class _____

Practical Exercise 3-4

A service technician has been given a list of air-conditioning and refrigerant equipment that shows the amount of refrigerant that each unit holds in pounds only. However, the scale being used to weigh the refrigerant reads in pounds and ounces.

1. Convert each listing of pounds to pounds and ounces, so the correct amount of refrigerant can be charged into each unit. *Round down* each answer to the closest ounce so the systems are not overcharged. There are 16 ounces in a pound.

Total Refrigerant Charge

Unit	Refrigerant	Pounds	Pounds and Ounces
RTU 1	R-22	7.12	
RTU 2	R-134a	14.9	
RTU 3	R-410A	9.5	
AC 1	R-410A	3.16	
AC 2	R-134a	4.25	
AC 3	R-22	3.92	
WI 1	R-12	19.35	
WI 2	R-404A	22.1	
WI 3	R-134a	44.22	
IM 1	R-134a	0.94	
IM 2	R-410A	1.02	
IM 3	R-290	0.75	

2. How many pounds and ounces of each of the different refrigerants would be needed to completely charge all of the systems at this facility? After calculating the totals, round up each answer to the closest pound.

Total Refrigerant Charge

Type	Pounds and Ounces	Rounded Up Pounds
R-12		
R-22		
R-134a		
R-290		
R-404A		
R-410A		

Resources

Student Resources

Textbook

The *Math for HVACR* textbook provides a wealth of examples and exercises for an in-depth learning experience. The textbook is available in print or online versions.

Instructor Resources

Instructor resources provide information and tools to support teaching, grading, and planning; course administration; class presentations; and assessment.

ExamView® Assessment Suite

Quickly and easily prepare, print, and administer tests with the ExamView® Assessment Suite. With multiple questions in the test bank corresponding to each chapter, you can choose which questions to include in each test, create multiple versions of a single test, and automatically generate answer keys. Existing questions may be modified and new questions may be added. You can prepare pretests, formative, and summative tests easily with the ExamView® Assessment Suite.

Instructor's Resource CD

The Instructor's Resource CD provides lesson plans and answers to the questions in the student textbook, making grading simple.

Online Instructor Resources

Online Instructor Resources provide all the support needed to make preparation and classroom instruction easier than ever. Available in one accessible location, support materials include answer keys, lesson plans, ExamView® Assessment Suite, and more! Online Instructor Resources are available as a subscription and can be accessed at school or at home.

Contents

CHAPTER 1

Whole Numbers

Objectives

Information in this chapter will enable you to:

- Understand how digits and place values are used in positive and negative numbers.
- Compare sets of whole positive and negative numbers and use the greater than, less than, and equals sign symbols.
- Round numbers up or down as used in cost estimations.
- Add, subtract, multiply, and divide whole numbers.
- Determine the square and cube of a whole number.
- Express both large and small numbers using exponents, powers of ten, and scientific notation.
- Perform operations using negative numbers.
- Simplify expressions involving multiple operations by following the PEMDAS order of operation.

Technical Terms

addition	equals sign (=)	positive
borrowing	exponent	powers of ten
carried over	factor	product
cube	minus sign (–)	quotient
difference	multiplication	rounding
digit	multiplication sign (×)	scientific notation
dividend	negative	square
division	order of operation	subtraction
division sign (÷)	place value	sum
divisor	plus sign (+)	superscript

1.1 Introduction to Whole Numbers

Whole numbers are the building blocks for the application of mathematics in everyday use. A service technician relies on this foundation to form equations and formulas for calculations, such as airflow, heating and cooling system capacities, and system efficiency, as well as everyday tasks like preparing an invoice to give to the customer. An understanding of the use of whole numbers, both positive and negative, will help in further study of fractions, decimals, and formulas.

Whole numbers are formed by writing one or more digits in a row. A **digit** is any of the ten number symbols (0, 1, 2, 3, 4, 5, 6, 7, 8, and 9) in the Arabic numbering system. Each digit has a value, which increases from zero (0) through nine (9). A value of four (4), therefore, is greater than a value of one (1), but less than a value of eight (8).

1.1.1 Positive and Negative Numbers

Numbers are **positive** if their value is greater than zero. Thus, the number 1 is positive, as it is greater than 0. Numbers are **negative** if their value is less than zero. Negative numbers are indicated by the minus sign (–) in front of the number. Therefore, the number –1 has a value below 0.

HVACR technicians seldom work with negative numbers other than in the measurement of low temperatures. Calculations concerning negative numbers have special rules, which will be covered in a later portion of this chapter.

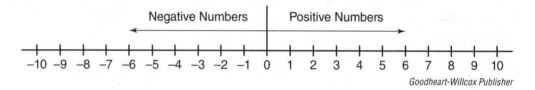

Goodheart-Willcox Publisher

1.1.2 Place Value of Whole Numbers

The **place value** of each digit is determined by its location within the whole number. The first ten place names in this numbering system from lower value to higher value are ones, tens, hundreds, thousands, ten thousands, hundred thousands, millions, ten millions, hundred millions, and billions.

A digit in the tens place has a value of ten times that of the same digit in the ones place, and a digit in the hundreds place has a value of one hundred times that same digit in the ones place, and so on.

The whole number one billion (written as 1,000,000,000) has place values as shown. It has zeros (0) in all of the places except the billions place, where it has a one (1).

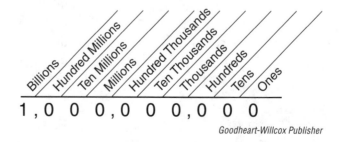

Goodheart-Willcox Publisher

The whole number three hundred seventy-five (375) has place values as shown. It has a three in the hundreds place, a seven in the tens place, and a five in the ones place.

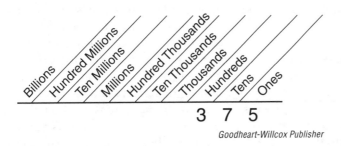

Goodheart-Willcox Publisher

The value of the whole number 375 is explained as shown.

$$
\begin{array}{rcl}
3 \times 100 & = & 300 \\
7 \times 10 & = & 70 \\
5 \times 1 & = & \underline{+\ 5} \\
& & 375
\end{array}
$$

The use of commas to separate the place values is commonly used. A comma is placed between each three digits, starting at the right and working to the left. For example, one thousand may be written either as 1000 or 1,000.

1.1.3 Comparing Whole Numbers

It is often necessary to compare the value of whole numbers to see which one is larger or smaller. Counting the number of digits is the easiest way to compare, as the number with the more digits is greater. If the numbers being compared have the same number of digits, then each place value is compared, working from left to right.

Symbols that mean *greater than* and *less than* are used when comparing numbers. The symbol > means *greater than*, and < means *less than*. The symbol =, called the *equals sign*, means the numbers are equal, or exactly the same.

Comparison Symbols

>	Greater than
<	Less than
=	Equal

Goodheart-Willcox Publisher

For example, when comparing the numbers 251 and 75, the number of digits shows which number is larger. The number 251 has three digits, while 75 has just two digits. Thus, 251 is larger than 75. This can be written as 251>75, which reads as "251 is greater than 75." It could also be written 75<251, which reads as "75 is less than 251."

When two numbers each have the same number of digits, such as 175 and 251, the numbers are compared digit by digit, starting at the left. Since the 1 in 175 is less than the 2 in 251, 175<251.

If 275 and 251 are compared, the 2 in both numbers is equal, so the next digit is compared. Since 7 is greater than 5, the result is 275>251.

1.1.4 Rounding Whole Numbers

Rounding of whole numbers is used for estimating purposes, such as preparing a rough cost of a project based on the sum of the materials and labor costs.

When numbers are rounded, they can be *rounded up, rounded down,* or rounded to the nearest of a place value depending on the reason for the estimation. For example, when estimating materials for an HVACR job, the numbers are often rounded up to make sure there are enough materials to complete the project. The same may be true when estimating the cost of a project. However, an estimate will be more accurate if the numbers are rounded to the nearest of a place value.

Rounding is the process of increasing or decreasing the value of a number to the next digit. Whether a digit's value is increased or not is usually based on the value of the digit to the right. Therefore, when rounding the *ones place,* the value of the *tens place* will either remain the same (rounding down) or will increase by one (rounding up). When rounding the *tens place,* the *hundreds place* will either remain the same (rounding down) or will increase by one (rounding up). This is the same for all positive numbers.

The digits 1 to 4 are rounded down, while the digits 5 to 9 are rounded up. Thus, the whole number 53 can be rounded down to 50, while the whole number 57 would be rounded up to 60. In this example, the ones place digit was rounded to the tens place.

When rounding a number that has three or more digits, the final value can range from lower to higher based on which digit is being rounded. For example, the number 572 can be rounded down to 570, when rounding the ones place. When rounding the tens place, 572 would be rounded up to 600. This one number (572) can be rounded down to 570 or up to 600. These rounded potentials differ by 30. Note that the digit to which a number is rounded will be based on the accuracy needed for the value.

1.2 Operations Using Whole Numbers

Working with numbers generally involves operations, such as addition, subtraction, multiplication, and division. The equals sign (=) is used to denote the answer to the calculation. When used in a column of numbers, the equals sign is represented by a line beneath the bottom number in the column, indicating that the column needs to be totaled.

1.2.1 Addition of Whole Numbers

Addition is the process of combining number values to find the sum of those values. Addition is indicated by the use of the plus sign (+). When whole numbers are added, each place column is totaled, starting at the ones column. For example, $1 + 3 = 4$ would be read as "one plus three equals four" and could also be written as shown here:

$$\begin{array}{r} 1 \\ +\ 3 \\ \hline 4 \end{array}$$

If the ones column total exceeds ten, the one from the ten is carried over to the tens column. When carrying over digits in addition, it is often helpful to write the carried over number at the top of the proper column. For example, when adding seven plus three, the one from the sum of 7+3 is carried over to the tens column, and can be written at the top of the tens column as shown below:

$$
\begin{array}{r}
{}^{1}7 \\
+\ 3 \\
\hline
10
\end{array}
$$

In addition of larger numbers, the process of carrying over continues from right to left as each column of numbers is totaled:

$$
\begin{array}{r}
748 \\
+\ 284 \\
\hline
?
\end{array}
$$

Starting at the right, in the ones column, eight plus four equals twelve. The 2 from the ones column of the number twelve is placed below the equals bar, and the 1 from the tens column of the number twelve is carried over and placed at the top of the tens column:

$$
\begin{array}{r}
{}^{1}\\
748 \\
+\ 284 \\
\hline
2
\end{array}
$$

The tens column is then added. One plus four plus eight equals thirteen, so the 3 is placed below the equals bar and the 1 is carried over and placed at the top of the hundreds column:

$$
\begin{array}{r}
{}^{1}{}^{1}\\
748 \\
+\ 284 \\
\hline
32
\end{array}
$$

The hundreds column is then added. One plus seven plus two equals ten, so the 0 is placed below the equals bar, and the 1 is carried over and placed at the top of the thousands column:

$$
\begin{array}{r}
{}^{1}{}^{1}{}^{1}\\
748 \\
+\ 284 \\
\hline
032
\end{array}
$$

The thousands column is then added. The only digit in that column is the 1 that was carried over from the hundreds column, so it is placed below the equals bar:

$$
\begin{array}{r}
{}^{1}{}^{1}{}^{1}\\
748 \\
+\ 284 \\
\hline
1{,}032
\end{array}
$$

Regardless of the number of columns, all addition functions are done in this manner, working from right to left.

1.2.2 Subtraction of Whole Numbers

Subtraction is the process of removing, or taking away, number values from one another to find the difference between those values. In an equation, subtraction is indicated by the use of the minus sign (–). When whole numbers are subtracted, each place column is subtracted individually starting at the ones column and working from right to left.

For example, 4 – 3 = 1 would be read as "four minus three equals one" or "four take away three equals one" and could also be written as shown below:

$$\begin{array}{r} 4 \\ -\,3 \\ \hline 1 \text{ Difference} \end{array}$$

The difference is the answer to a subtraction equation.

When performing a subtraction operation with numbers greater than ten, first subtract the numbers in the ones place:

$$\begin{array}{r} 67 \\ -\,25 \\ \hline 2 \end{array}$$

Then subtract the numbers in the tens place:

$$\begin{array}{r} 67 \\ -\,25 \\ \hline 42 \end{array}$$

Sometimes the value of the digit in the number being subtracted is greater than the value of the digit in the number being subtracted from. When this happens, you "borrow" from the next-higher place value by adding 10 to the digit being subtracted from and reducing the value of the next-higher place value by 1. This is a process called borrowing.

$$\begin{array}{r} 14 \\ -\,7 \end{array} \qquad \begin{array}{r} ^{0}\!\!\!/\!14 \\ -\,7 \\ \hline 7 \end{array}$$

In the example shown above, seven needs to be subtracted from four. Since seven is larger than four, the 1 from the tens column is *borrowed*, thus becoming fourteen minus seven, rather than four minus seven. As the value is borrowed, it is removed from that column, and crossing it out helps to clarify the operation. In this case, the 1 was borrowed, leaving 0. Seven is then subtracted from fourteen, and the difference (7) is written below the equals bar.

Borrowing can continue throughout the subtraction process, if necessary, with each column able to borrow from the columns to the left:

$$\begin{array}{r} 747 \\ -\,254 \end{array}$$

To begin the subtraction process in this example, four is subtracted from seven, leaving three, which is written below the equals bar:

$$\begin{array}{r} 747 \\ -\,254 \\ \hline 3 \end{array}$$

Moving one column to the left (the tens column), five is then to be subtracted from four. However, since five is larger than four, a 1 (with a value of 10) is borrowed from the hundreds column, making the four into fourteen. To do this, the seven in the hundreds column is crossed out, leaving six remaining in the hundreds column. Fourteen minus five is nine, so 9 is written in the tens column:

$$
\begin{array}{r}
\overset{6}{\cancel{7}}47 \\
-\ 254 \\
\hline
93
\end{array}
$$

The hundreds column can now be subtracted. Six minus two equals four, so 4 is written in the hundreds column:

$$
\begin{array}{r}
\overset{6}{\cancel{7}}47 \\
-\ 254 \\
\hline
493
\end{array}
$$

Subtraction can easily be checked by addition. To check the answer in the example shown, the subtracted number (254) is added to the difference (493). The sum of these two numbers should equal the number that was subtracted from (747).

$$
\begin{array}{r}
\overset{1}{2}54 \\
+\ 493 \\
\hline
747
\end{array}
$$

HVACR technicians use subtraction to calculate "differences" of measurements, such as temperature and pressure. A temperature difference may be referred to as differential temperature or ΔT (pronounced "delta tee"—the triangle symbol is the Greek letter "delta"). A temperature difference often represents the amount of heat or number of degrees being added, removed, or transferred.

Temperature difference (ΔT) is calculated by subtracting the colder temperature from the warmer temperature. When both temperature measurements are positive values, the temperature difference (ΔT) is calculated by subtracting the smaller temperature value from the larger temperature value. For example, to determine the temperature difference between 61°F and 84°F, subtract the smaller value from the larger value:

$$
\begin{aligned}
\Delta T \ &= \ \text{warmer temp} - \text{colder temp} \\
&= \ 84°F - 61°F \\
&= \ 23°F
\end{aligned}
$$

When HVACR technicians refer to ΔT, they are most likely referring to the difference between the temperature of the air entering an evaporator and the temperature of the air exiting an evaporator. This ΔT value is often measured when troubleshooting an air-conditioning or refrigeration system.

1.2.3 Multiplication of Whole Numbers

Multiplication, like addition, is the process of combining number values to get a total. This could be accomplished by simply adding the numbers together repeatedly, but a faster method is to *multiply*. The numbers being multiplied are called factors, and the result of the multiplication is called the product.

The multiplication sign ($\times$) is the multiplication symbol used in arithmetic functions, while in formulas the dot ($\cdot$) may be used to indicate multiplication. This avoids confusion when the letter x is used in algebraic equations to denote an unknown quantity.

First factor
× Second factor
Product

A multiplication table can be used to assist in making multiplication calculations. To use the table shown here, find one factor in the first column (along the left side) and the second factor in the top row. Note that the multiplication of any number by zero (0) results in an answer of zero (0).

Multiplication Table

	0	1	2	3	4	5	6	7	8	9	10	11	12	13	14	15
0	0	0	0	0	0	0	0	0	0	0	0	0	0	0	0	0
1	0	1	2	3	4	5	6	7	8	9	10	11	12	13	14	15
2	0	2	4	6	8	10	12	14	16	18	20	22	24	26	28	30
3	0	3	6	9	12	15	18	21	24	27	30	33	36	39	42	45
4	0	4	8	12	16	20	24	28	32	36	40	44	48	52	56	60
5	0	5	10	15	20	25	30	35	40	45	50	55	60	65	70	75
6	0	6	12	18	24	30	36	42	48	54	60	66	72	78	84	90
7	0	7	14	21	28	35	42	49	56	63	70	77	84	91	98	105
8	0	8	16	24	32	40	48	56	64	72	80	88	96	104	112	120
9	0	9	18	27	36	45	54	63	72	81	90	99	108	117	126	135
10	0	10	20	30	40	50	60	70	80	90	100	110	120	130	140	150
11	0	11	22	33	44	55	66	77	88	99	110	121	132	143	154	165
12	0	12	24	36	48	60	72	84	96	108	120	132	144	156	168	180
13	0	13	26	39	52	65	78	91	104	117	130	143	156	169	182	195
14	0	14	28	42	56	70	84	98	112	126	140	154	168	182	196	210
15	0	15	30	45	60	75	90	105	120	135	150	165	180	195	210	225

Goodheart-Willcox Publisher

To calculate 2 × 3, which would be read as "two times three," locate the first factor (2) in the first column. Follow that row of numbers to the right.

Find the second factor (3) in the top row. Follow that column of numbers down. At the intersection of the two factors, a six (6) is shown. That is the product of 2 × 3.

When you are performing a multiplication operation, the order of the factors does not change the resulting product. That is, both 2 × 3 and 3 × 2 are equal to 6. (You can see this in the multiplication table.)

Multiplying two single-digit numbers (that is, 0–9) is normally accomplished by memorizing the multiplication table. Many techniques can be used to multiply larger numbers. The technique described in the following paragraph is one commonly used procedure.

In multiplication of whole numbers with more than one digit, each digit in the second factor is multiplied by each digit in the first factor, starting in the ones column and moving right to left. For example, when multiplying 12×3, the 2 is multiplied by 3, which equals 6. The 6 is placed below the equals bar in the ones column:

$$\begin{array}{r} 12 \\ \times\ 3 \\ \hline 6 \end{array}$$

The 1 is then multiplied by 3. Because the 1 is in the tens column, it is actually 3 times 10, or 30. However, only 3 is placed below the equals bar in the tens column.

$$\begin{array}{r} 12 \\ \times\ 3 \\ \hline 36 \end{array}$$

Thus, $3 \times 12 = 36$.

If the multiplication of the numbers results in an answer of more than one digit, the tens place digit is carried over to the next column to the left. For example, when multiplying 25×3, the 5 is multiplied by 3, which equals 15. The 5 is written below the equals bar in the ones column, and the 1 is carried over to the top of the tens column.

$$\begin{array}{r} ^{1} \\ 25 \\ \times\ 3 \\ \hline 5 \end{array}$$

The 2 is then multiplied by 3, which is 6. The 1 that was carried over is added to the 6, making 7. The 7 is placed below the equals bar in the tens column.

$$\begin{array}{r} ^{1} \\ 25 \\ \times\ 3 \\ \hline 75 \end{array}$$

This process is repeated for larger numbers, always working from right to left.

If there is more than one digit in the second factor, the process described previously is repeated for each digit.

For example, in the multiplication of 25×43, the first step is to multiply 5 times 3, which equals 15. The 5 is written below the equals bar in the ones column, and the 1 is carried over to the top of the tens column.

$$\begin{array}{r} ^{1} \\ 25 \\ \times\ 43 \\ \hline 5 \end{array}$$

The 2 is then multiplied by 3, which is 6. The 1 that was carried over is added to the 6, making 7. The 7 is written below the equals bar in the tens column.

$$\begin{array}{r} ^{1} \\ 25 \\ \times\ 43 \\ \hline 75 \end{array}$$

The next step is to work with the multiplier digit in the tens column, which is the 4. Before starting that, realize that the 4 is in the tens column. Therefore, it is multiplying by 40, rather than 4. With this in mind, a zero is written in the ones place of the product of this multiplication.

$$
\begin{array}{r}
\overset{1}{2}5 \\
\times\ 43 \\
\hline
75 \\
\end{array}
$$

0 (Placeholder)

After the placeholder zero is added, begin multiplying using the digit in the tens column. The 4 is multiplied by the farthest right-hand digit in the first factor, which is in the ones column. Since 4×5 equals 20, the 0 is placed below the equals bar in the tens column, and the 2 is carried over to the top of the hundreds column.

$$
\begin{array}{r}
\overset{2}{\overset{1}{2}}5 \\
\times\ 43 \\
\hline
75 \\
00 \\
\end{array}
$$

The 2 in the tens place is then multiplied by the 4, which equals 8. The 2 that was carried over and placed at the top of the hundreds column is added to the 8, making 10. The 0 is placed below the equals bar in the hundreds column, and the 1 is carried over to the top of the thousands column.

$$
\begin{array}{r}
\overset{2}{\overset{1}{2}}5 \\
{}^{1}25 \\
\times\ 43 \\
\hline
75 \\
000 \\
\end{array}
$$

Because all of the multiplier digits have been used, the 1 in the thousands column is simply brought down below the equals bar in the thousands column.

$$
\begin{array}{r}
\overset{2}{\overset{1}{2}}5 \\
{}^{1}25 \\
\times\ 43 \\
\hline
75 \\
1000 \\
\end{array}
$$

Once each digit of the second factor has been multiplied by all of the digits in the first factor, another equals bar is drawn, and the two products are added together, working from right to left.

$$
\begin{array}{r}
\overset{2}{\overset{1}{2}}5 \\
{}^{1}25 \\
\times\ 43 \\
\hline
75 \\
+\ 1000 \\
\hline
1{,}075 \\
\end{array}
$$

Thus, $25 \times 43 = 1{,}075$.

1.2.4 Squares, Cubes, and Exponents

The **square** of a whole number is that number multiplied by itself. A square is written using the exponent 2, which is shown as a **superscript**, placed after and above the whole number. An **exponent** is a number or symbol denoting the power to which another number is to be raised. For example, the square of 5 is written as 5^2 and read as "five squared." It is also called "five to the second power."

$$5^2 = 5 \times 5 = 25$$

The **cube** of a whole number is that number multiplied by itself twice. A cube is written using the exponent 3. The cube of 5 is written as 5^3 and read as "five cubed" or "five to the third power."

$$5^3 = 5 \times 5 \times 5 = 125$$

While exponents are seldom used by service technicians in the field, it is important to know that they might be found in equipment specifications, formulas, or engineering data.

1.2.5 Scientific Notation

In the engineering and mathematical sciences, **scientific notation** is often used as a simpler form of writing numbers that are too large or too small to be conveniently written in a standard format. Scientific notation uses powers of ten to express numerical values. While HVACR technicians rarely encounter numbers written in this form, a basic understanding of scientific notation will be helpful.

Powers of ten use an exponent to denote to which power of ten a number should be multiplied. With the exponent shown as a positive number, 10^2 (read as "ten squared", or "ten to the second power") means 10×10.

The number 3,000,000 (three million) is written in scientific notation as 3×10^6 and read as "three times ten to the sixth power." It means $3 \times 10 \times 10 \times 10 \times 10 \times 10 \times 10$. Essentially, the exponent of a positive power of ten indicates how many zeros belong to the right of the number raised to the power of ten.

Powers of Ten

Power	Power of Ten	Example
First power	10^1	$3 \times 10^1 = 30$
Second power	10^2	$3 \times 10^2 = 300$
Third power	10^3	$3 \times 10^3 = 3,000$
Fourth power	10^4	$3 \times 10^4 = 30,000$
Fifth power	10^5	$3 \times 10^5 = 300,000$
Sixth power	10^6	$3 \times 10^6 = 3,000,000$

Goodheart-Willcox Publisher

Thus, a number written as 3×10^3, means $3 \times 1,000$, or 3,000.

1.2.6 Division of Whole Numbers

Division is the process of separating numbers into groups of smaller numbers and is often thought of as the opposite of multiplication. If you have memorized the multiplication table, division becomes much easier to complete.

In division, the **dividend** is the number to be divided by the **divisor**, which results in the **quotient**. The **division sign** (÷) may be used when writing numbers to be divided, but common practice also includes simply placing the dividend over the divisor with a straight line between.

$$\text{Dividend} \div \text{Divisor} = \text{Quotient}$$

$$\frac{\text{Dividend}}{\text{Divisor}} = \text{Quotient}$$

To help achieve the division process, it is common to write the equation in a manner that allows easy calculation. The dividend is written below a calculation line, while the divisor is written to the left of the dividend. The quotient is then written on the calculation line.

$$\text{Divisor} \overline{)\text{Dividend}}^{\text{Quotient}}$$

To divide 8 by 2, for example, the equation would be written as shown.

$$2\overline{)8}$$

Since it is known that $2 \times 4 = 8$, then $8 \div 2 = 4$.

$$2\overline{)8}^{\,4}$$

The 4 is placed on the top of the calculation line directly above the 8. The 4 is then multiplied by the 2 (the divisor), and the product of that multiplication (8) is placed below the dividend 8.

$$\begin{array}{r} 4 \\ 2\overline{)8} \\ 8 \end{array}$$

An equals bar is placed below the product 8, and it is subtracted from the dividend 8.

$$\begin{array}{r} 4 \\ 2\overline{)8} \\ -8 \\ \hline 0 \end{array}$$

Because the difference is zero (0), the calculation is complete.

To check a quotient, use multiplication. Multiply the quotient times the divisor. The answer should equal the dividend. If it does, the quotient is correct. In this example, multiply 4 (quotient) times 2 (divisor) to get 8 (dividend).

If the value of the divisor does not equally go into the dividend, a remainder will result. For example, in the problem $8 \div 3$, the number 8 cannot be evenly divided by 3.

$$3\overline{)8}$$

The number 3 will go into 8 twice, so 2 is written on the calculation line directly above the 8.

$$3\overline{)8}^{\,2}$$

The quotient is then multiplied by the divisor (3×2), and the product (6) is written directly below the 8.

$$\begin{array}{r} 2 \\ 3\overline{)8} \\ -6 \\ \hline 2 \end{array}$$

The 6 is subtracted from the 8, leaving 2. If left in this form, the answer would be 2, with a remainder of 2. To check the accuracy of the division, multiply the quotient (2) by the divisor (3) and then add the remainder (2):

$$\begin{aligned} \text{Dividend} &= (\text{Quotient} \times \text{Divisor}) + \text{Remainder} \\ &= (2 \times 3) + 2 \\ &= 6 + 2 \\ &= 8 \end{aligned}$$

The answer is correct, as the 8 in the checking exercise matches the 8 in the dividend.

The use of remainders when doing division is seldom used other than in the process of learning how to divide whole numbers. Instead of leaving the remainder, the division process is carried beyond the whole number by the use of fractions or decimal places. Fractions and decimals will be covered in detail in later chapters of this text.

1.2.7 Operations Involving Negative Numbers

Negative numbers are numbers with a value less than zero. These seldom are encountered by HVACR service personnel. Negative numbers are used for temperatures below zero degrees ($0°$) and also for calculating temperature differences.

The following table lists the rules to follow for basic math operations involving negative numbers:

Math Rules of Operation for Negative Numbers

Operation	Rules	Examples
Addition	If signs are the same, add values and keep the sign.	$3 + 4 = 7$ (both positive) $-3 + (-5) = -8$ (both negative)
	If signs are different, subtract the values and keep the sign of the larger value.	$8 + (-3) = 5$ (positive value is larger) $7 + (-9) = -2$ (negative value is larger)
Subtraction	Convert to an addition expression by (1) changing the minus sign to a plus sign and (2) changing the sign of the number being subtracted. Then follow the rules for addition.	$13 - 7$ becomes $13 + (-7) = 6$ $12 - (-4)$ becomes $12 + 4 = 16$ $-3 - 6$ becomes $-3 + (-6) = -9$ $-7 - (-12)$ becomes $-7 + 12 = 5$
Multiplication and Division	If signs are the same, product or quotient is positive.	$4 \times 5 = 20$ (signs are the same, product is positive) $-3 \times -8 = 24$ (signs are the same, product is positive) $72 \div 9 = 8$ (signs are the same, quotient is positive) $-81 \div -9 = 9$ (signs are the same, quotient is positive)
	If signs are different, product or quotient is negative.	$7 \times -4 = -28$ (signs are different, product is negative) $-6 \times 8 = -48$ (signs are different, product is negative) $56 \div -7 = -8$ (signs are different, quotient is negative) $-50 \div 5 = 10$ (signs are different, quotient is negative)

As discussed earlier in this chapter, calculating temperature differences is a common application of subtraction for an HVACR technician. When calculating a temperature difference, you always subtract the lesser (or colder) temperature from the greater (or warmer) temperature. Thinking of these values as warmer and colder may be helpful when temperatures include negative values.

For example, to determine the temperature difference (ΔT) between $-12°F$ and $4°F$, subtract the lesser (colder) temperature from the greater (warmer) temperature:

$$
\begin{aligned}
\Delta T &= \text{warmer temp} - \text{colder temp} \\
&= 4°F - (-12°F) \\
&= 4°F + 12°F \\
&= 16°F
\end{aligned}
$$

As a second example, to determine the temperature difference (ΔT) between $-5°F$ and $-17°F$, subtract the lesser (colder) temperature from the greater (warmer) temperature:

$$
\begin{aligned}
\Delta T &= \text{warmer temp} - \text{colder temp} \\
&= -5°F - (-17°F) \\
&= -5°F + 17°F \\
&= 12°F
\end{aligned}
$$

1.2.8 Combined Operations with Whole Numbers

It is often necessary to work with groups of whole numbers in a variety of operations; that is, you may need to multiply, add, and subtract in order to accomplish the desired goal.

For example, calculating the work, travel, and break times of a technician's day requires addition (the time spent on travel and lunch), subtraction (the total time in the workday minus the hours spent on travel and lunch), and division (the time spent on service divided by the number of service calls completed).

When completing a calculation involving multiple operations, the order of operation is critical to finding the correct answer. The acronym **PEMDAS** can be used to help remember the proper order.

Parentheses—Any operations inside parentheses are completed first, working from innermost parentheses to outermost.

Exponents—Any numbers containing exponents are completed second.

Multiplication/Division—Multiplication and division are completed in left to right order.

Addition/Subtraction—Addition and subtraction are completed in left to right order.

Name _____ **Date** _____ **Class** _____

Whole Number Exercises

Exercise 1-1

Use the number 397,481 to answer the following questions.

1. Which digit is in the tens place?

   _____

2. Which digit is in the ten thousands place?

   _____

3. Which digit is in the ones place?

   _____

4. Which digit is in the thousands place?

   _____

Use the number 819,542 to answer the following questions.

5. In which place value is the 5?

   _____

6. In which place value is the 8?

   _____

7. In which place value is the 4?

   _____

8. In which place value is the 1?

   _____

Exercise 1-2

1. If a whole number has a 4 in the ten thousands place (its highest place value), what is the maximum value of that whole number?

   _____

2. What is the minimum value?

   _____

3. If a whole number has a 7 in the hundred thousands place (its highest place value), what is the maximum value of that whole number?

   _____

4. What is the minimum number?

   _____

Practical Exercise 1-3

A boiler being installed in a school has a rated capacity (in Btu/hour) stated on the nameplate. The number shown has a seven (7) in the hundred thousand place, a five (5) in the hundreds place, a five (5) in the ten thousands place, a zero (0) in the ones place, a four (4) in the millions place, a zero (0) in the thousands place, a one (1) in the ten millions place, and a zero (0) in the tens place.

1. What is the rated capacity of the boiler?

   _____ Btu/hour

Practical Exercise 1-4

A rooftop heating and air-conditioning unit is in need of service. As the technician tries to read the nameplate for data, the numbers for the capacity of the unit are unreadable. There is room for 6 digits in the space that shows the Btu/hour rating.

1. What is the maximum Btu/hour that this unit could be?

   _____ Btu/hr

2. What is the minimum Btu/hour that this unit could be?

   _____ Btu/hr

Comparing Exercise

Exercise 1-5

Compare each pair of numbers and place the symbol <, >, or = in the space provided.

1. 25 _____ 112

2. 117 _____ 134

3. 4,275 _____ 4,257

4. 972 _____ 792

5. 19,357 _____ 19,361

6. 71 _____ 71

7. 39,754 _____ 37,954

8. 125 _____ 152

Rounding Exercise

Practical Exercise 1-6

The installation of a hydronic heating system requires the purchase of copper pipe to connect the boiler to the finned tube radiators. By looking at the drawings supplied by the design engineer, it is determined that 872 feet of 1/2-inch copper will be needed.

1. Round the amount of pipe to the tens place.

Name _____ **Date** _____ **Class** _____

2. The copper pipe needed is found to be sold only in lengths of 20 feet. Will this affect the manner in which the number is rounded? Explain the reasons why.

_____

_____

_____

Addition Exercises

Exercise 1-7

Add the following columns of numbers, showing all work.

1. 24
    + 13

2. 35
    + 62

3. 74
    + 51

4. 44
    + 73

5. 24
    + 67

6. 48
    + 25

7. 49
    + 73

8. 57
    + 79

9. 475
    + 13

10. 438
    + 89

11. 374
    + 189

12. 4355
    + 8626

13. 127
    234
    + 398

14. 3,412
    12
    987
    + 8,941

15. 9,571
    15,293
    +   31

16.   17
    287,492
        345
      9,150
    +   3

17.   31
      1,267
          2
    + 99,681

18.   56,020
         234
    + 190,902

(Continued)

19.	9,201	20.	996,712
	47		561,390
	186		121
	+ 2,220		9,845,621
			+ 762,314

Practical Exercise 1-8

A service technician is asked to plan for the replacement of air filters throughout a large building complex. Each building has several air handlers, which all take the same size filter. Building A needs 17 filters. Building B needs 22 filters. Building C needs 12 filters. Building D needs 32 filters. Building E needs 114 filters.

1. How many filters should the technician plan on purchasing for this job?

_____

Practical Exercise 1-9

At the end of the workweek, each technician is asked to report the number of miles driven in their service truck for that week. A daily record is kept to show the miles driven each day. The record shows Monday at 187 miles, Tuesday at 112 miles, Wednesday at 49 miles, Thursday at 241 miles, and Friday at 99 miles.

1. What is the total mileage reported for the week?

_____

Name _____   Date _____   Class _____

Subtraction Exercises

Exercise 1-10

Subtract the following numbers, showing all work. Check all answers by using addition.

1. 42
    − 31

2. 329
    − 49

3. 9,476
    − 7,693

4. 3,487
    − 999

5. 97,567
    − 9,688

6. 178,245
    −   9,468

7. 3,875
    − 2,986

8. 769
    − 671

Practical Exercise 1-11

On a service call, a technician notices that the customer's invoice shows a duplicate charge for a new compressor that was installed in the air-conditioning system. Thus, the subtotal on the bill is wrong. The invoice shows a subtotal of $1,763.00, but the compressor was listed twice, each time for $597.00.

1. What is the correct subtotal?

_____

Practical Exercise 1-12

An HVACR technician is troubleshooting a residential air-conditioning system. She measures the temperature of the air in the return duct and finds it is 76°F. She measures the temperature of the air in the supply duct and finds it is 63°F.

1. What is the ΔT for the system's evaporator?

_____

Combined Exercises
Exercise 1-13
Multiply the following numbers, showing all work.

1. 27
    × 4

2. 141
    × 13

3. 792
    × 24

4. 23
    × 131

5. 379
    × 158

6. 1,316
    × 290

7. 79,351
    × 21,083

8. 90,048
    ×   209

9. $18^2 =$ _____

10. $12^3 =$ _____

11. $10^5 =$ _____

12. $7 \times 10^4 =$ _____

Practical Exercise 1-14

While working on the heating system at a customer's home, a service technician noticed that there were leaks in the ductwork in several places. The customer asked for an estimate of the cost to make the repairs. The technician found that there were 7 places that needed repair and estimated that each repair would take about 2 hours. The service company charges $47.00 per hour for labor, and the materials would cost about $27.00 per repair.

1. What should the technician estimate the total cost for the customer to be?

    $_____.

Name _____   **Date** _____   **Class** _____

Practical Exercise 1-15

An HVACR service company has 34 regular service trucks on the road to do installation and repair work throughout a metropolitan area. Each truck travels an average of 100 miles per day, 5 days per week. Only 12 of the trucks are used for weekend emergency service calls, averaging 140 miles on Saturday and 80 miles on Sunday.

1. What is the total mileage of all of the regular trucks on a weekday?

   _____ miles

2. What is the total mileage of all of the regular trucks in one week?

   _____ miles

3. What is the total mileage of all of the regular trucks over a 4-week period?

   _____ miles

4. What is the total mileage of all of the emergency trucks on a single Saturday?

   _____ miles

5. What is the total mileage of all of the emergency trucks on a single Sunday?

   _____ miles

6. What is the total mileage of all of the emergency trucks over a 4-week period?

   _____ miles

7. How many miles in total do all of the trucks travel in 4 weeks?

   _____ miles

Division Exercises

Exercise 1-16

Complete the following division problems. Write the quotient as a whole number and, when applicable, a remainder. Check all answers by using multiplication.

1. $40 \div 8 =$ _____

2. $126 \div 14 =$ _____

3. $24 \div 5 =$ _____

4. $2{,}180 \div 109 =$ _____

5. $1{,}428 \div 9 =$ _____

6. $96 \div 3 =$ _____

7. $12{,}568 \div 8 =$ _____

8. $23{,}902 \div 105 =$ _____

9. $89{,}460 \div 21{,}348 =$ _____

Name _____   **Date** _____   **Class** _____

Practical Exercise 1-17

Over one week's time, a service technician worked 54 hours and made
18 service calls.

1. If each service call lasted the same amount of time, how long did each service
   call last? Include the travel time between calls in with each service call.

   _____

Negative Number Exercise

Practical Exercise 1-18

A service technician is called to look at a problem with a walk-in freezer. According
to the unit specifications, the air leaving the evaporator (the supply air) should be
8°F cooler than the freezer (box) temperature. The box temperature is currently –12°F,
and the supply air is 10°F.

1. What is the actual differential temperature between the box and the supply air?

   _____

2. If the freezer was working properly, what temperature would the supply air
   be for this system according to the manufacturer specifications?

   _____

3. What is the difference between supply air temperature and the temperature
   that the supply air should be?

   _____

Combined Operations Exercise
Practical Exercise 1-19

An HVACR service company has 32 service trucks on the road to do installation and repair work throughout the area. Each truck travels 90 miles per day, 5 days per week. The trucks average 12 miles per gallon of gas, and the price of gas is $2.95 per gallon.

1. How many gallons of gasoline will the company have to purchase each week? The problem would be set up as shown.

$$\frac{(32 \times 90 \times 5)}{12} = \underline{\hspace{1cm}}$$

2. How much will the company spend per week for fuel? The problem would be set up as shown.

$$\frac{(32 \times 90 \times 5)}{12} \times 2.95 = \underline{\hspace{1cm}}$$

3. What is the cost per vehicle of fuel each week? Round the answer to the nearest cent (two decimal places). The problem would be set up as shown.

$$\frac{(32 \times 90 \times 5)}{12} \times 2.95 \div 32 = \underline{\hspace{1cm}}$$

Practical Exercise 1-20

An office building has 23 rooftop air handling units (AHUs) to heat and cool the building. Each AHU holds 4 filters, costing $7.90 each, that need to be changed every 90 days. It takes a technician 1/2 hour to change the filters in each AHU, at a rate of $72.00 per hour.

1. What is the cost of the filters for all of the AHUs every 90 days?

_____

2. What is the cost of the labor to change the filters every 90 days?

_____

3 What is the total cost per day of keeping the filters changed?

_____

CHAPTER 2

Fractions

Objectives

Information in this chapter will enable you to:

- Recognize each of the parts of a fraction and understand what they mean.
- Identify proper fractions, improper fractions, and mixed numbers.
- Compare, reduce, and raise fractions.
- Find the lowest common denominator (LCD) among fractions.
- List the factors of numbers and determine the greatest common factor.
- Understand prime numbers and recognize some of the most common prime numbers.
- Reduce fractions to their lowest terms.
- Add, subtract, multiply, and divide fractions.
- Convert a mixed number into an improper fraction.

Technical Terms

common denominator
denominator
factor
fraction
greatest common factor

improper fraction
lowest common
  denominator (LCD)
lowest terms
mixed number

numerator
prime number
proper fraction
reducing

2.1 Introduction to Fractions

A fraction is defined as a portion of a whole. A fraction, therefore, is part of a whole number. HVACR technicians commonly work in situations with fractions, such as pipe and tubing sizing (1/4 inch, 1/2 inch, 3/4 inch). An understanding of fractions, their use, and basic mathematical functions, such as adding and subtracting fractions, is critical in the trade.

If the number 1 is broken into four equal portions, each portion would be 1/4 of the whole.

Four Equal Portions of a Whole

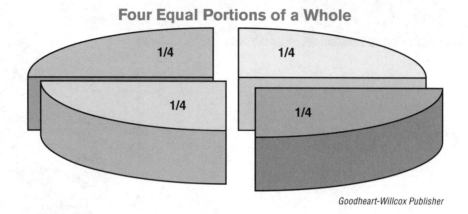

Goodheart-Willcox Publisher

In a fraction, the top number, the number above the line, is called the **numerator**. The bottom number, the number below the line, is called the **denominator**.

$$\frac{\text{Numerator}}{\text{Denominator}} \quad \frac{1}{4}$$

The line dividing the numerator and the denominator denotes division. Therefore, the fraction 1/4 means 1 divided by 4.

Fractions are commonly used in measurements, as the unit of measurement may not be accurate enough to be in whole number form. For example, when measuring a length of pipe using the foot as the unit of measurement, it may not be accurate enough to find that the pipe is over 15 feet long but under 16 feet long. Therefore, for the sake of accuracy, a smaller unit of measurement is used. The inch, which is a fraction of a foot, would be more accurate. Because there are 12 inches in 1 foot, 1 inch is a fraction equivalent to 1/12 of a foot.

Linear Measurement – US Customary Units

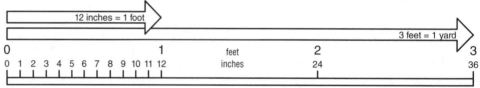

Goodheart-Willcox Publisher

If the inch as a unit of measurement is not accurate enough to suit the purpose, a fraction of an inch may be used. Commonly used fractions for linear measurement go as small as 1/32 of an inch.

Fractions of an Inch

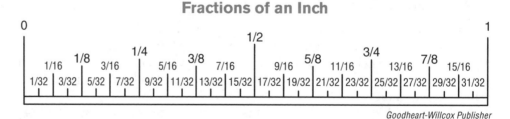

Goodheart-Willcox Publisher

Various units of measurement are discussed fully in Chapter 5, *Systems of Measurement*.

2.1.1 Proper and Improper Fractions

A **proper fraction** is defined as a fraction in which the numerator is a smaller number than the denominator. Therefore, the fraction 1/4 is a proper fraction.

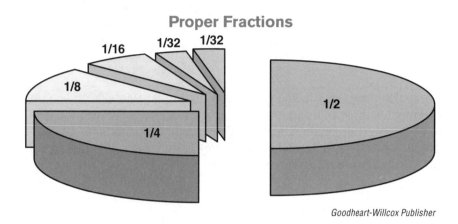

Proper Fractions

An **improper fraction** is defined as a fraction in which the numerator is a larger number than the denominator. The fraction 3/2 would be considered an improper fraction. Improper fractions are commonly changed to mixed numbers.

2.1.2 Mixed Numbers

A **mixed number** consists of a whole number followed by a proper fraction. The improper fraction 3/2 can be changed to a mixed number by division. Since the fraction 3/2 means 3 ÷ 2, it can be calculated as:

$$2\overline{)3}$$

Since 2 will go into 3 one time, the 1 is written above the 3 on the calculation line.

$$2\overline{)3}^{\,1}$$

Since 1 times 2 is 2, the 2 is subtracted from the 3, leaving 1.

$$\begin{array}{r} 1 \\ 2\overline{)3} \\ -2 \\ \hline 1 \end{array}$$

Since 2 cannot be divided into 1, the remainder 1 can be written as a proper fraction as 1 over 2. The 1/2 is added to the whole number 1 (the quotient), making the final answer 1 1/2. In this way, the improper fraction 3/2 has now been changed to the mixed number 1 1/2.

$$\frac{3}{2} = 1\frac{1}{2}$$

2.1.3 Comparing, Reducing, and Raising Fractions

In fractions, the higher the number in the denominator, the more parts of a whole there are. Therefore, the higher the number of the denominator, the smaller each individual part of the numerator. For example, 1/8 is less than 1/4, which is less than 1/2.

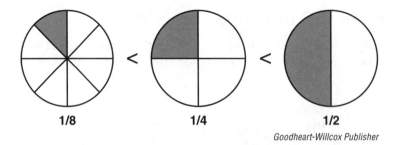

1/8   1/4   1/2

Goodheart-Willcox Publisher

When comparing fractions to see which has the higher value, both the numerator and denominator must be compared. Compare 1/4 and 1/2. Each fraction has the same number in the numerator. Therefore, the value of the denominator will determine which fraction has the greater value. Since 1/4 has a *greater* denominator than 1/2, and both fractions have the same numerator.

$$\frac{1}{4} < \frac{1}{2}$$

However, not all fractions have the same number in their numerators. For example, compare 3/4 and 1/2. Even though the denominator 4 is a greater number than the denominator 2, the fraction 3/4 is not less than 1/2. Comparing denominators to determine which fraction is greater can only be done when the numerators are equal.

To compare fractions with different numerators, their denominators must be the same. Once each fraction has the same denominator, then the values of their numerators can be compared. To do this, a **common denominator** must be found.

The simplest way to find a common denominator is to multiply the denominators by each other, resulting in a denominator that is common to both. For example, to compare the value of 3/4 and 1/2, multiply the denominators of the fractions (4×2). This results in the finding of a common denominator of 8.

Numerators can be raised or lowered as long as the ratio of the numerator to the denominator remains the same. To maintain this ratio, the numerator and denominator of a fraction are each multiplied by the same number.

$$\frac{3}{4} \times \frac{2}{2} = \frac{6}{8}$$

Fractions are raised and their ratios are maintained by multiplying the numerator and the denominator by the same number. On top, 3 was multiplied by 2. On bottom, 4 was multiplied by 2. Since ratios were maintained, the value of the fraction has not changed. Therefore, according to this example,

$$\frac{3}{4} = \frac{6}{8}$$

Similarly, 1/2 can be raised to have a denominator of 8. This will allow the values of the fractions 3/4 (now 6/8) and 1/2 to be compared. To raise the denominator of 1/2 to 8, multiply the fraction by 4/4. To maintain ratios, multiply the denominator by 4 and the numerator by 4.

$$\frac{1}{2} \times \frac{4}{4} = \frac{4}{8}$$

Since the denominator was multiplied by 4, the numerator was also multiplied by 4. This keeps the ratio between the numerator and denominator the same. Therefore,

$$\frac{1}{2} = \frac{4}{8}$$

Now that the two fractions have a common denominator, they can be easily compared by looking at the value of the numerators. Since the numerator 6 is larger than the numerator 4, 6/8 (3/4) is larger than 4/8 (1/2). This could be written as:

$$\frac{3}{4} > \frac{1}{2}$$

It could then be stated that 3/4 is greater than 1/2.

When comparing fractions, the size of the common denominator is not important. However, when solving math problems involving fractions, it is helpful to use the **lowest common denominator (LCD)** (also called the least common denominator) in order to simplify the calculation.

In order to determine the lowest common denominator (LCD), several methods may be employed. However, the simplest is to compare the factors of each denominator, looking for the **greatest common factor**. A **factor** is defined as an integer that divides evenly into another integer. In common language, a factor is a whole number that divides into another whole number.

For example, determine the factors of the number 6. Since 6 ÷ 1 = 6, both 1 and 6 are factors. Since 6 ÷ 3 = 2, both 2 and 3 are factors. No other whole numbers can be used to divide into 6. Therefore, the numbers 1, 2, 3, and 6 are factors of 6.

The best factors are prime numbers. A **prime number** is a number that has only two factors: 1 and itself. The prime numbers most commonly used as factors are 2, 3, 5, and 7. These are prime numbers because they have just two factors: 1 and themselves. Many numbers are not prime numbers. For example, 4 is not a prime number, because 4 has three factors: 1, 2, and 4. To quickly determine the greatest common factor of fractions, become acquainted with the more commonly used prime numbers.

Lowest Prime Numbers

2	13	31	53
3	17	37	59
5	19	41	61
7	23	43	67
11	29	47	71

Goodheart-Willcox Publisher

In the previous example of comparing fractions, 8 is a common denominator, but it is not the lowest common denominator. Below are the factors of each denominator used in that example.

For 3/4,

$$1 \times 4 = 4$$
$$2 \times 2 = 4$$

Therefore, factors of 4 are 1, 2, and 4.

For 1/2,

$$1 \times 2 = 2$$

Therefore, factors of 2 are 1 and 2.

From the list of the factors shown for each denominator, the common factors are 1 and 2. Since 2 is the higher of those numbers, 2 is the greatest common factor of the number 2 and 4. By multiplying the two denominators by each other and then dividing that number by the greatest common factor, the lowest common denominator is easily found.

$$\text{Denominator} \times \text{Denominator} = \text{Common denominator}$$

$$\frac{\text{Common denominator}}{\text{Greatest common factor}} = \text{Lowest common denominator (LCD)}$$

Thus,

$$\text{Common denominator} = 4 \times 2$$
$$= 8$$

$$\text{LCD} = \frac{\text{Common denominator}}{\text{Greatest common factor}}$$
$$= \frac{8}{2}$$
$$= 4$$

$$\text{Lowest common denominator} = 4$$

If the fractions to be compared are 9/32 and 11/18, multiplying 32 times 18 results in a common denominator of 576. To find a lower common denominator, look at the factors of each denominator.

For 9/32,

$$1 \times 32 = 32$$
$$2 \times 16 = 32$$
$$4 \times 8 = 32$$

Therefore, factors of 32 are 1, 2, 4, 8, and 32.

For 11/18,

$$1 \times 18 = 18$$
$$2 \times 9 = 18$$
$$3 \times 6 = 18$$

Therefore, factors of 18 are 1, 2, 3, 6, 9, and 18.

The only common factors of 32 and 18 are 1 and 2. The greatest common factor of 32 and 18 is 2. To find the lowest common denominator when 32 and 18 are the denominators, multiply the denominators together and then divide by the greatest common factor (2).

$$\text{Common denominator} = 32 \times 18$$
$$= 576$$

$$\text{LCD} = \frac{\text{Common denominator}}{\text{GCF}}$$
$$= \frac{576}{2}$$
$$= 288$$

The LCD of 32 and 18 is 288. The fractions of 9/32 and 11/18 would then be converted to the LCD of 288. To determine which number to multiply with each numerator, divide 288 by each denominator.

$$288 \div 32 = 9$$

Now multiply the numerator by 9 and the denominator by 9.

$$\frac{9}{32} \times \frac{9}{9} = \frac{81}{288}$$

$$288 \div 18 = 16$$

Now multiply the numerator by 16 and the denominator by 16.

$$\frac{11}{18} \times \frac{16}{16} = \frac{176}{288}$$

The fractions 9/32 and 11/18 can now be compared. Because 81/288 is less than 176/288, 9/32 is less than 11/18. This can be written as:

$$\frac{9}{32} < \frac{11}{18}$$

Fractions can be raised or reduced, as long as the ratio between the numerator and the denominator stays the same. In comparing fractions, raising the fraction is quite often necessary in order to compare their values.

Calculations involving fractions are easiest to work with if they are reduced to their **lowest terms**. **Reducing** a fraction simply means lowering both the numerator and the denominator to the lowest possible number, while maintaining the ratio between the two. This can be done by seeing if the same prime number is divisible into both the numerator and the denominator of the fraction to be reduced.

For example, the fraction 4/8 can be reduced. Start with the prime number 2 and check to see if both the numerator (4) and the denominator (8) are evenly divisible by 2.

$$\frac{4 \div 2}{8 \div 2} = \frac{2}{4}$$

Since both the numerator and the denominator are evenly divided by the same number, the fraction 4/8 is reduced to 2/4. To see if further reduction is possible, try dividing both the numerator and denominator again by the highest possible prime number that divides evenly into both. Since 2 is again the highest prime number that can be used in this situation, divide both by 2.

$$\frac{2 \div 2}{4 \div 2} = \frac{1}{2}$$

The fraction 4/8 has now been reduced to 1/2. The fraction 1/2 cannot be reduced further, as the only number that divides evenly into both is 1. In this way, 4/8 has been reduced to its lowest terms.

2.2 Operations Using Fractions

Just like whole numbers, fractions can be added, subtracted, multiplied, and divided. However, mathematical operations involving fractions must follow certain rules.

2.2.1 Addition and Subtraction of Fractions

Fractions can be added and subtracted as long as the denominators are the same. When the denominators are the same, the numerators can be added or subtracted as if they are whole numbers.

$$\frac{1}{8} + \frac{5}{8} = \frac{6}{8}$$

In some cases, adding and subtracting fractions requires converting the fractions to a common denominator. Once a common denominator has been found and the fractions have the same denominator, the numerators can be added or subtracted.

For example, to add 1/4 and 1/2, the denominator must be converted to match. Since 1/2 is the same as 2/4, the calculation can be performed by raising the fraction 1/2 to 2/4. Thus:

$$\frac{1}{4} + \frac{1}{2} = \frac{1}{4} + \frac{2}{4}$$

When fractions are added or subtracted, only the numerators are added and subtracted. The denominator remains the same. Therefore, when adding 1/4 and 2/4, 1 plus 2 equals 3. The numerator of the sum is 3, and the denominator remains 4. The sum of 1/4 and 2/4 (1/2) is 3/4.

$$\frac{1}{4} + \frac{2}{4} = \frac{3}{4}$$

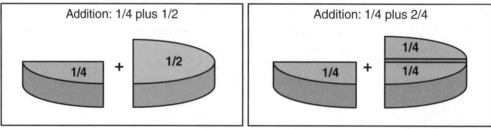

Goodheart-Willcox Publisher

If the fraction 1/4 is subtracted from 1/2, the denominator needs to be the same before the numerators can be subtracted. Since 1/2 can be raised to 2/4, 1/4 can then be subtracted from 2/4 by simply working with the numerators.

$$\frac{1}{2} - \frac{1}{4} = \frac{2}{4} - \frac{1}{4}$$

$$\frac{2}{4} - \frac{1}{4} = \frac{1}{4}$$

As shown, 1/2 minus 1/4 equals 1/4.

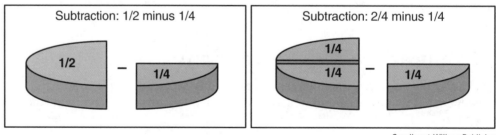

Goodheart-Willcox Publisher

2.2.2 Multiplication of Fractions and Mixed Numbers

Multiplication of fractions is similar to multiplying whole numbers, because the numerators and denominators are multiplied separately. Therefore, in multiplication of fractions, it is not necessary to find a common denominator. Once the multiplication is complete, the fraction is then reduced to its lowest possible terms.

For example, to multiply 1/2 times 1/2, it would be set up as shown:

$$\frac{1}{2} \times \frac{1}{2}$$

The numerators are multiplied together. Therefore, 1 times 1 equals 1, which is the numerator of the answer. The denominators are then multiplied by each other. Since 2 times 2 equals 4, the denominator of the answer is 4.

$$\frac{1}{2} \times \frac{1}{2} = \frac{1}{4}$$

With any mathematical problem, always make sure the answer makes sense. In this case, does it make sense that one-half times one-half equals one-fourth?

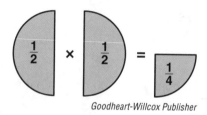

Goodheart-Willcox Publisher

It may seem odd that $1/2 \times 1/2$ equals 1/4. After all, 1/4 is smaller than 1/2. Usually when multiplying numbers, the answer is larger than the two numbers being multiplied. However, this is different with fractions and decimals.

When performing multiplication, you can think of the product as the total quantity in a number of same-sized groups. For example, 4×3 can be thought of as counting the total quantity in three groups, with each group containing four items. When multiplying by a fraction, you are determining the quantity contained in a portion of the entire group. For example, $4 \times 1/2$ can be thought of as determining the quantity of one-half of the group.

In the earlier example, the equation $1/2 \times 1/2$ is asking, "What is the value of one-half of one-half?" Half of one-half (1/2) is one-quarter (1/4), because it would take two one-quarters to equal one-half (1/4 +1/4 = 2/4, reduced to 1/2). In other words, when multiplying by a proper fraction, the product will be less than the original value.

Multiplying mixed numbers by fractions or whole numbers requires the mixed number to be changed to an improper fraction. Whole numbers also must be converted to a fraction when multiplying with fractions.

To convert a mixed number to an improper fraction, multiply the whole number portion by the denominator of the fraction portion, and then add that product to the numerator. Continue using the original denominator.

$$\text{Mixed number} = (\text{Whole number} \times \text{Denominator}) + \frac{\text{Numerator}}{\text{Denominator}}$$

For example, to convert the mixed number 2 1/4 to an improper fraction, multiply the whole number (2) by the denominator (4). Add the product of that multiplication (8) to the numerator (1).

$$2\frac{1}{4} = \frac{(2 \times 4) + 1}{4}$$

$$= \frac{8 + 1}{4}$$

$$= \frac{9}{4}$$

As shown, 2 1/4 can be changed to the improper fraction 9/4, which can now be easily used in multiplication calculations.

Whole numbers must also be converted to fraction form when multiplying by fractions. Since a whole number is always a quotient of itself and 1, any whole number can be written as itself divided by 1.

$$\text{Whole number} = \frac{\text{Whole number}}{1}$$

For example, the number 7 can be written as 7 over 1 with no change in value:

$$\frac{7}{1}$$

Thus, to multiply 7 times 1/3:

$$\frac{7}{1} \times \frac{1}{3}$$

Multiplying numerator times numerator and denominator times denominator results in the improper fraction 7/3.

$$\frac{7}{1} \times \frac{1}{3} = \frac{7}{3}$$

The improper fraction is then reduced to a mixed number by dividing the numerator by the denominator.

$$\frac{7}{3} = 2\frac{1}{3}$$

2.2.3 Division of Fractions and Mixed Numbers

The division rule for fractions can simply be remembered as *invert and multiply*. To divide fractions, the first fraction (the dividend) is multiplied by the inverse of the second fraction (the divisor). To invert a fraction, simply switch the numerator and denominator.

$$\text{Dividend} \div \text{Divisor} = \text{Dividend} \times \text{Inverted divisor}$$

For example, to divide 1/2 by 1/4, the problem would initially be set up as:

$$\frac{1}{2} \div \frac{1}{4} =$$

The second fraction is then inverted, and the two fractions are multiplied. The numerators are multiplied by each other, and the denominators are multiplied by each other.

$$\frac{1}{2} \div \frac{1}{4} = \frac{1}{2} \times \frac{4}{1} = \frac{4}{2}$$

In this example, the result is an improper fraction. This can then be reduced by dividing the numerator by the denominator, resulting in a whole number answer. In many instances, the answer may be a mixed number.

$$\frac{1}{2} \div \frac{1}{4} = \frac{1}{2} \times \frac{4}{1}$$

$$= \frac{4}{2}$$

$$= 2$$

When dividing mixed numbers and fractions, the mixed number must first be converted to an improper fraction. For example, to divide 3 1/2 by 1/4, the problem would initially be set up as shown.

$$3\frac{1}{2} \div \frac{1}{4} = ?$$

The 3 1/2 is first converted to the improper fraction 7/2 by multiplying the denominator (2) times the whole number (3) and then adding the numerator (1): $(2 \times 3) + 1 = 7$. The denominator remains the same.

$$\frac{7}{2} \div \frac{1}{4} =$$

The second fraction is then inverted, and the fractions are multiplied: numerator times numerator and denominator times denominator.

$$\frac{7}{2} \times \frac{4}{1} = \frac{28}{2}$$

The improper fraction is then reduced by dividing the numerator by the denominator.

$$28 \div 2 = 14$$

Thus,

$$3\frac{1}{2} \div \frac{1}{4} = 14$$

Like mixed numbers, whole numbers must also be changed to fraction form in order to perform division with fractions. For example, to divide 2 by 1/4, the problem is initially set up as shown:

$$2 \div \frac{1}{4} =$$

The whole number 2 can be converted to a fraction by dividing the 2 by 1.

$$\frac{2}{1} \div \frac{1}{4} =$$

The second fraction (the divisor) is then inverted, and the two fractions are multiplied: numerator times numerator and denominator times denominator.

$$\frac{2}{1} \times \frac{4}{1} = \frac{8}{1}$$

Since 8 divided by 1 equals 8, the answer to 2 ÷ 1/4 is 8.

Work Space/Notes

Name _____ Date _____ Class _____

Fractions Exercises

Exercise 2-1

Change each fraction or mixed number to its lowest possible form. Show all work.

1. $\dfrac{12}{16}$ = _____

2. $\dfrac{7}{8}$ = _____

3. $\dfrac{9}{12}$ = _____

4. $7\dfrac{1}{2}$ = _____

5. $\dfrac{18}{12}$ = _____

6. $\dfrac{4}{10}$ = _____

7. $\dfrac{60}{100}$ = _____

8. $\dfrac{27}{9}$ = _____

9. $\dfrac{5}{15}$ = _____

10. $\dfrac{8}{3}$ = _____

11. $\dfrac{7}{21}$ = _____

12. $9\dfrac{2}{7}$ = _____

Exercise 2-2

Reduce all fractions to their lowest value. Enter that value into the first blank. Next, determine the lowest common denominator of these fractions. Convert each fraction to have that denominator and list that form of the fraction in the second blank.

1. $\dfrac{9}{12}$ = _____ , _____

2. $\dfrac{8}{12}$ = _____ , _____

3. $\dfrac{5}{16}$ = _____ , _____

4. $\dfrac{5}{8}$ = _____ , _____

5. $\dfrac{1}{16}$ = _____ , _____

6. $\dfrac{1}{32}$ = _____ , _____

7. $\dfrac{1}{2}$ = _____ , _____

8. $\dfrac{7}{8}$ = _____ , _____

9. $\dfrac{9}{16}$ = _____ , _____

10. $\dfrac{13}{16}$ = _____ , _____

11. $\dfrac{31}{32}$ = _____ , _____

12. $\dfrac{15}{32}$ = _____ , _____

13. $\dfrac{11}{16}$ = _____ , _____

14. $\dfrac{1}{3}$ = _____ , _____

15. $\dfrac{4}{4}$ = _____ , _____

16. $\dfrac{21}{32}$ = _____ , _____

17. $\dfrac{15}{16}$ = _____ , _____

18. $\dfrac{34}{64}$ = _____ , _____

Enter the fractions in the rows of the table below from lowest (upper left) to highest (lower right). Enter the fractions from left to right across the top row before continuing in the left box of the row below. In each entry include the original fraction and its most reduced form.

Reduced Fractions from Lowest to Highest

Name _____   **Date** _____   **Class** _____

Practical Exercise 2-3

An HVACR technician commonly uses various sizes of copper tubing. Plumbers use copper tubing as well. ACR tubing is measured by outside diameter, while plumbing copper is measured by inside diameter. Assuming the wall thickness is the same on both, which type of copper tube will have a greater available inner space: 100 feet of 1/2-inch rigid ACR tubing or 100 feet of 1/2-inch rigid plumbing tubing? Explain the reason for your answer.

Tubing Diameters

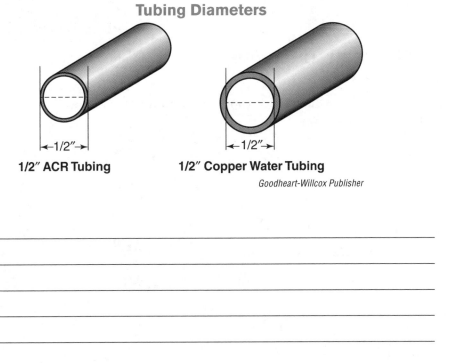

|←1/2″→| |←1/2″→|

1/2″ ACR Tubing   **1/2″ Copper Water Tubing**

Goodheart-Willcox Publisher

_____

_____

_____

_____

_____

_____

Addition and Subtraction Exercises

Exercise 2-4

Add or subtract the following fractions. Show all work, including finding the common denominator when necessary. Change any answers that are improper fractions into mixed numbers. Reduce fractions to lowest terms.

1. $\dfrac{1}{2} + \dfrac{3}{4} =$ _____

2. $\dfrac{7}{8} - \dfrac{3}{16} =$ _____

3. $\dfrac{9}{10} - \dfrac{3}{5} =$ _____

4. $\dfrac{7}{16} + \dfrac{3}{8} =$ _____

5. $\dfrac{9}{16} - \dfrac{1}{2} =$ _____

6. $1\dfrac{1}{2} - \dfrac{7}{8} =$ _____

(Continued)

7. $3\frac{3}{4} + 7\frac{1}{2} =$ _____

10. $\frac{8}{32} + \frac{1}{4} =$ _____

8. $14\frac{9}{16} - 12\frac{7}{8} =$ _____

11. $3\frac{3}{16} + 7\frac{1}{2} =$ _____

9. $7\frac{7}{16} + 9\frac{5}{8} =$ _____

12. $17\frac{3}{32} - 9\frac{1}{8} =$ _____

Multiplication Exercises

Exercise 2-5

Multiply the following fractions and mixed numbers. Reduce all answers to lowest terms. Show all work.

1. $\frac{1}{2} \times \frac{7}{8} =$ _____

7. $\frac{5}{8} \times \frac{5}{8} =$ _____

2. $\frac{1}{4} \times \frac{9}{16} =$ _____

8. $\frac{6}{7} \times 1 =$ _____

3. $\frac{5}{6} \times \frac{1}{3} =$ _____

9. $45\frac{1}{2} \times \frac{1}{4} =$ _____

4. $\frac{1}{10} \times 3\frac{4}{5} =$ _____

10. $1\frac{7}{8} \times 2 =$ _____

5. $7\frac{3}{8} \times 12\frac{1}{2} =$ _____

11. $1\frac{1}{4} \times 1\frac{1}{4} =$ _____

6. $15 \times \frac{1}{4} =$ _____

12. $9 \times \frac{1}{3} =$ _____

Name _____ **Date** _____ **Class** _____

Division Exercises

Exercise 2-6

Divide the following fractions and mixed numbers. Reduce all answers to the lowest terms. Show all work.

1. $\dfrac{1}{2} \div \dfrac{1}{2} =$ _____

2. $\dfrac{1}{2} \div \dfrac{1}{4} =$ _____

3. $1\dfrac{2}{3} \div \dfrac{3}{4} =$ _____

4. $3\dfrac{5}{8} \div 2 =$ _____

5. $\dfrac{7}{8} \div \dfrac{1}{2} =$ _____

6. $10\dfrac{7}{16} \div 2\dfrac{5}{8} =$ _____

7. $\dfrac{9}{12} \div 3\dfrac{5}{7} =$ _____

8. $1\dfrac{21}{32} \div 2\dfrac{1}{3} =$ _____

9. $\dfrac{11}{16} \div 1 =$ _____

10. $\dfrac{15}{16} \div 1\dfrac{15}{16} =$ _____

11. $\dfrac{3}{4} \div \dfrac{1}{2} =$ _____

12. $9\dfrac{7}{8} \div 3 =$ _____

Practical Exercise 2-7

A technician is asked to cut pieces of pipe for use on a project. Each piece needs to be exactly 4 3/4 inches long.

1. How many pieces will be able to be cut from a 10-foot length of pipe?

   _____

2. Assuming no mistakes in cutting, and ignoring the amount of pipe lost during the cutting process, what will be the length of pipe remaining after all pieces have been cut?

   _____

Practical Exercise 2-8

As part of an installation of 18 new air-conditioning units, a line set of ACR tubing will need to be made for each unit. Ten of the units will need a 1/2-inch diameter suction line that is 22 feet and 14 3/4 inches long and a 3/8-inch diameter liquid line that is 22 feet and 17 1/2 inches long. The remaining units will need the same size and length suction line; however, the liquid line will need to be the same diameter but 3/4 inch shorter in length.

1. Assuming no tubing is wasted and ignoring the amount lost by the cutting process, what length of 1/2-inch diameter tubing will be required for this job?

   _____

2. Assuming no tubing is wasted and ignoring the amount lost by the cutting process, what length of 3/8-inch diameter tubing will be required for this job?

   _____

CHAPTER 3

Decimals

Objectives

Information in this chapter will enable you to:

- Convert fractions to decimals.
- Convert decimals to fractions.
- Add, subtract, multiply, and divide decimals.

Technical Terms

decimal   decimal equivalent   decimal point

3.1 Introduction to Decimals

In the mechanical trades, decimals are used as frequently as fractions. In some instances, decimals are used much more often. For example, when doing calculations, an electronic calculator is commonly used. Since these instruments do not normally recognize entries, such as 1/4, 1/3, or 1/2. Those commonly used fractions must be converted to decimal form (for example, 0.25, 0.33, and 0.5) to be entered into a calculator.

In many situations encountered in the trades, manufacturers will supply equipment data using decimals, such as a motor rated at 17.25 horsepower (hp).

A **decimal** is a fractional portion (less than one) of a number expressed using place values to the right of a decimal point. These decimal place values represent denominators of powers of ten, such as tenths, hundredths, and thousandths.

The position of a **decimal point** in relation to each digit of a number determines assigned value. This is similar to the digits in whole numbers. The decimal point delineates the value of the digit. Digits to the left of the decimal point have a value greater than 1, while digits to the right of the decimal point have a value of less than 1.

3.1.1 Place Value

Whole numbers are generally written without a decimal point at the right of the number. Adding a decimal point will not change their value. The place value of each digit is based on its location in the number. For digits to the left of a decimal point, the farther left, the greater the value of the digit. For digits to the right of a decimal point, the farther right, the lesser the value of the digit.

Place Values

Hundreds	Tens	Ones		Tenths	Hundredths	Thousandths
1	2	3	.	4	5	6

Goodheart-Willcox Publisher

In this example of 123.456, the 1 is located in the greatest place value, because it is the farthest to the left of the decimal point. The 6 is located in the least place value, because it is farthest to the right of the decimal point.

Working from the right of the decimal point, the first four place names in this numbering system from greater value to lesser value are tenths, hundredths, thousandths, and ten thousandths. Decimal places can go smaller than ten thousandth, but these are not commonly used in the trade.

A digit in the tenths place has a value of one-tenth that of the same digit in the ones place, and a digit in the hundredths place has a value of one-hundredth that same digit in the ones place, and so on.

Any number can be written with or without a decimal point. If the value includes a fraction, however, the fraction can be written as a decimal. For example, the number 1 1/4 written in decimal form would be 1.25 as shown here:

Place Values

Thousands	Hundreds	Tens	Ones		Tenths	Hundredths	Thousandths	Ten Thousandths
0	0	0	1	.	2	5	0	0

Goodheart-Willcox Publisher

3.1.2 Converting Fractions to Decimal Form

All fractions can be converted to decimal form by changing the fraction's denominator to 10 or a multiple of 10, such as 100 or 1,000. For example, if the fraction 1/4 is to be converted to decimal form, the denominator 4 must be converted to 10, or a multiple of 10.

$$\frac{1}{4} = \frac{?}{10}$$

The fraction bar or slash means divide, so 1/4 actually means 1 divided by 4.

$$4\overline{)1}$$

Since 4 will not go into 1, a decimal point is placed to the right of the 1, and a 0 placed to the right of the decimal in the tenths place. The decimal is also added above the division line in the same place. To ensure that digits are not placed in the wrong location, a zero is added to the left of the decimal point on top of the division box.

$$4\overline{)1.}^{0.}$$

The divisor 4 can be divided into 10. Since 4 goes into 10 two times, a 2 is added above the line but to the right of the decimal point.

$$4\overline{)1.0}^{0.2}$$

The 2 is placed to the right of the decimal point. This is the tenths place value, so the 2 is valued at two-tenths (2/10). Since 2 × 4 is 8, an 8 is then subtracted from the 10, leaving 2.

$$4\overline{)\begin{array}{r}0.2\\1.0\\-8\\\hline2\end{array}}$$

Because 4 will not divide into 2, another 0 is added to the dividend. This zero is carried down to 20. The divisor 4 divides into 20 by 5. The 5 is placed to the right of the 0.2 in the hundredths place, making its value five hundredths (5/100).

$$4\overline{)\begin{array}{r}0.25\\1.00\\-8\downarrow\\\hline20\end{array}}$$

The 5 is then multiplied by 4, which equals 20. This value is subtracted from the 20 in the dividend and leaves no remainder.

$$4\overline{)\begin{array}{r}0.25\\1.00\\-8\downarrow\\\hline20\\-20\\\hline0\end{array}}$$

Thus, the fraction 1/4 divides 1 by 4 to equal 0.25. In fraction form, this would be 25/100. It is read as "twenty-five hundredths" or "twenty-five one hundredths." This is called the **decimal equivalent** of a fraction.

It is common in the mechanical trades to use decimals rather than fractions for calculations. All fractions can be converted to decimal form, and a decimal equivalent chart is often used to speed the conversion process.

Common Decimal Equivalents

Fraction	Decimal	Fraction	Decimal	Fraction	Decimal	Fraction	Decimal
1/64	0.015625	17/64	0.265625	33/64	0.515625	49/64	0.765625
1/32	0.03125	9/32	0.28125	17/32	0.53125	25/32	0.78125
3/64	0.046875	19/64	0.296875	35/64	0.546875	51/64	0.796875
1/16	0.0625	5/16	0.3125	9/16	0.5625	13/16	0.8125
5/64	0.078125	21/64	0.328125	37/64	0.578125	53/64	0.828125
3/32	0.09375	11/32	0.34375	19/32	0.59375	27/32	0.84375
7/64	0.109375	23/64	0.359375	39/64	0.609375	55/64	0.859375
1/8	0.125	3/8	0.375	5/8	0.625	7/8	0.875
9/64	0.140625	25/64	0.390625	41/64	0.640625	57/64	0.890625
5/32	0.15625	13/32	0.40625	21/32	0.65625	29/32	0.90625
11/64	0.171875	27/64	0.421875	43/64	0.671875	59/64	0.921875
3/16	0.1875	7/16	0.4375	11/16	0.6875	15/16	0.9375
13/64	0.203125	29/64	0.453125	45/64	0.703125	61/64	0.953125
7/32	0.21875	15/32	0.46875	23/32	0.71875	31/32	0.96875
15/64	0.234375	31/64	0.484375	47/64	0.734375	63/64	0.984375
1/4	0.25	1/2	0.5	3/4	0.75	1	1.0

Goodheart-Willcox Publisher

The zero to the left of the decimal point is shown when there is no whole number in that position. The zero reminds us that the decimal is there, which otherwise could be overlooked. The number of places to the right of the decimal point determines the precision of the decimal equivalent. In many cases, decimals will be rounded off to a certain number of decimal places. In the mechanical trades, rounding to the second or third decimal place is normal.

3.1.3 Converting Decimals to Fractions

A decimal is a fraction with a power of ten (such as tenth, hundredth, or thousandth) in its denominator.

To convert decimals to fractions, simply write any digits to the right of the decimal point as the numerator of the fraction. The denominator will be 1 followed by zeroes. The number of zeroes used in the denominator will be the same number as the number of digits in the numerator.

$$0.1 = \frac{1}{10}$$

$$0.01 = \frac{1}{100}$$

$$0.001 = \frac{1}{1,000}$$

After a decimal has been converted to a fraction, the fraction may be able to be reduced to lesser terms. For example, the decimal 0.2 can be converted to 2/10. This can be reduced to 1/5.

$$0.2 = \frac{2}{10}$$

$$\frac{2}{10} = \frac{1}{5}$$

Just as positive exponents are used to express large numbers, negative exponents can be used to express small numbers. For example, 10^{13} would equal 10,000,000,000,000. A negative exponent (such as 10^{-3}) means the reciprocal of $10 \times 10 \times 10$. A reciprocal is placed beneath a one and a fraction bar. It becomes one over that number. Thus:

$$10^{-3} = \frac{1}{10 \times 10 \times 10} = \frac{1}{1,000}$$

Therefore, if a number was written as 3×10^{-3}, it would mean:

$$3 \times \frac{1}{1,000} = \frac{3}{1,000} = 0.003$$

The simplest way to use the negative exponent in a calculation is to simply move the decimal point to the left, moving it the number of places expressed by the exponent.

When a number is multiplied with a ten to a negative exponent (10^{-x}), the decimal point moves to the left. For a negative exponent, do not multiply the number by the ten. Simply move the decimal point to the left the number of times as the exponent.

$$3 \times 10^{-3} = 0.003$$

Calculations involving numbers written in scientific notation are done in the same manner as calculations involving any other whole number or decimal.

3.2 Mathematic Operations Involving Decimals

Operations using decimals are handled exactly the same as operations involving whole numbers. Addition, subtraction, multiplication, and division are all done in the same manner, but the position of the decimal point must be closely watched.

3.2.1 Addition of Decimals

When adding decimals, the decimal points must be aligned vertically, regardless of the number of digits on either side of the decimal point. For example, when adding 3.1 to 14.74, the operation would be arranged as follows:

$$\begin{array}{r} 3.1 \\ + 14.74 \\ \hline \end{array}$$

To avoid confusion, extra zeros (**0**) may be added as placeholders to the right of the last digit in a decimal. The numbers are then added just as in whole numbers, and the decimal point in the sum is in the same position vertically.

$$\begin{array}{r} 3.1\mathbf{0} \\ + 14.74 \\ \hline 17.84 \end{array}$$

3.2.2 Subtraction of Decimals

Just like addition, subtraction of decimals is handled exactly the same as the subtraction of whole numbers. The position of the decimal point will be aligned vertically. For example, to subtract 4.24 from 8.7936, the calculation would be set up as shown:

$$\begin{array}{r} 8.7936 \\ - 4.24 \\ \hline \end{array}$$

Extra zeroes may be added as placeholders to avoid misalignment of the decimal point. The numbers are then subtracted just as if they were whole numbers, and borrowing may be done as necessary. The decimal point in the difference is aligned vertically with the decimal points above.

$$\begin{array}{r} 8.7936 \\ - 4.24\mathbf{00} \\ \hline 4.5536 \end{array}$$

3.2.3 Multiplication of Decimals

When multiplying decimals, the decimal point is not aligned vertically as it is in addition and subtraction. The numbers to be multiplied are written as if there was no decimal point, and the multiplication is then done the same as in multiplying whole numbers. For example, if multiplying 1.5×7, the calculation would look like this:

$$\begin{array}{r} 1.5 \\ \times\ 7 \\ \hline 105 \end{array}$$

Once the multiplication has been completed, the position of the decimal point in each number is counted from right to left and added together. In the example used here, 1.5 has a decimal point that is one place from the right, and 7 has no decimal. Since 1 + 0 = 1, the decimal point in the answer is placed one space from the right, making the final answer 10.5.

$$
\begin{array}{r}
1.5 \\
\times\ 7 \\
\hline
10.5
\end{array}
$$

If both numbers to be multiplied include decimals, the process is the same.

$$
\begin{array}{r}
{\scriptstyle 3} \\
1.5 \\
\times\ 7.1 \\
\hline
15 \\
+\ 1050 \\
\hline
1065
\end{array}
$$

Counting the decimal places, 1.5 has one decimal place, and 7.1 has one decimal place. Therefore, the decimal in the answer is placed two spaces from the right, making the answer 10.65.

$$
\begin{array}{r}
{\scriptstyle 3} \\
1.5 \\
\times\ 7.1 \\
\hline
15 \\
+\ 1050 \\
\hline
10.65
\end{array}
$$

When zeroes appear to the left of the decimal point with no other numbers, they are ignored. Zeroes are often placed in the ones place to make sure the decimal point is not overlooked. For example, 0.01 is the same as .01, as the zero to the *left* of the decimal is simply a placeholder and has no value. However, zeroes to the *right* of the decimal are very important, as long as another number is further to the right of those zeroes. These zeroes indicate the value of the number.

To multiply 0.01 times 0.006, the calculation would be as follows:

$$
\begin{array}{r}
0.006 \\
\times\ 0.01 \\
\hline
0006 \\
+\ 00000 \\
\hline
0.00006
\end{array}
$$

The factors being multiplied have a combined total of five decimal places between them, so the product also has five decimal places. The digits to the right of the decimal in each number determine the number of decimal places in the product.

3.2.4 Division of Decimals

Dividing decimals is done exactly the same as the division of whole numbers, but the decimal point must be handled properly in the divisor, the dividend, and the quotient. For example, to divide 93 by 3.1, the problem would be set up as shown.

$$3.1\overline{)93}$$

Any decimal point in the divisor needs to be moved to the right to make a whole number. Therefore, the decimal point used in the divisor 3.1 needs to be moved to the far right position, thus making the divisor 31. Since the decimal point was moved one place to the right in the divisor, the decimal point in the dividend needs to be moved the same number of times in the same direction. In this way, the dividend 93 becomes 930. The zero had to be added to the 93 as a placeholder.

$$3.1.\overline{)93.0.}$$

The division can now be completed as whole numbers. The decimal point in the quotient will be directly above the decimal point in the dividend.

$$
\begin{array}{r}
30. \\
31\overline{)930.} \\
-930 \\
\hline
0
\end{array}
$$

$$93 \div 3.1 = 30$$

While division using whole numbers can result in answers with remainders beside the quotient, division using decimals can express remainders as a decimal portion of the quotient. First, let us review whole number division by dividing 8 by 3:

$$
\begin{array}{r}
2 \\
3\overline{)8} \\
-6 \\
\hline
2
\end{array}
$$

$$= 2\ R2$$

The whole number 3 does not divide evenly into 8, so there is a remainder of 2. This problem's answer can be expressed differently using decimals. A decimal point is added after the 8, and a 0 is written to the right of the decimal point. The 0 is then carried down to the remaining 2, making it 20. A decimal point is also placed in the quotient line in the same place position. Thus, it is just to the right of the 2.

$$
\begin{array}{r}
2. \\
3\overline{)8.0} \\
-6 \\
\hline
2\,0
\end{array}
$$

Now 3 can be divided into 20, with 6 as the result. The 6 is placed to the right of the decimal place above the 0. The 6 is now multiplied by the 3, making 18. The 18 is written below the 20 and subtracted from 20, leaving 2.

$$
\begin{array}{r}
2.6 \\
3\overline{)8.0} \\
-6 \\
\hline
2\,0 \\
-1\,8 \\
\hline
2
\end{array}
$$

Another 0 is then added to the right of the decimal point, and carried down to the remaining 2 once again. Now 3 can be divided into 20 with 6 as the result and a remainder of 2.

$$
\begin{array}{r}
2.66 \\
3\overline{\smash{)}8.00} \\
-6 \\
\hline
2\,0 \\
-1\,8 \\
\hline
20 \\
-18 \\
\hline
2
\end{array}
$$

If two decimal places are sufficient for the accuracy of the answer, the division process is stopped at this point. If it is desired to continue to perhaps 3 or 4 decimal places, continue following the same procedure. However, it is seen in this example that continuing beyond two decimal places will serve no purpose, as the 6 will repeat endlessly. Thus, the quotient can be stated as $2.\overline{66}$. The line above the sixes indicates that it repeats. This answer could also be rounded up to 2.67.

Name _____ **Date** _____ **Class** _____

Fraction to Decimal Conversion Exercises

Exercise 3-1

Calculate the decimal equivalent of the following fractions. Round the answer to the third decimal place (thousandths).

1. $\dfrac{3}{10}$ = _____

2. $\dfrac{5}{1,000}$ = _____

3. $\dfrac{7}{9}$ = _____

4. $\dfrac{8}{12}$ = _____

5. $\dfrac{5}{6}$ = _____

6. $\dfrac{11}{12}$ = _____

7. $\dfrac{9}{11}$ = _____

8. $\dfrac{6}{7}$ = _____

9. $\dfrac{21}{22}$ = _____

10. $\dfrac{47}{50}$ = _____

11. $\dfrac{12}{13}$ = _____

12. $\dfrac{1}{24}$ = _____

Exercise 3-2

Using the decimal equivalents as a guide, arrange the fractions in Exercise 3-1 in order from smallest value to largest value. Enter them into the rows of this table from least to greatest. Start in the upper-left corner and go across to the right before starting the next row in the far left box.

Fractions from Lowest to Highest

Goodheart-Willcox Publisher

Decimal to Fraction Conversion Exercises
Exercise 3-3
Convert the following decimals to fractions, and reduce to lowest terms.

1. 0.34   = _____

2. 0.275 = _____

3. 0.7   = _____

4. 0.0356 = _____

5. 0.074 = _____

6. 0.102 = _____

7. 0.0181 = _____

8. 0.23 = _____

9. 0.190 = _____

10. 0.668 = _____

11. 0.0034 = _____

12. 0.0002 = _____

Name _____ Date _____ Class _____

Practical Exercise 3-4

A service technician has been given a list of air-conditioning and refrigerant equipment that shows the amount of refrigerant that each unit holds in pounds only. However, the scale being used to weigh the refrigerant reads in pounds and ounces.

1. Convert each listing of pounds to pounds and ounces, so the correct amount of refrigerant can be charged into each unit. *Round down* each answer to the closest ounce so the systems are not overcharged. There are 16 ounces in a pound.

Total Refrigerant Charge

Unit	Refrigerant	Pounds	Pounds and Ounces
RTU 1	R-22	7.12	
RTU 2	R-134a	14.9	
RTU 3	R-410A	9.5	
AC 1	R-410A	3.16	
AC 2	R-134a	4.25	
AC 3	R-22	3.92	
WI 1	R-12	19.35	
WI 2	R-404A	22.1	
WI 3	R-134a	44.22	
IM 1	R-134a	0.94	
IM 2	R-410A	1.02	
IM 3	R-290	0.75	

Goodheart-Willcox Publisher

2. How many pounds and ounces of each of the different refrigerants would be needed to completely charge all of the systems at this facility? After calculating the totals, round up each answer to the closest pound.

Total Refrigerant Charge

Type	Pounds and Ounces	Rounded Up Pounds
R-12		
R-22		
R-134a		
R-290		
R-404A		
R-410A		

Goodheart-Willcox Publisher

Decimal Exercises

Practical Exercise 3-5

A cooling tower water treatment service program specifies the use of an algaecide to control growth of algae in the tower. According to the label directions on the chemical, a dose of 3.2 fluid ounces per 1,000 gallons of water should achieve control. One gallon contains 128 fluid ounces.

1. The tower capacity is 1,500 gallons of water. How much algaecide should be applied for each treatment? Recall how ratios were maintained when raising and reducing fractions in Chapter 2, *Fractions*.

   _____ fluid ounces

   $$\frac{3.2 \text{ fl oz}}{? \text{ fl oz}} = \frac{1,000 \text{ gallons}}{1,500 \text{ gallons}}$$

2. To achieve control of the algae, the recommended dosage should be applied three times per week. How much algaecide will be required for a 26-week program? Express the final answer in gallons.

   _____ gallons

3. The algaecide used by the service program is only available in one-gallon containers. How many one-gallon containers will be needed if the program is extended to 52 weeks?

   _____

Name _____   **Date** _____   **Class** _____

Practical Exercise 3-6

The fan in an air handling system moves air at a rate of 350 feet per minute (fpm). It is inside a duct that measures 2 square feet (ft^2), and the duct is fitted with a grille at the outlet that has a free area of 75% (0.75).

Since *feet* multiplied by *square feet* becomes *cubic feet*, cfm (cubic feet per minute) is calculated by multiplying the fpm (feet per minute) of the airflow by the size of the opening in square feet. *Free area* is the actual space that allows airflow, taking into consideration that all louvers and dampers have a certain amount of reduced capacity because of their design.

1. What is the rate of airflow through the grille in cubic feet per minute (cfm)?

   _____ cfm

Practical Exercise 3-7

While repairing a refrigeration system that cools a walk-in freezer, the service technician finds that once the unit is running, the temperature inside the freezer (called the box) begins to drop at a rate of 1.3°F (0.73°C) over a 10-minute period.

1. If this rate of decrease continues, how much will the box temperature have dropped in one hour?

   _____

2. To protect the product quality, the box temperature needs to be maintained at –20°F (–28.9°C). When the technician completed the repairs and started the unit, the temperature inside the freezer was 9°F (–12.8°C). Assuming the same rate of temperature decrease, approximately how long will it take for the unit to reach the desired temperature?

   _____

Practical Exercise 3-8

A sheet metal fabricator working for a mechanical contractor works in the shop every day, building ductwork components to be installed in the field. The time clock that records the hours worked measures time in hours and tenths of an hour. The time card for the fabricator shows the following hours worked for the week.

- Monday: 7.2 hours
- Tuesday: 8.3 hours
- Wednesday: 9.1 hours
- Thursday: 8.9 hours
- Friday: 9.2 hours

1. How many hours did the fabricator work this week?

   _____ hours

2. The rate of pay for this employee is $16.45 per hour for regular pay, with overtime (over 40 hours per week or ten hours in one day) paid at a rate of 1 1/2 times the regular rate. What is the amount that is due this employee for the week?

   $_____

3. This employee participates in a retirement plan that allows a portion of the pay to be placed in a separate account. The plan stipulates that 3.5% (0.035) of the employee's pay will be set aside for retirement. How much of this week's paycheck will be placed in the retirement account?

   $_____

Name _____ **Date** _____ **Class** _____

Practical Exercise 3-9

A service technician working on a commercial system with multiple boilers notes that the burners have fuel oil nozzles rated for various flow rates in gallons per hour (gph), as listed below.

- Boiler 1: 5.6 gph
- Boiler 2: 3.4 gph
- Boiler 3: 6.1 gph
- Boiler 4: 4.7 gph
- Boiler 5: 9.2 gph

1. If the burners are all running at full capacity, how much fuel oil will be consumed in one hour?

   _____

2. What is the average flow rate for the burners in gallons per hour?

   _____

   Over the past 24 hours, it was recorded that the boilers ran for the following amounts of time.

- Boiler 1: 6.8 hours
- Boiler 2: 9.3 hours
- Boiler 3: 12.5 hours
- Boiler 4: 14.7 hours
- Boiler 5: 18.1 hours

3. How much fuel oil in gallons was consumed by each of the five boilers over the past 24 hours?

   Boiler 1: _____   Boiler 4: _____

   Boiler 2: _____   Boiler 5: _____

   Boiler 3: _____

4. The current cost for the fuel oil is $3.25 per gallon. What was the fuel cost to operate each boiler for this 24-hour period?

   Boiler 1: _____   Boiler 4: _____

   Boiler 2: _____   Boiler 5: _____

   Boiler 3: _____

5. What is the total fuel cost for the 24-hour period?

   _____

Practical Exercise 3-10

One cold winter day, an HVAC service company received numerous "no heat" calls from their customers. Every service technician worked long shifts without meal breaks to keep their customers safe, warm, and happy. One senior service technician worked 13 hours that day and spent that time tackling the five most difficult service calls.

1. If each service call lasted the same amount of time, how long did one service call last? Include the travel time between calls in with each service call. Calculate to the nearest 1/10 of an hour (one decimal place).

_____

Responding to the grateful customers and the good work of the technicians, the owner of the service company decided to pay everyone at 1.67 times their hourly rate for that long day.

2. If an apprentice normally earns $19.50 an hour and worked a 10-hour shift at 1.67 times the normal rate that day, how much would the apprentice take home for that one day's work?

_____

Practical Exercise 3-11

A service technician leaves the shop at 7:00 a.m. to go to the first call of the day. The travel time is 30 minutes. After completing the service work, travel to the next job takes 40 minutes. After that call, the technician takes a 30 minute lunch break. Travel to the final call of the day takes 20 minutes. Once the day's work is done, the technician drives for 30 minutes to get back to the shop at 3:00 p.m.

1. How much total time (in minutes) did the technician spend working (not traveling or eating lunch)?

_____ minutes

2. How much total time (in hours) did the technician spend working on service calls (not traveling or eating lunch)?

_____ hours

3. If each service call lasted the same amount of time, how long (in minutes) would a service call last?

_____ minutes

4. If each service call lasted the same amount of time, how long (in hours) would a service call last? Calculate and round to the nearest 1/100 of an hour (two decimal places).

_____ hours

CHAPTER 4

Percentages, Ratios, and Proportions

Objectives

Information in this chapter will enable you to:

- Convert percentages to decimals.
- Convert decimals to percentages.
- Add, subtract, multiply, and divide percentages.
- Use ratios and understand how they are used in the HVACR industry.
- Use proportions and understand how they are used in the HVACR industry.

Technical Terms

extremes   percentage   ratio
means   proportion   turndown ratio

4.1 Percentages, Ratios, and Proportions

When comparing values of data, understanding the use of percentages, ratios, and proportions is extremely helpful to the tradesperson. Percentages are used in calculating fuel efficiency for furnaces and boiler burners; air mixtures for the amount of outside air being brought into a structure; and the calculation of profit, loss, and tax rates on job pricing.

Ratios and proportions are used in similar situations, such as comparing manufacturer's data on equipment performance. Turndown ratio is a comparison of the maximum and minimum operational range of a device. It is a common use of ratios and proportions in the HVACR and boiler trades.

A percentage is a portion of a whole, just like a fraction. A percentage is expressed by using the percent sign (%) to indicate the value of that portion. Because a whole is represented as 100%, any portion thereof will be a lesser value.

For example, 50% represents a portion equal to 1/2 of the whole, as 50 is exactly one half of one hundred. Thus, if the air is said to be at 50% relative humidity, the air is holding exactly one half of the moisture that it is able to hold.

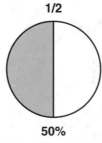

1/2

50%

Goodheart-Willcox Publisher

Percentages can also be expressed as *greater than the whole*. A value representing twice as much as the original whole number could be said to equal 200% or two times 100%.

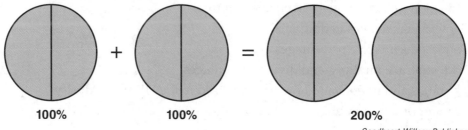

100%   **100%**   **200%**

Goodheart-Willcox Publisher

A **ratio** is an expression of a comparison of two or more values. Ratios are shown as two numbers separated by a colon (:). For example, if the air/fuel mixture of a burner is said to be 15:1, the amount of air in the mixture is 15 times as great as the amount of fuel.

Air / Fuel

15:1

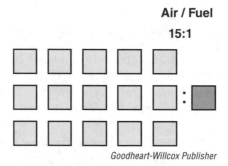

Goodheart-Willcox Publisher

A **proportion** is a comparison of two ratios. In the proportion, the ratios are separated by an equals sign (=). An example of proportion is a fraction with high values and the same fraction reduced to its lowest terms.

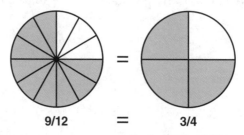

9/12   **=**   **3/4**

Goodheart-Willcox Publisher

Even though these two fractions have different numerators and denominators, they are equal because they maintain the same numerator to denominator ratio. They are proportional to each other. Proportions are often used as a means to determine an unknown value.

$$\frac{7}{60} = \frac{49}{?}$$

4.1.1 Converting Percentages to Decimals

In order to perform mathematic calculations involving percentages, it is best to first convert the percentage to decimal format. Remember that a percentage is only a portion of a whole (100% or 1.0). Therefore, a percentage can be written as a fraction and then simply converted to decimal form. When writing a percentage as a fraction, the denominator will always be 100. For example, 50% can be written as 50/100, reduced to 5/10, and then converted to the decimal format as 0.5.

$$50\% = \frac{50}{100}$$

$$\frac{50}{100} = \frac{5}{10}$$

$$\frac{5}{10} = 0.5$$

Likewise, 25% can be written as 25/100, and since it cannot be reduced by ten, it can simply be converted to 0.25. This example shows that the easiest way to turn a percentage into a decimal is to turn the percent sign into a decimal and move it two places to the left.

$$25\% = 0.25\%$$

Values greater than 100% are handled in the same manner, but the decimal format will be a number greater than 1, rather than a number less than 1. For example, consider 150%.

$$150\% = 1.50\%$$

Steps for Converting a Percentage to a Decimal
1. Delete the percent sign.
2. Move the decimal point two places to the left.

Percentage to Decimal Conversion

Percentage	Symbol Swap and Shift	Decimal
87%	87.	0.87

Goodheart-Willcox Publisher

Once a percentage has been converted to decimal format, calculations can be handled as decimals.

4.1.2 Using Percentages

In the mechanical trades, percentages are often used when discussing air quality, combustion efficiency, emissions, and various other numerical values. The use of the percent sign gives the technician an immediate reference point, as the value expressed is always shown in relation to 100%.

For example, if a standard states that an office building must have a minimum of 15% outside air being brought into the building, the technician can readily determine that the remaining portion (85%) is return air from within the building.

$$100\% - 15\% = 85\%$$

In more complex calculations, it is easier to convert the percentage to a decimal and then do the arithmetic by following the rules of using decimals. Thus, values will be expressed in both the percentage form and the decimal form, depending on the situation and the calculations necessary.

Fractions can be used as well, but the use of fractions is most often confined to measurement, such as in measuring piping, ductwork, and similar items.

4.2 Using Ratios and Proportions

A ratio is an expression of a comparison of two or more values. Ratios are shown as two numbers separated by a colon (:). A proportion is a comparison of two or more ratios. A proportion is most often shown as two or more ratios, separated by an equals sign (=).

4.2.1 Comparing Numbers Using Ratios

Ratios are often used as a means to compare values of components in a mixture, such as when mixing chemicals used to clean air-conditioning coils. The label might instruct the user to make a solution of 15:1 using tap water. This means that for every ounce of chemical cleaner used, 15 ounces of water would be added. Additional uses of ratios in the mechanical trades include air mixture, combustion air/fuel ratios, and burner firing rate.

4.2.2 Comparing Ratios Using Proportions

Proportions are a means of comparing ratios. Ratios can be used to find unknown values of equal proportions. For example, if the coil cleaning solution mentioned above was mixed at a 15:1 concentration, each ounce of chemical would be mixed with 15 ounces of water. This would make a diluted solution of 16 ounces. A proportion can be used to find the right amount of chemical to use to make one gallon of mix.

Ratio of water to chemical: 15:1

Desired amount of solution: 1 gallon (128 ounces)

To solve for the unknown quantity, use a simple algebraic formula. In this proportion, use an X to represent the unknown quantity:

Total parts of solution : Parts of chemical =
Total ounces of solution : Number of ounces of chemical

To calculate the total sum of the solution, add the two ingredients (chemical part plus water parts):

15 parts water + 1 part chemical = 16 parts solution

Therefore, the proportion would be written as:

$$16:1 = 128:X$$

To solve for the unknown quantity (*X*), the two *means* are multiplied by each other and the two *extremes* are multiplied by each other. Note that means and extremes can be seen in proportions expressed as ratios or as fractions. The **means** are the two numbers closest to the equals sign in a ratio. The **extremes** are the two numbers farthest from the equals sign in a ratio. Means and extremes can also be expressed in proportional fractions.

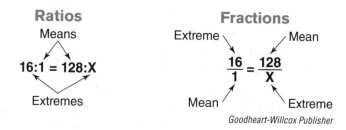

Goodheart-Willcox Publisher

In order to solve for the unknown, the first step is to multiply. Start by multiplying the means together.

$$1 \times 128 = 128$$

Now multiply the extremes.

$$16 \times X = 16X$$

This leaves us with an unknown quantity adjacent to a whole number. This means 16 multiplied by the unknown value would equal 128.

$$16X = 128$$

To solve for the unknown, the X must be isolated. To do that, both sides of the equation are divided by 16.

$$\frac{16X}{16} = \frac{128}{16}$$

Much like reducing a fraction to its lowest terms, the 16 above and the 16 below cancel out each other, leaving only the X. Dividing 128 by 16 will reveal the value of the unknown.

$$X = \frac{128}{16} = 8$$

X is usually written simply as *X*, as the multiplier 1 is assumed. Thus *X* = 8.

For a 15:1 solution in the amount of 1 gallon (128 ounces), a technician would add 8 ounces of chemical to 120 ounces of water to make one gallon (128 ounces).

$$15:1 = 120:8$$

These ratios can be checked. Arrange each ratio as a fraction.

$$\frac{15}{1} = \frac{120}{8}$$

Divide the higher value numerator by the other numerator.

$$120 \div 15 = 8$$

Divide the higher value denominator by the other denominator.

$$8 \div 1 = 8$$

The quotients are the same because the two ratios are equal. Proportions can be viewed as two forms of the same fraction. One of these fractions is in a more reduced form (15/1) than the other fraction (120/8).

$$\frac{15}{1} = \frac{120}{8}$$

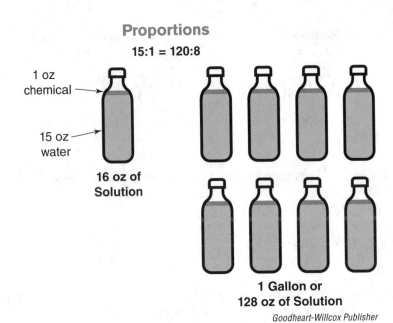

Proportions

15:1 = 120:8

1 oz chemical

15 oz water

16 oz of Solution

1 Gallon or 128 oz of Solution

Goodheart-Willcox Publisher

Name _____ **Date** _____ **Class** _____

Conversion Exercises

Exercise 4-1

Convert the following percentages to decimal format.

1. 13% = _____

2. 37% = _____

3. 93% = _____

4. 10% = _____

5. 100% = _____

6. 136% = _____

7. 9% = _____

8. 419% = _____

9. 1.2% = _____

10. 75.3% = _____

11. 110.1% = _____

12. 57.3% = _____

Percentage Exercises
Exercise 4-2
Complete the following percentage calculations.

1. $90\% - 12\% = $ _____

2. $103\% - 71\% = $ _____

3. $21\% - 11\% = $ _____

4. $156\% - 142\% = $ _____

5. $57\% + 43\% = $ _____

6. $26\% + 87\% = $ _____

7. $89\% \times 10\% = $ _____

8. $152\% \times 50\% = $ _____

9. $32\% \times 1\% = $ _____

10. $90\% \div 3 = $ _____

11. $90\% \div 3\% = $ _____

12. $32\% \div 2 = $ _____

Name _____ **Date** _____ **Class** _____

Practical Exercise 4-3

A service technician has just performed a complete cleaning and tune-up on a customer's gas-fired boiler. The final analysis of the flue gases shows the following data:

- Stack temperature: 325.0°F
- Ambient temperature: 71.6°F
- Oxygen (O_2): 4.7%
- Carbon dioxide (CO_2): 12.18%
- Excess air: 27.0%
- Carbon monoxide (CO): 0.0 ppm
- Nitrogen dioxide (NO_2): 5.0%
- Nitric oxides (NO_x): 112 ppm
- Efficiency (gross): 88.1%

1. The manufacturer's specifications recommend a minimum of 15% excess air supplied to the burner. Has that requirement been met?

_____

The analysis done before the cleaning shows the following data:

- Stack temperature: 340.0°F
- Ambient temperature: 69.5°F
- Oxygen (O_2): 5.1%
- Carbon dioxide (CO_2): 9.2%
- Excess air: 32.0%
- Carbon monoxide (CO): 0.0 ppm
- Nitrogen dioxide (NO_2): 5.2%
- Nitric oxides (NO_x): 123 ppm
- Efficiency (gross): 86.7%

2. What was the difference in O_2 content of the flue gas due to the tuning?

_____

(Continued)

3. What was the net increase in efficiency achieved by doing the service on this boiler?

_____

4. This boiler burns 12,300,000 Btu per hour (Btu/hr) of natural gas when operating at high fire. If the burner runs 68% of the time, how many Btu will be consumed in one hour of operation?

_____

5. Based on the efficiency rating before the service, how many Btu per hour were wasted during the burning process, if the burner runs 68% of the time?

_____

6. What is the amount of fuel saved in Btu/hr by performing the cleaning and tune-up?

_____ Btu/hr

7. With the current price of natural gas at $10.00/MMBtu (millions of Btu), what is the hourly cost savings achieved on this boiler by performing the service?

_____

Name _____   **Date** _____   **Class** _____

Ratio and Proportion Exercises

Exercise 4-4

Solve the following proportions for the unknown factor.

1. $10:1 = 100:X$

   _____

2. $7:3 = 21:X$

   _____

3. $25:1 = 50:X$

   _____

4. $5:2 = X:4$

   _____

5. $4:7 = X:28$

   _____

6. $3:11 = X:77$

   _____

7. $X:7 = 4:1$

   _____

8. $X:1 = 63:7$

   _____

9. $X:4 = 9:6$

   _____

10. $3:X = 18:12$

    _____

11. $14:X = 7:6$

    _____

12. $1:X = 41:41$

    _____

Practical Exercise 4-5

The manufacturer's literature for a new model boiler burner boasts of a 10:1 turndown ratio, which is the ratio between the maximum firing rate and the minimum firing rate. A burner with a 10:1 turndown means that the burner can run efficiently at a very low firing rate.

1. If one model of the burner fires at a rate of 48,000,000 Btu/hr at maximum fire, what would be the minimum firing rate?

_____

2. If one model of the burner fires at a minimum rate of 48,000,000 Btu/hr, what would be the maximum firing rate?

_____

3. A competing manufacturer's burner states it has a turndown ratio of 4:1. If the competing burner has a maximum firing rate of 36,000,000 Btu/hr, what is the minimum firing rate?

_____

4. Comparing the answers found in questions 1, 2, and 3 of this exercise, which burner can fire at the lowest rate?

_____

CHAPTER 5

Measurement

Objectives

Information in this chapter will enable you to:

- Understand the purpose of the many measurements used in HVACR work.
- Perform linear measurements and convert between the different units in US Customary and SI systems.
- Perform capacity measurements and convert between the different units in US Customary and SI systems.
- Perform weight measurements and convert between the different units in US Customary and SI systems.
- Perform temperature measurements and convert between the different units in US Customary and SI systems.
- Calculate heat values and convert between the different units in US Customary and SI systems.
- Perform pressure measurements and convert between the different units in US Customary and SI systems.
- Perform velocity measurements and convert between the different units in US Customary and SI systems.

Technical Terms

absolute pressure (psia)
air velocity
atmosphere (atm)
bar
British thermal unit (Btu)
Btu per hour (Btu/hr)
calorie (cal)
capacity
Celsius scale
charge
critically charged
cubic feet per
  minute (cfm)

cubic meter per
  minute (m³/min)
degree
dry-bulb (db)
  temperature
Fahrenheit scale
feet per minute (fpm)
foot (ft)
gauge pressure (psig)
grain (gr)
gram (g)
heat
horsepower (hp)

inch (in)
inches of mercury (in. Hg)
inches of water
  column (in. WC)
joule (J)
Kelvin scale
kilogram (kg)
kilojoule (kJ)
kilometer (km)
kilopascal (kPa)
latent heat
linear measurement
mass

(Continued)

Technical Terms *(Continued)*

meter (m)

meter per
  minute (m/min)

micrometer

micron (µm)

millibar (mbar)

milligrams per cubic
  meter (mg/m³)

millimeter (mm)

ounce (oz)

parts per million (ppm)

pascal (Pa)

pound (lb)

pounds of steam
  per hour

pounds per square
  inch (psi)

pressure

Rankine scale

sensible heat

SI system

specific gravity (SG)

square inch (in²)

square meter (m²)

take-offs

tare weight

temperature

therm

ton (t)

ton of refrigeration

torr

US Customary system

weight

wet-bulb depression

wet-bulb (wb)
  temperature

yard (yd)

5.1 Introduction to Measurement

For HVACR technicians, the proper use and understanding of measurement is necessary for satisfactory performance in the trade. Errors in measurement, which can then lead to errors in calculation, often result in lost time and money for the service technician and the employer or building owner.

Technicians routinely encounter measurement tasks. Linear measurements are used for determining duct dimensions and tubing and piping length. Volume measurements and calculations are necessary when determining heating and cooling requirements for conditioned spaces and water capacities for tanks and piping. Refrigerant system charge is measured by weight, and temperature, heat, and pressure are commonly used measurements in the field.

In the United States, two systems of measurement are encountered on a daily basis. The **US Customary system**, also referred to as the *inch-pound (IP) system*, consists of centuries-old measurement units, such as the inch, the gallon, and the pound.

The *International System of Units (SI)* is commonly called the **SI system** or metric system. It is based on standard units for length, weight, and volume with prefixes in powers of ten. This system was designed to replace multiple units of measurement with values that could be used worldwide.

5.2 Linear Measurement

Goodheart-Willcox Publisher

Linear measurement is used to determine the length, width, or depth of an object or the distance between two points. Linear units are especially used in installation work.

5.2.1 US Customary

In the US Customary system, linear measurement is based on the **inch (in)**, which can be broken into fractions for precise measurement accuracy.

Fractions of an Inch

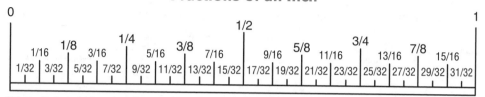

*Note: Enlarged for visual ease. Not shown to scale.   *Goodheart-Willcox Publisher*

In this system, a length of 12 inches is called a **foot (ft)**, and a length of 3 feet is known as a **yard (yd)**. Symbols are often used to denote inches and feet. The symbol for inches is ", while ' is the symbol for feet. A length of 6 feet and 8 inches is written as 6'-8".

Linear Measurement—US Customary Units

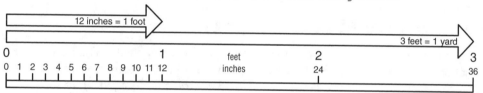

Goodheart-Willcox Publisher

Typically, field measurements use inches and fractions of inches for ductwork design and construction, feet and inches for measuring piping, and feet for calculating air volume and movement. Yards are seldom used in HVACR linear measurement.

5.2.2 SI

SI linear measurement is based on the **meter (m)**, which is spelled *metre* in all English-speaking countries except the United States. The method for determining the length of the meter has changed over the past few centuries, but it has now been standardized and accepted throughout the world.

The SI or metric system works on the decimal system. Thus, powers of ten are used to identify lengths that are shorter and longer than the meter. For example, 1/1000 of a meter is called a **millimeter (mm)**, while 1000 meters is called a **kilometer (km)**.

Linear Measurement—SI Units

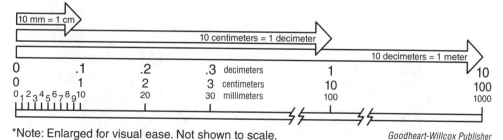

*Note: Enlarged for visual ease. Not shown to scale.   *Goodheart-Willcox Publisher*

Prefixes used in SI measurement are the same throughout the system, whether used for linear measurement, weight, or volume.

Common SI Multiples for Meter (m)

Multiple	1/1000 meter	1/100 meter	1/10 meter	1 meter	10 meters	100 meters	1000 meters
Name	millimeter	centimeter	decimeter	meter	dekameter	hectometer	kilometer
Symbol	mm	cm	dm	m	dam	hm	km

Goodheart-Willcox Publisher

5.2.3 Linear Measurement in the Industry

In the mechanical trades, estimating pipe length, fittings, equipment, and the like is known as "doing take-offs." When an estimator does take-offs, it is for the purpose of determining the approximate cost of the job before bidding on the job or for determining what materials should be purchased for a job that has already been awarded to the contractor. When doing take-offs, accuracy is important, as inaccurate take-offs can result in lost business, or worse, lost profit.

5.3 Capacity Measurement

The amount of material a container can hold is called its capacity. The term *volume* is sometimes used as well and may be interchanged with the term *capacity* in common practice. However, volume is also used to describe the amount of space a three-dimensional object occupies. That term will be covered in another chapter of this text.

5.3.1 US Customary

Capacity measurement in the US Customary system is based on the fluid ounce (fl.oz.). Cups, pints, quarts, and gallons are multiples of ounces, as shown.

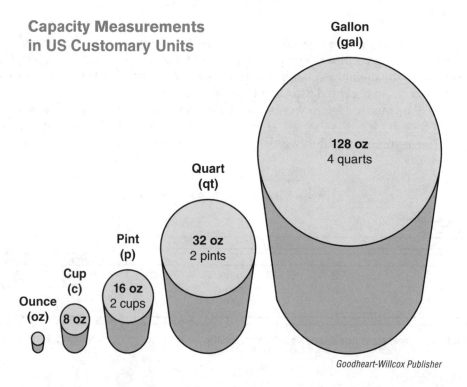

Capacity Measurements in US Customary Units

Gallon (gal) — 128 oz / 4 quarts

Quart (qt) — 32 oz / 2 pints

Pint (p) — 16 oz / 2 cups

Cup (c) — 8 oz

Ounce (oz)

Goodheart-Willcox Publisher

5.3.2 SI

SI capacity measurement is based on the liter (l). The milliliter (ml) is 1/1000 of a liter, and the kiloliter is 1000 liters. Like the linear measurements in SI, the capacity measurements work on the decimal system and use prefixes added to *liter*.

5.4 Weight Measurement

Weight and mass are commonly confused terms. Though they are not the same thing, the terms are often used interchangeably in the HVACR field. **Mass** may be defined as the amount of something's matter, while **weight** expresses the value of the gravitational force exerted on the matter. In other words, mass is constant, but weight depends on the force of gravity on a mass. This text will use the term *weight* rather than *mass*.

5.4.1 US Customary

In the US Customary system, weight is measured in **pounds (lb)** and **ounces (oz)**. An ounce is 1/16 of a pound, and a **ton (t)** is defined as 2,000 pounds. When measuring the moisture content of air, the **grain (gr)** is used. A grain is 1/7,000 of a pound. The grain is also used in water chemistry for boilers and cooling systems as a unit of measurement for mineral content in water. In that context, one grain equals 17.1 **parts per million (ppm)** of hardness.

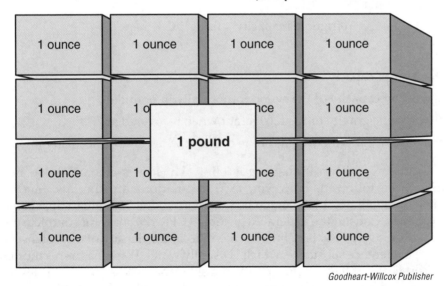

Weight Measurements in US Customary Units

16 ounces (oz) = 1 pound (lb)
2,000 pounds = 1 ton

1 ounce	1 ounce	1 ounce	1 ounce
1 ounce	1 ounce		1 ounce
	1 pound		
1 ounce	1 ounce		1 ounce
1 ounce	1 ounce	1 ounce	1 ounce

Goodheart-Willcox Publisher

5.4.2 SI

The **kilogram (kg)** is the base unit of weight measurement in SI units. It is equal to 1000 grams. The **gram (g)** is 1/1000 of a kilogram. For measuring the moisture content of air, the unit of measurement is **milligrams per cubic meter (mg/m^3)**.

HVACR technicians typically use an electronic scale to measure the weight of the refrigerant added to or removed from a system. The scales can measure in pounds and ounces or grams and kilograms.

Mastercool Inc.

In air-conditioning and refrigeration systems, the weight of the refrigerant (called the charge) is often critical. While large systems have the ability to operate with slightly more or less refrigerant than is required, small systems are often referred to as critically charged systems, because the refrigerant charge must be exact.

According to the Air-Conditioning, Heating, and Refrigeration Institute (AHRI) Guideline K and the United States Department of Transportation (DOT), the approved method for filling refrigerant cylinders to 80% capacity is based on the following formula.

$$\text{refrigerant capacity} = 0.8 \times WC \times SG + TW$$

where

    0.8 = 80% of capacity

    WC = water capacity of the cylinder (normally in pounds)

    SG = specific gravity of the refrigerant when recovered at 77°F

    TW = tare weight (the weight of the cylinder when empty, normally in pounds)

AHRI Guideline K is an industry guideline. Thus, it is recommended but not required to be followed. However, DOT regulations are the law. Since DOT recognizes Guideline K, cylinders to be transported must adhere to this method of filling capacity. Consult the Federal Register (49 CFR 173.304a) for complete details.

Specific gravity (SG) is defined as the ratio of the density of a substance to the density of a reference substance, which is usually water. Water has a specific density of 1. Theoretically, if the specific gravity of a substance is less than 1, it is less dense than water, and it will float in water. If the specific gravity of a substance is greater than 1, it is denser than water and will sink in water.

For example, at 77°F (25°C) R-134a has an SG of 1.21, R-410A has an SG of 1.06, and R-404A has an SG of 1.05. Thus, all are denser than water.

5.5 Temperature Measurement

Temperature is the measurement of the intensity of the heat energy in a material. There are four common temperature scales: Rankine, Fahrenheit, Celsius, and Kelvin. Temperature is measured in degrees, which is signified by the ° symbol beside a number.

Temperature Scales
(degrees)

Rankine	Fahrenheit		Celsius	Kelvin
672	212	Water Boils	100	373
528	68	Standard Conditions	20	293
492	32	Water Freezes	0	273
0	−460	Absolute Zero	−273	0

Goodheart-Willcox Publisher

5.5.1 US Customary

The most common temperature scale in use in the United States is the Fahrenheit scale, where water at sea level and standard atmospheric pressure freezes at 32°F and boils at 212°F. The Rankine scale (Fahrenheit absolute) uses absolute zero as the baseline, and each degree has the same value as a Fahrenheit degree. The Rankine scale is used for working at ultra-low temperatures.

5.5.2 SI

In the SI system, Celsius (formerly called Centigrade) is used. The Celsius scale uses 0°C as the freezing point of water and 100°C as the boiling point. The Kelvin scale (Celsius absolute) uses absolute zero as the baseline, and each degree has the same value as a Celsius degree. Various instruments are used by technicians to measure temperature, including both analog and digital devices.

Copyright Goodheart-Willcox Co., Inc. May not be reproduced or posted to a publicly accessible website.

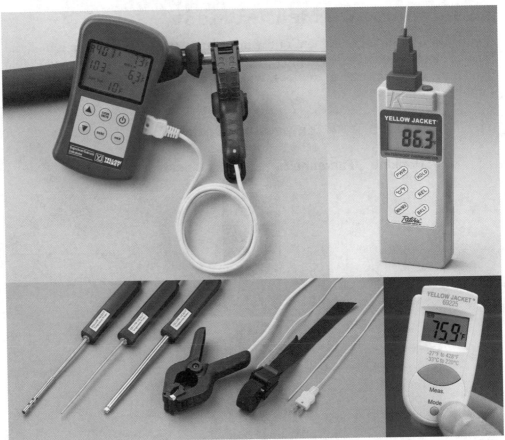

5.5.3 Temperature and Heat

Two temperatures are used when measuring air temperature: dry-bulb (db) and wet-bulb (wb). **Dry-bulb (db) temperature** is the temperature of the air (or any material) without considering the amount of moisture present. Thus, dry-bulb temperature measures only **sensible heat**, which is heat that affects temperature change. The difference between dry-bulb temperature and wet-bulb temperature is called the **wet-bulb depression**.

Wet-bulb (wb) temperature considers the amount of moisture in the air and will always be lower than the corresponding dry-bulb temperature, unless the relative humidity (rh) is 100%. At 100% relative humidity, the dry-bulb and wet-bulb temperatures will be the same.

A wet-bulb thermometer uses a wick, moistened with distilled water, to measure the temperature. As the moisture on the wick evaporates, the moisture absorbs heat from the air, thus lowering the thermometer reading. This absorbed heat that evaporates the moisture is latent heat.

Latent heat is heat that causes a change in a substance's physical state. For example, it is the heat that causes water to evaporate. Latent heat does not affect temperature. It only affects whether a substance is solid, liquid, or gas.

5.6 Heat Measurement

The measurement of heat energy is an important part of the HVACR trade, and it must not be confused with temperature measurement. Whereas temperature is a measure of the intensity of heat energy, **heat** is a measurement of the energy content of a material. In the United States, the most common unit of measurement for heat is the Btu.

5.6.1 US Customary

The **British thermal unit (Btu)** is the amount of heat energy required to change the temperature of 1 lb of pure water by 1°F. When the temperature of 1 lb of pure water is raised or lowered by 1°F, the quantity of heat moved equals 1 Btu.

Since 1 Btu is a small amount of heat compared to the amounts of heat moved in some HVACR systems, a larger unit is used. The **therm** is defined as 100,000 Btu.

In the HVACR trade, it is often necessary to relate the movement of the heat quantity to a time frame. Thus, the unit **Btu per hour (Btu/hr)** is commonly used. This term represents the number of Btu moved in an hour.

The term **ton of refrigeration** is also used as a measurement of heat transfer. It is based on the melting of one ton (2,000 lb) of ice at 32°F in 24 hours. Since it requires 288,000 Btu of heat to melt one ton of ice, one ton of refrigeration equals 12,000 Btu/hr.

$$1 \text{ ton} = 288,000 \text{ Btu}$$
$$= \frac{288,000 \text{ Btu}}{24 \text{ hr}}$$
$$= 12,000 \text{ Btu/hr}$$

Medium to large boiler systems are often rated in **horsepower (hp)**. One horsepower is defined as the conversion of 34.5 lb of water into steam in one hour, when the water is starting from 212°F. **Pounds of steam per hour**, commonly called *pounds/hour*, is the rating used for very large boilers. It is the amount of water a boiler can turn into steam in one hour.

5.6.2 SI

Heat measurement in SI units is based on the calorie or the joule. A **calorie (cal)** is the amount of heat energy required to change the temperature of one gram of water by 1°C.

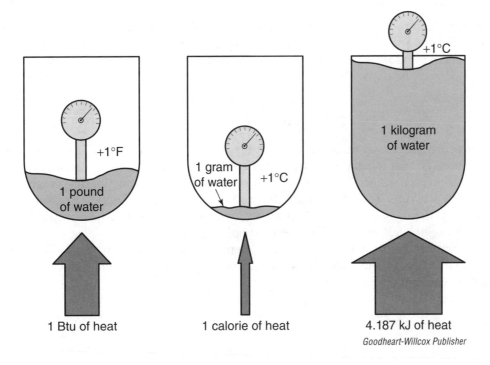

Goodheart-Willcox Publisher

The joule (J) is a small unit of heat in the SI system. It is the amount of heat necessary to change the temperature of one kilogram of water by 1°C is 4187 joules or 4.187 kilojoules (kJ).

5.7 Pressure Measurement

Pressure is defined as force per unit of area: $P = F \div A$. Based on this equation, if the area remains the same, more force will result in greater pressure; less force will result in lower pressure. If the area is increased, the same amount of force will result in less pressure. If the area is decreased, the same amount of force will mean greater pressure.

Pressure exerted can be measured in pounds or newtons. The unit of area can be measured in square inches or square meters. A square inch (in²) is an area that is one inch by one inch. Likewise, a square meter (m²) is an area that is one meter by one meter.

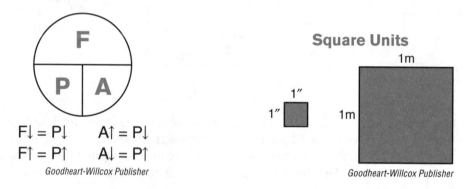

Goodheart-Willcox Publisher

Goodheart-Willcox Publisher

Vacuum is the absence of atmospheric pressure, and it is routinely measured by HVACR technicians. Vacuum can be measured in negative psi, but this is seldom done, as it is more accurately measured in inches of mercury (in. Hg) or microns (μm).

5.7.1 US Customary

The most common pressure measurement used in the United States is expressed in pounds per square inch (psi). It is the pounds of force applied on a given area. For very small pressure levels and vacuum, a measurement in inches of water column (in. WC) may be used. This is also sometimes called *inches of water gauge (in. WG)*.

$$1 \text{ in. WC} = 0.036 \text{ psi}$$

$$1 \text{ psi} = 27.7 \text{ in. WC}$$

A pressure gauge may read in absolute pressure or gauge pressure. Gauge pressure (psig) reads 0 psi when open to atmosphere and is written as *psig*, meaning *pounds per square inch gauge*. Absolute pressure (psia) reads atmospheric pressure as positive pressure. Therefore, absolute pressure is the sum of gauge pressure plus atmospheric pressure. It is written as *psia*, meaning *pounds per square inch absolute*. Most pressure gauges in HVACR work display gauge pressure.

Vacuum measurement in HVACR often uses inches of mercury (in. Hg). For inches of mercury, the scale starts at atmospheric pressure (0 in. Hg) and ends at a perfect vacuum (29.92 in. Hg).

5.7.2 SI

In SI units, pressure is measured in pascals (Pa). A **pascal (Pa)** is the amount of force of one newton pushing on one square meter of area. Since a pascal is a small unit, the HVACR field normally uses the **kilopascal (kPa)** as a unit of pressure. The kilopascal is equal to 1000 pascals.

The term **bar** was also used and still may be referenced in some aspects of the mechanical trades. Although this measurement is not an SI standard, in modern usage it is equivalent to 100 kPa. Originally, bar was meant to express the pressure of the atmosphere at sea level and was equivalent to 1 **atmosphere (atm)**. A **millibar (mbar)** is 1/1000 of a bar.

Vacuum measurement in the SI system uses the **micron (μm)**, which is 1/1000 of a millimeter or 1/1,000,000 of a meter. In countries other than the United States, the micron is referred to as the **micrometer**. The term **torr** is also used, which represents 1000 microns. A digital vacuum gauge reads in microns and has a range of 760,000 μm (atmospheric pressure) to 0 μm (perfect vacuum).

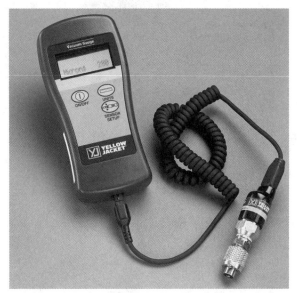

Ritchie Engineering Co., Inc. – YELLOW JACKET Products Division

Some pressure gauges show both the US Customary and SI scales, such as having psi on the outermost scale and kPa on the inner side of that scale. However, refrigerant gauges more commonly show only one type of pressure unit along the outer scale, and the numbers on the inner scales correspond to the saturated temperatures of different refrigerants for that particular pressure reading.

Mastercool Inc.

5.8 Velocity Measurement

Air velocity, or speed, is a measurement of the distance the air moves in a specific length of time. Air volume is the amount of air being moved. In the HVACR field, air velocity and air volume are widely used, as air is one of the primary mediums of heat transfer.

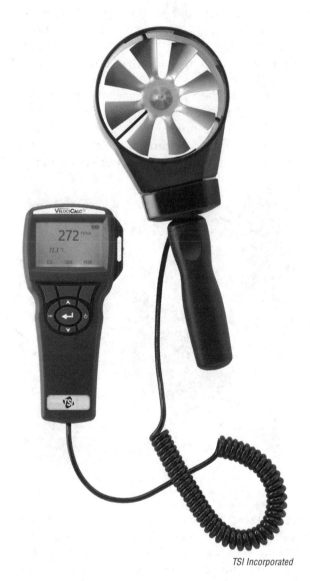

TSI Incorporated

5.8.1 US Customary

In the US Customary system, air velocity is measured in **feet per minute (fpm)**, and air volume is measured in **cubic feet per minute (cfm)**.

5.8.2 SI

The SI unit used for air velocity is **meter per minute (m/min)**, and for air volume **cubic meter per minute (m³/min)**.

5.9 Measurement Conversions

In the performance of HVACR services, it may be necessary to convert from US Customary measurement units to SI measurement units and vice versa. Many conversion factor lists are available in print format in pocket manuals and troubleshooting guides. Conversion apps are also available for electronic devices.

5.9.1 Linear Measurement Conversions

Linear Measurement Conversion

US Customary — To convert from:	Multiply by:	SI — To get:
inches	25.4	millimeters
inches	2.54	centimeters
inches	0.0254	meters
feet	304.8	millimeters
feet	30.48	centimeters
feet	0.3048	meters
feet	0.0003048	kilometers
SI — To convert from:	**Multiply by:**	**US Customary** — To get:
millimeters	0.03937	inches
centimeters	0.3937	inches
meters	39.37	inches
millimeters	0.003281	feet
centimeters	0.03281	feet
meters	3.281	feet
kilometers	3281	feet

Goodheart-Willcox Publisher

Use of the chart shown allows for the conversion of varying units of measurement. For example, if 8″ (inches) needs to be converted to millimeters (mm), the chart shows to multiply the 8″ by 25.4 to determine the millimeter equivalent.

$$8'' \times 25.40 = 203.20 \text{ mm}$$

Thus 8″ equals 203.2 mm. To convert millimeters to inches, the chart shows a multiplier of 0.03937.

$$203.20 \text{ mm} \times 0.03937 = 7.9999840''$$

Thus, 203.2 mm equals 7.9999″, which can be rounded off to 8″.

5.9.2 Capacity Measurement Conversions

Capacity Measurement Conversion

US Customary	Multiply by:	SI
To convert from:		To get:
fluid ounces	29.573	milliliters
fluid ounces	0.02957	liters
pints	0.4732	liters
quarts	0.9463	liters
gallons	3.785	liters
SI	Multiply by:	US Customary
To convert from:		To get:
liters	33.814	fluid ounces
liters	2.113	pints
liters	1.057	quarts
liters	0.2642	gallons

Goodheart-Willcox Publisher

For the conversion of gallons to liters, the chart shows a multiplier of 3.785. Therefore, to convert 3 gal to liters, the calculation would be as shown here:

$$3 \text{ gal} \times 3.785 = 11.355 \text{ l}$$

Thus 3 gallons equals 11.355 liters. To convert liters to gallons, use the multiplier 0.2642.

$$11.355 \text{ l} \times 0.2642 = 2.99999 \text{ gal}$$

Thus, 11.355 l equals 2.9999 gal, which can be rounded up to 3 gal.

5.9.3 Weight Measurement Conversions

Weight Measurement Conversion

US Customary	Multiply by:	SI
To convert from:		To get:
ounces	28.349	grams
ounces	0.028349	kilograms
pounds	453.59	grams
pounds	0.4536	kilograms
SI	Multiply by:	US Customary
To convert from:		To get:
grams	0.03527	ounces
grams	0.002205	pounds
kilograms	35.274	ounces
kilograms	2.2046	pounds

Goodheart-Willcox Publisher

For a conversion of ounces to grams, the conversion chart multiplier is 28.349. To convert 12 ounces to grams, the calculation would be as shown here:

$$12 \text{ oz} \times 28.349 = 340.188 \text{ g}$$

Thus, 12 ounces equals 340.188 grams. To convert grams to ounces, use the multiplier 0.03527.

$$340.188 \text{ grams} \times .03527 = 11.998 \text{ oz}$$

Thus, 340.188 g equals 11.998 oz, which can be rounded up to 12 oz.

5.9.4 Temperature Measurement Conversions

While temperatures in the United States are most often measured and recorded in Fahrenheit, Celsius temperatures are used by HVACR technicians in many instances, especially when working on food production, research, or medical equipment.

To convert from Fahrenheit to Celsius, use the following formula. Remember to perform operations within the parentheses first.

$$(°F - 32) \times \frac{5}{9} = °C$$

For example, a temperature of 70°F can be converted to Celsius:

$$70° - 32 = 38°F$$

$$38°F \times \frac{5}{9} = \frac{190}{9}$$

$$190 \div 9 = 21.1$$

Seeing that the remainder of 1 would continue on endlessly in this division equation, the calculation can stop at one decimal place. Thus, 70°F equals 21.1°C.

To convert from Celsius to Fahrenheit, the formula is as shown:

$$(°C \times \frac{9}{5}) + 32 = °F$$

A temperature of 21.1°C would convert to Fahrenheit as:

$$21.1°C \times \frac{9}{5} = 37.98°C$$

$$21.1°C \times 1.8 = 37.98°C$$

$$37.98°C + 32 = 69.98°F$$

Thus, 21.1°C equals 69.98°F, which can be rounded up to 70°F.

The scientific scales of Kelvin and Rankine are seldom used in the trades, but they are commonly used in laboratory settings and may be encountered in ultra-low temperature applications. To convert from Fahrenheit to Rankine, add 460° to the Fahrenheit value. To convert from Celsius to Kelvin, add 273° to the Celsius value.

5.9.5 Heat Measurement Conversions

Heating and cooling systems in the United States may be rated in Btu per hour, therms, tons, horsepower, pounds per hour, calories, joules, or kilojoules. It is often necessary to convert from one unit to another.

Conversions may be within the same measurement system, such as converting Btu/hr to horsepower, which are both units in the US Customary system. However, it may be necessary to convert from US Customary units to the SI system of units as well.

Conversion Factors for Heat Measurement of the US Customary System

Multiply:	by	To obtain:
boiler hp	34.5	pounds of steam/hour
boiler hp	33,475	Btu/hour output
boiler hp	33.5	Mbh (1,000 Btu/hr output)
pounds of steam (@ 212°F)	970	Btu/hr
therm	100,000	Btu/hr
tons of refrigeration	12,000	Btu/hr
Divide:	**by**	**To obtain:**
pounds of steam/hour	34.5	boiler hp
Btu/hour output	33,475	boiler hp
Mbh (1,000 Btu/hr output)	33.5	boiler hp
Btu/hr	970	pounds of steam (@ 212°F)
Btu/hr	100,000	therm
Btu/hr	12,000	tons of refrigeration

Goodheart-Willcox Publisher

As an example of the need for calculating conversions, consider a boiler that is rated at a capacity of 300 horsepower (hp). All boilers require a safety valve, and the ASME Boiler and Pressure Vessel Code requires the capacity of the safety valve to equal or exceed the capacity of the boiler. Though boilers may be rated in hp, valves are not. Safety valves are rated in pounds of steam per hour for large valves and Btu/hr for smaller valves.

To determine the capacity of a valve (in pounds of steam per hour) required for a 300 hp boiler, use a multiplier of 34.5 as shown on the chart. This will convert hp into pounds of steam per hour.

$$300 \text{ hp} \times 34.5 = 10,350 \text{ pounds of steam per hour}$$

Conversion Factors for Heat Measurement of the SI System

Multiply:	by	To obtain:
calories	4.184	joules
calories	0.004184	kilojoules
joules	0.23901	calories
joules	0.001	kilojoules
kilojoules	1,000	joules
kilojoules	239.00574	calories

Goodheart-Willcox Publisher

The SI system also has various units of heat that may need to be converted. To convert from calories to kilojoules, the chart shows a multiplier of 0.004184. To convert from 12,000,000 calories to kilojoules, the calculation would be as shown.

$$12,000,000 \text{ cal} \times 0.004184 = 50,208 \text{ kJ}$$

Thus, 12,000,000 cal equals 50,208 kJ. To convert kilojoules to calories, the chart shows a multiplier of 239.00574.

$$50,208 \text{ kJ} \times 239.00574 = 12,000,000 \text{ cal}$$

Thus, 50,208 kJ equals 12,000,000 calories.

Heat Measurement Conversion

US Customary To convert from:	Multiply by:	SI To get:
Btu	252.16	calories
Btu	1,055.06	joules
Btu	1.05506	kilojoules
SI To convert from:	Multiply by:	US Customary To get:
calories	0.0039685	Btu
joules	0.0009486	Btu
kilojoules	0.94782	Btu

Goodheart-Willcox Publisher

To convert from kilojoules to Btu, the conversion chart shows a multiplier of 0.94782. To convert 50,208 kJ to Btu, the calculation would be as shown.

$$50,208 \text{ kJ} \times 0.94782 = 47,588.146 \text{ Btu}$$

Thus, 50,208 kJ equals 47,588.146 Btu, which could be rounded off to 47,588 Btu. To convert Btu to kJ, the chart shows a multiplier of 1.05506. Thus, to convert 47,588 Btu to kilojoules, the calculation would be as shown.

$$47,588 \text{ Btu} \times 1.05506 = 50,208.19 \text{ kJ}$$

Thus, 47,588 Btu equals 50,208.19 kJ, which can be rounded off to 50,208 kJ.

5.9.6 Pressure Measurement Conversions

Conversion Factors for Pressure Measurements of the US Customary System

Multiply:	by	To obtain:
pounds per square inch (psi)	2.036	inches of mercury (in. Hg)
inches of mercury (in. Hg)	0.4912	pounds per square inch (psi)
atmosphere (atm)	14.7	pounds per square inch (psi)
atmosphere (atm)	29.92	inches of mercury (in. Hg)
inches of mercury (in. Hg)	0.00342	atmosphere (atm)

Goodheart-Willcox Publisher

To convert from pounds per square inch (psi) to inches of mercury (in. Hg), the conversion chart shows a multiplier of 2.036. Thus, to convert 40 psi to in. Hg, the calculation would be as shown.

$$40 \text{ psi} \times 2.036 = 81.44 \text{ in. Hg}$$

Thus, 40 psi equals 81.44 in. Hg. To convert from in. Hg to psi, the multiplier shown is 0.4912.

$$81.44 \text{ in. Hg} \times 0.4912 = 40.003328 \text{ psi}$$

Thus, 81.44 in. Hg equals 40.003328 psi, which can be rounded to 40 psi.

Conversion Factors for Pressure Measurements of the SI System

Multiply:	by	To obtain:
bar	100,000	pascal (Pa)
bar	100	kilopascal (kPa)
bar	1,000	millibar (mb)
bar	1.02	kilogram/centimeter² (kg/cm²)
kilopascal (kPa)	0.01	bar
kilopascal (kPa)	10	millibar (mb)
kilopascal (kPa)	1,000	pascal (Pa)
kilogram/centimeter² (kg/cm²)	980.7	millibar (mb)
kilogram/centimeter² (kg/cm²)	0.9807	bar
kilogram/centimeter² (kg/cm²)	98.07	kilopascal (kPa)
kilogram/centimeter² (kg/cm²)	735.6	millimeter of mercury (torr)
millibar (mb)	0.001	bar
millibar (mb)	0.1	kilopascal (kPa)
millibar (mb)	100	pascal (Pa)
millibar (mb)	0.00102	kilogram/centimeter² (kg/cm²)
millibar (mb)	0.7501	millimeter of mercury (torr)
millimeter of mercury (torr)	1.333	millibar (mb)
millimeter of mercury (torr)	133.3	pascal (Pa)
millimeter of mercury (torr)	0.1333	kilopascal (kPa)
millimeter of mercury (torr)	0.00136	kilogram/centimeter² (kg/cm²)
pascal (Pa)	1	newton/square meter (N/m²)
pascal (Pa)	0.001	kilopascal (kPa)
pascal (Pa)	0.0000102	kilogram/centimeter² (kg/cm²)
pascal (Pa)	0.00001	bar
pascal (Pa)	0.01	millibar (mb)
pascal (Pa)	0.007501	millimeter of mercury (torr)

Goodheart-Willcox Publisher

To convert millibar (mb) to kilogram/centimeter squared (kg/cm²), the conversion chart shows a multiplier of 0.00102. To convert 75 mb to kg/cm², the calculation would be as shown.

$$75 \text{ mb} \times 0.00102 = 0.07650 \text{ kg/cm}^2$$

Thus, 75 mb equals 0.0765 kg/cm². To convert kg/cm² to mb, the chart shows a multiplier of 980.7.

$$0.0765 \text{ kg/cm}^2 \times 980.7 = 75.02355 \text{ mb}$$

Thus, 0.0765 kg/cm² equals 75.02355 mb, which can be rounded off to 75 mb.

Pressure Measurement Conversion

US Customary	Multiply by:	SI
To convert from:		*To get:*
pounds per square inch (psi)	6895	pascal (Pa)
pounds per square inch (psi)	6.895	kilopascal (kPa)
pounds per square inch (psi)	0.07031	kilogram/centimeter² (kg/cm²)
pounds per square inch (psi)	0.06895	bar
pounds per square inch (psi)	51.71	millimeters of mercury (torr)
pounds per square inch (psi)	6895	newton/square meter (N/m²)
SI	Multiply by:	US Customary
To convert from:		*To get:*
bar	14.5	pounds per square inch (psi)
bar	29.53	inches of mercury (in. Hg)
pascal (Pa)	0.000145	pounds per square inch (psi)
kilopascal (kPa)	0.145	pounds per square inch (psi)
kilogram/centimeter² (kg/cm²)	14.22	pounds per square inch (psi)
millimeters of mercury (torr)	0.01934	pounds per square inch (psi)

Goodheart-Willcox Publisher

To convert psi to kg/cm², the conversion chart shows a multiplier of 0.07031. A conversion of 85 psi to kg/cm² would be arranged as shown here.

$$85 \text{ psi} \times 0.07031 = 5.97635 \text{ kg/cm}^2$$

Thus, 85 psi equals 5.97635 kg/cm², which could be rounded off to 5.98 kg/cm² or 6 kg/cm². To convert 5.98 kg/cm² to psi, use the multiplier 14.22.

$$5.98 \text{ kg/cm}^2 \times 14.22 = 85.0356 \text{ psi}$$

Thus, 5.98 kg/cm² equals 85.0356 psi, which can be rounded off to 85 psi.

5.9.7 Velocity Measurement Conversions

Velocity Measurement Conversion

US Customary	Multiply	SI
To convert from:	by:	To get:
feet per minute (fpm)	0.3048	meters per minute (m/min)
cubic feet per minute (cfm)	0.02832	cubic meters/minute (m³/min)
SI	Multiply	US Customary
To convert from:	by:	To get:
meters per minute (m/min)	3.281	feet per minute (fpm)
cubic meters/minute (m³/min)	35.31	cubic feet per minute (cfm)

Goodheart-Willcox Publisher

To convert cubic feet per minute (cfm) into cubic meters per minute (m^3/min), the conversion chart shows a multiplier of 0.02832. For a conversion of 500 cfm to m^3/min, the calculation would be as shown.

$$500 \text{ cfm} \times 0.02832 = 14.1600 \text{ m}^3/\text{min}$$

Thus, 500 cfm equals 14.16 m^3/min. To convert m^3/min to cfm, use the multiplier 35.31.

$$14.16 \text{ m}^3/\text{min} \times 35.31 = 499.9896 \text{ cfm}$$

Thus, 14.16 m^3/min equals 499.9896 cfm, which can be rounded to 500 cfm.

Name _____ **Date** _____ **Class** _____

Linear Measurement Exercises

For these exercises, use the following tools: tape measure (12' – 25') and a ruler.

To master HVACR work, you must be able to accurately use measuring tools, such as rulers and tape measures. The following exercises allow you to practice making field measurements and work from design drawings.

Exercise 5-1

1. Measure the length of the desk at which you work. Write your answer in inches and fractions of an inch.

   _____ inches

2. Convert the answer from number one to feet, inches, and fractions of an inch.

   _____ feet

   _____ inches

3. Measure the height of the desk from the floor to the desktop. Write your answer in feet, inches, and fractions of an inch.

   _____ feet

   _____ inches

4. Measure the length of the classroom, rounding off your answer to the nearest inch. Write your answer in feet and inches.

   _____ feet

   _____ inches

5. Measure the width of the classroom, rounding off your answer to the nearest inch. Write your answer in feet and inches.

   _____ feet

   _____ inches

6. Using your own height as a reference point, estimate the height of the ceiling in your classroom. Choose the answer below that most closely matches your estimate.

   _____ 7 feet   _____ 7 1/2 feet   _____ 8 feet   _____ 8 1/2 feet

   _____ 9 feet   _____ 9 1/2 feet   _____ 10 feet   _____ More than 10 feet

7. Using your tape measure (and a second person to help, if necessary), measure the height of the ceiling in your classroom. If a ladder is needed to reach the ceiling, be sure to follow all proper safety procedures. Write your measured answer in feet and fractions of a foot.

   _____ feet

8. Compare your measured answer to your estimated answer. Were you within 1/2 foot of the actual height of the room with your estimate?

   _____

Exercise 5-2

This exercise requires the use of a ruler with 1/16 inch increments.

Using the drawings for the Offices of Nicholas Brent, MD, answer the following questions by measuring the piping and converting the measurement to actual size. Follow the scale shown on the drawing for the conversion. Round all scaled lengths to the closest inch. Measure the piping lengths based on the following guidelines:

- Measure to the center of vertical pipe risers.
- Measure to the point where the pipe connects to a piece of equipment (that is, boiler, unit heater, or fin-tube radiation unit).
- Ignore ball valves and flow arrows when measuring piping lengths.
- As noted on the drawing, vertical pipe risers are 12" long.

1. How much copper piping will be required for heating system Zone 1?

   _____ feet

   _____ inches

2. How much copper piping will be required for heating system Zone 2?

   _____ feet

   _____ inches

3. How much copper piping will be required for heating system Zone 3?

   _____ feet

   _____ inches

4. How much copper piping will be required for heating system Zone 4?

   _____ feet

   _____ inches

5. Adding together all four zones, how many total feet of pipe will be required for this installation? Round your answer to the next highest foot.

   _____ feet

6. The pipe for the heating system can only be purchased in 20' lengths. How many lengths of pipe will be required for this job?

   _____

Name _____ **Date** _____ **Class** _____

Offices of Nicholas Brent, M.D.
7119 Orchard St., Ovid, NY 14521
Heating Plan   Scale 1" = 10'
Ground Floor – Drawing 1A
Drawn by: G.B. Xavier

LEGEND
Fin tube radiation
Vertical pipe riser
Ball valve

NOTES
1.) All hot water heating supply and return piping to be 3/4" Type K rigid copper with soldered fittings unless otherwise noted.
2.) Vertical distance between ground floor piping and first floor piping is 12 inches.
3.) Fin tube radiation units to be 3/4" copper.
4.) Unit heaters #1 and #2 to be 35,000 Btu/hr output each.

(Continued)

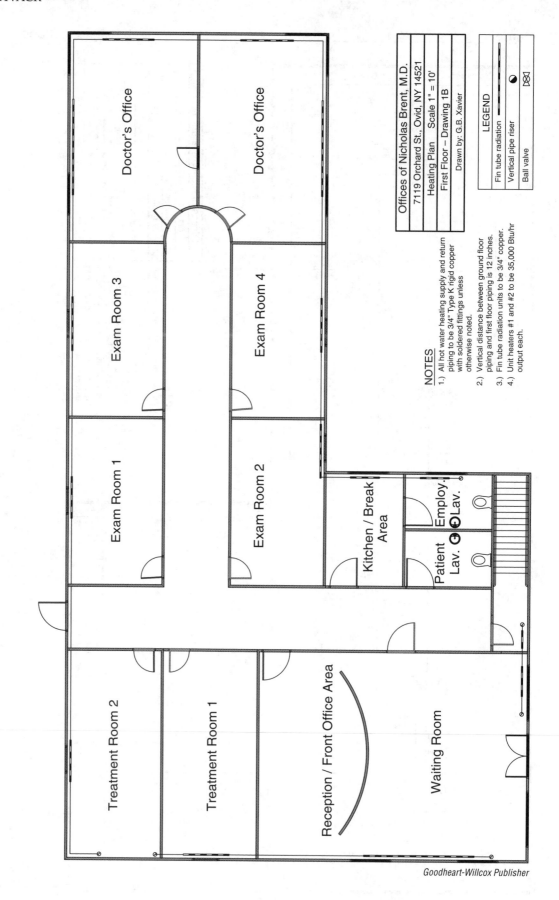

Doctor's Office

Doctor's Office

Exam Room 3

Exam Room 4

Exam Room 1

Exam Room 2

Kitchen / Break Area

Employ. Lav.

Patient Lav.

Treatment Room 2

Treatment Room 1

Reception / Front Office Area

Waiting Room

Offices of Nicholas Brent, M.D.
7119 Orchard St., Ovid, NY 14521
Heating Plan   Scale 1" = 10'
First Floor — Drawing 1B
Drawn by: G.B. Xavier

LEGEND
Fin tube radiation
Vertical pipe riser
Ball valve

NOTES

1.) All hot water heating supply and return piping to be 3/4" Type K rigid copper with soldered fittings unless otherwise noted.

2.) Vertical distance between ground floor piping and first floor piping is 12 inches.

3.) Fin tube radiation units to be 3/4" copper.

4.) Unit heaters #1 and #2 to be 35,000 Btu/hr output each.

Goodheart-Willcox Publisher

Name _____   **Date** _____   **Class** _____

Capacity Measurement Exercises

When a hydronic heating system is filled with water, a water meter may be used to record the amount of water the system contains. This information is valuable to the technician when water treatment chemicals are added to the system. If no water meter is installed on the make-up line that fills the system, the water capacity can be calculated by the use of capacity charts. Use the chart shown here to answer the following questions.

Copper Pipe Capacity

Nominal Pipe Size (in)	Water Content (gallons per foot)		
	Type K	Type L	Type M
1/8	0.0014	0.0016	0.0016
1/4	0.0039	0.004	0.0043
3/8	0.0066	0.0075	0.0083
1/2	0.0113	0.0121	0.0132
5/8	0.0173	0.0181	0.0194
3/4	0.0226	0.0251	0.0268
1	0.0404	0.0429	0.0454

Goodheart-Willcox Publisher

Use the system drawings of the Offices of Nicholas Brent, MD and the answers to the questions in the earlier Linear Measurement Exercises to answer the questions below. Round all answers to the next highest gallon. Additional notes:

- Fin-tube radiation units have 3/4″ Type L tubing running the length of the unit.
- Unit heaters have a water capacity of 0.5 gal.

Exercise 5-3

1. How much water will Zone 1 hold?

   _____ gallons

(Continued)

2. How much water will Zone 2 hold?

_____ gallons

3. How much water will Zone 3 hold?

_____ gallons

4. How much water will Zone 4 hold?

_____ gallons

5. If the boiler installed in this building holds 17 gallons of water, what is the total system capacity, to the nearest gallon?

_____ gallons

Name _____ **Date** _____ **Class** _____

Exercise 5-4

In some areas of the country, it is common to fill hydronic systems with a mixture of ethylene or propylene glycol to prevent the pipes from freezing when exposed to cold temperatures. Use the Hydronic System Mixtures chart to answer the following questions.

Hydronic System Mixtures

Temperature	Ethylene Glycol (%)		Propylene Glycol (%)	
	Freeze	**Burst**	**Freeze**	**Burst**
20°F (–6.6°C)	17	12	18	12
10°F (–12.2°C)	26	18	29	20
0°F (–17.8°C)	35	23	36	24
–10°F (–23.3°C)	41	27	42	28
–20°F (–28.9°C)	46	31	46	30
–30°F (–34.4°C)	50	31	50	33
–40°F (–40°C)	55	31	54	35
–50°F (–45.5°C)	59	31	57	35
–60°F (–51°C)	63	31	60	35

Goodheart-Willcox Publisher

1. If the building owner wants the system protected to a *freeze point* (the temperature at which ice crystals begin to form) of 0°F, how much ethylene glycol would be required to mix with the water? Round your answer to the next highest gallon.

   _____ gallons

2. If propylene glycol was used to a freeze point of –30°F, how much glycol would be mixed with the water? Round your answer to the next highest gallon.

   _____ gallons

3. If propylene glycol was used to a *burst point* (the temperature at which the fluid solidifies enough to cause piping damage) of –40°F, how much glycol would be necessary? Round your answer to the next highest gallon.

   _____ gallons

Weight Measurement Exercises

The following exercise requires an electronic scale and a refrigerant cylinder.

Refrigerant service cylinders are often designed to hold 30 pounds of refrigerant, but by AHRI and DOT Standards, they cannot be filled completely. Following the guidelines shown, calculate the allowable amount of refrigerant that can be held by a recovery cylinder for R-22.

- WC = 30 pounds
- SG of R-22 = 1.197 (at 77°F)
- TW = 17.1 pounds

Exercise 5-5

1. How much R-22 can be held in this cylinder?

   _____ lb

2. If the maximum amount of R-22 is put into the cylinder, what will the total weight of the cylinder be?

   _____ lb

3. Using an electronic scale like the one shown earlier, weigh a refrigerant cylinder. Compare the weight measured with the tare weight (the empty weight) printed on the cylinder. How much refrigerant is in your cylinder?

   _____

4. Calculate how full the cylinder is.

   _____%

5. EPA regulations state that refrigeration systems containing more than 50 pounds of refrigerant must be repaired if the leak ratio exceeds 35% per year, calculated on an annualized basis. A system that holds 750 lb of R-22 has been leaking over the past year. Every four weeks it needs to be refilled to capacity. Today, a technician added another 24 lb of refrigerant to the system. Calculate how much refrigerant this system leaks each year.

   _____ pounds

6. Based on the rule stated above, does the system's leak ratio (loss of refrigerant) exceed 35% per year, thus requiring repair?

   _____

Name _____   **Date** _____   **Class** _____

Temperature Measurement Exercises

For the following exercises, a glass-bulb sling psychrometer and a digital thermometer will be required.

Exercise 5-6

1. Using a sling psychrometer (wet-bulb/dry-bulb thermometer), measure and record the wb and db temperatures of the room air.

   Dry bulb: _____

   Wet bulb: _____

2. Calculate the wet bulb depression of the air measured.

   _____

3. Using a digital thermometer, take a reading of the air temperature of the room. Record this dry-bulb reading.

   _____

4. Does the dry-bulb reading from the psychrometer match the dry-bulb reading from the digital thermometer?

   _____

5. Discuss your compared measurements with your instructor and classmates. Record any interesting facts or observations of HVAC principles in action.

   _____

   _____

   _____

Heat Measurement Exercises

Use the data in the table here and also the drawings of the Offices of Nicholas Brent, MD from earlier exercises to answer the following questions:

Baseboard Fin-Tube Radiation

Pipe	Flow	140°	150°	160°°	170°	180°	190°	200°	210°	220°
1/2"	4 GPM	330	390	450	520	590	670	740	820	900
	1 GPM	310	370	430	490	560	630	700	780	850
3/4"	4 GPM	320	380	440	510	570	630	710	770	840
	1 GPM	300	360	420	480	540	600	670	730	790

Goodheart-Willcox Publisher

Exercise 5-7

1. According to the data provided, what is the size of the piping on the baseboard radiation units on the first floor of the building?

   _____

2. Using the Baseboard Fin-Tube Radiation table shown, what is the output in Btu/hour per foot of radiation if the boiler water temperature is 180°F and the flow rate is 4 gallons per minute (gpm)?

   _____ Btu/hr/linear foot

3. How many linear feet of baseboard radiation are shown on the drawing for the first floor of the doctor's office building? Round your answer to the nearest foot.

   _____ feet

4. What does the engineer specify for the Btu/hr rating of the unit heaters shown on the ground floor of the building?

   _____ Btu/hr

5. Based on the answers above, what is the sum of the Btu/hr of heating that will be provided for the building?

   _____ Btu/hr (first floor)

   + _____ Btu/hr (ground floor)

   _____ Btu/hr (total)

Name _____   **Date** _____   **Class** _____

Pressure Measurement Exercises

For this exercise, an analog or digital pressure gauge and a refrigerant cylinder or refrigeration system will be required. A gauge manifold may be used.

Attach the pressure gauge to the refrigerant cylinder or the system, following all safety procedures and EPA regulations. If you are not sure how to do this, be sure to ask your instructor to show you the proper attachment procedure.

Exercise 5-8

1. What is the pressure reading shown on the gauge?

   _____

2. What is the unit of measurement? (psi, kg/cm², kPa, etc.)

   _____

3. What type of refrigerant is in the cylinder or system?

   _____

4. What is the corresponding saturation temperature for the refrigerant at that pressure? If the gauge does not have the corresponding temperature scale, consult the pressure-temperature (P/T) chart at the end of this exercise or a chart from a manufacturer or supply house to find the proper value.

   _____

5. Select three other refrigerants listed on an available pressure-temperature (P/T) chart. If the cylinder or system was filled with one of these refrigerants and read the same pressure measured, what would the saturation temperature be? Record the values for each of the other three refrigerants selected.

   R-_____   _____

   R-_____   _____

   R-_____   _____

(Continued)

Refrigerant Pressure-Temperature Chart

Temp (°F)	Vapor Pressure PSIG									
	22	134a	401A Liquid	401A Vapor	R-123	R-507	404A Liquid	407C Liquid	407C Vapor	410A Liquid
−50	**6.1**	**18.7**	**13.5**	**17.9**				**2.7**	**11.0**	5.0
−45	**2.7**	**16.9**	**11.1**	**16.0**				0.6	**8.0**	7.7
−40	0.6	**14.8**	**8.4**	**13.8**		5.5	4.3	2.7	**4.6**	10.8
−35	2.6	**12.5**	**5.3**	**11.4**		8.2	6.8	5.1	**0.6**	14.1
−30	4.9	**9.8**	**2.0**	**8.7**		11.1	9.5	7.7	1.6	17.8
−25	7.4	**6.9**	0.8	**5.6**		14.3	12.5	10.6	3.9	21.9
−20	10.2	**3.7**	2.9	**2.2**	**27.8**	17.8	15.7	13.7	6.5	26.3
−15	13.2	0.6	5.1	0.7	**27.4**	21.7	19.3	17.2	9.3	31.2
−10	16.5	1.9	7.5	2.8	**26.9**	25.8	23.2	20.9	12.3	36.5
−5	20.1	4.1	10.1	5.0	**26.4**	30.3	27.5	25.0	15.7	42.2
0	24.0	6.5	13.0	7.4	**25.9**	35.2	32.1	29.5	19.4	48.4
5	28.3	9.1	16.1	10.1	**25.2**	40.5	37.0	34.3	23.5	55.2
10	32.8	11.9	19.5	13.0	**24.5**	46.1	42.4	39.5	27.9	62.4
15	37.8	15.0	23.1	16.2	**23.8**	52.2	48.2	45.2	32.7	70.3
20	43.1	18.4	27.1	19.6	**22.8**	58.8	54.5	51.2	37.9	78.7
25	48.8	22.1	31.4	23.4	**21.8**	65.8	61.2	57.7	43.5	87.7
30	55.0	26.1	36.0	27.4	**20.7**	73.3	68.4	64.7	49.6	97.4
35	61.5	30.4	40.9	31.8	**19.5**	81.3	76.1	72.2	56.1	107.7
40	68.6	35.0	46.2	36.5	**18.1**	89.8	84.4	80.2	63.2	118.8
45	76.1	40.1	51.8	41.6	**16.6**	98.9	93.2	88.8	70.7	130.6
50	84.1	45.4	57.9	47.0	**14.9**	109	103	97.9	78.8	143.2
55	92.6	51.2	64.3	52.8	**13.0**	119	113	107.6	87.5	156.5
60	101.6	57.4	71.2	59.0	**11.2**	130	123	118.0	96.8	170.7
65	111.3	64.0	78.5	65.7	**8.9**	141	135	128.9	106.7	185.8
70	121.4	71.1	86.3	72.8	**6.5**	154	147	140.5	117.3	201.8
75	132.2	78.7	94.5	80.3	**4.1**	167	159	152.8	128.6	218.7
80	143.6	86.7	103.2	88.4	**1.2**	180	173	165.8	140.5	236.5
85	155.7	95.2	112.4	96.9	0.9	195	187	179.6	153.2	255.4
90	168.4	104.3	122.2	106.0	2.5	210	202	194.1	166.7	275.4
95	181.8	114.0	132.5	115.6	4.3	226	218	209.4	181.0	296.4
100	195.9	124.2	143.3	125.8	6.1	244	234	225.5	196.1	318.6
105	210.8	135.0	154.8	136.5	8.1	262	252	242.4	212.1	341.9
110	226.4	146.4	166.8	147.8	10.3	281	270	260.3	229.0	366.4
115	242.8	158.4	179.4	159.8	12.6	301	289	279.0	246.9	392.3
120	260.0	171.2	192.7	172.4	15.1	322	310	298.6	265.8	419.4
125	278.0	184.6	206.6	185.7	17.8	344	331	319.2	285.7	447.9
130	296.9	198.7	221.2	199.7	20.6	368	353	340.7	306.7	477.9
135	316.7	213.6	236.5	214.5	23.6	393	377	363.3	328.8	509.4
140	337.4	229.2	252.5	229.9	26.8	419	401	387.0	352.1	542.5
145	359.0	245.7	269.3	246.2	30.2	446	426	411.7	376.6	577.3
150	381.7	262.9	286.8	263.2	33.9	475	453	437.5	402.5	613.9

Bold values are in in. Hg

Goodheart-Willcox Publisher

Name _____   **Date** _____   **Class** _____

Velocity Measurement Exercises

Airflow and velocity may be measured with a variety of instruments. These include anemometers, airflow meters, velometers, and velocimeters. This exercise will require a fan (or air handler access) and an instrument for measuring airflow.

Exercise 5-9

1. Measure the airflow near the fan. What is the velocity?

   _____

2. Is the reading in feet per second, feet per minute, or cubic feet per minute?

   _____

3. Move the test instrument farther from the fan and take the measurement again. Did the velocity increase or decrease?

   _____

Conversion Exercises
Exercise 5-10

Refer to the various conversion charts in this chapter to fill in the blanks of this conversion exercise. In the first blank of each question, write the multiplier. In the second blank, write the product of the original value times the multiplier.

1. 27 feet   _____ = _____ meters

2. 1410 centimeters   _____ = _____ inches

3. 110 meters   _____ = _____ feet

4. 47 fluid ounces   _____ = _____ milliliters

5. 11.5 pints   _____ = _____ liters

6. 83.1 liters   _____ = _____ gallons

7. 473 ounces   _____ = _____ kilograms

8. 12 pounds   _____ = _____ grams

9. 124.3 kilograms   _____ = _____ pounds

10. 64°F   _____ = _____ °C

11. 92.4°F   _____ = _____ °C

12. –40°C   _____ = _____ °F

13. 950 boiler hp   _____ = _____ pounds of steam/hr

14. 24,000 pounds of steam/hr   _____ = _____ Btu/hr

15. 1,200,000 joules   _____ = _____ kilojoules

16. 15.9 kilojoules   _____ = _____ calories

17. 345 Btu   _____ = _____ calories

18. 157,000 kilojoules   _____ = _____ Btu

19. –16.5 psi   _____ = _____ in. Hg

20. 147 kilopascal   _____ = _____ millibar

21. 1,250 pascal   _____ = _____ kilogram/cm^2

22. 14.29 kg/cm^2 _____ = _____ psi

23. 462 psi   _____ = _____ bar

24. 724 feet per minute   _____ = _____ meters per minute

25. 235 cubic meters per minute   _____ = _____ cubic feet per minute

CHAPTER 6

Algebraic Functions

Objectives

Information in this chapter will enable you to:

- Explain the various algebraic terms in the different formulas used in HVACR work.
- Calculate equations while correctly applying the following algebraic properties: associative, distributive, and communicative.
- Determine the mean, median, and mode values of a set of numbers.
- Calculate complex equations in the proper order of operation, following the PEMDAS acronym.
- Solve for unknown values by reorganizing equations to isolate the unknown.
- Ensure sufficient system airflow by calculating the cfm of a replacement centrifugal fan.
- Calculate centrifugal fan pressure (head) for a replacement centrifugal fan.
- Solve equations using the many common formulas found in HVACR work, such as specific volume, specific density, sensible heat, total heat, standard air total heat, coil bypass factor, mixed air temperature, outside air percentage, pounds of air, capacity, tons of refrigeration, coefficient of performance (COP), energy efficiency ratio (EER), and compression ratio.

Technical Terms

affinity laws	distributive property	parentheses ()
algebra	enthalpy	specific density
associative property	equation	specific volume
bypass air	formula	standard air
bypass factor	mean	state-change
commutative property	median	unknown
condensate return	mode	variable

6.1 Introduction to Algebra

Algebra is a mathematical language used to calculate numerical values in situations where arithmetic alone will not suffice. The use of algebra includes working with unknown values, equations, and formulas. A basic understanding of algebra is necessary in the mechanical trades. An understanding of the terminology used in algebra is essential in order to learn how to complete any algebraic calculations.

6.1.1 Algebraic Terms

A formula is an expression of a mathematic procedure, establishing a method of completing the calculation. For example, in the determination of the area of a rectangle, the formula is area equals length times width, which can be written as $A = l \times w$. The formula establishes the mathematics required to calculate the answer.

An equation is a comparison between two or more formulas or values. An equation is signified by use of the equals sign (=) between the formulas or values. The equals sign requires that both sides of the equation must be of the same value.

For example, the simple equation $4 = 2 + 2$ shows that both sides of the equals sign are equal, as $2 + 2$ equals 4. Equations are commonly used to solve for unknown quantities, such as $X = 2 + 2$. In this case, of course, X equals 4.

An unknown or a variable is an unknown value or quantity that is designated by a letter in an equation or formula. The letter X is most commonly used, but any letter may be substituted for an unknown. The term *variable* is also used to denote the unknown value.

Parentheses () are used in formulas and equations to set apart a certain set of numbers or to indicate which portion of the calculation shall be performed first. For example, a formula may be written as $3(2 + 4) = X$. The parentheses indicate that the calculation of $2 + 4$ be performed before the multiplication.

The associative property allows numbers to be added and multiplied regardless of how they are grouped in an equation. In the equation $X = 3 + (2 + 4)$, the addition inside the parentheses would normally be performed first, thus:

$$X = 3 + 6 = 9$$

If the parentheses were moved to bracket the 3 and the 2, then:

$$X = (3 + 2) + 4$$

The answer would remain the same:

$$X = 5 + 4 = 9$$

This example illustrates the associative property of addition. Multiplication is also associative. In an equation with all addition or an equation with all multiplication, changing the order of operations will not change the answer.

The distributive property means that multiplication of a sum can be accomplished by multiplying each of the addends and then adding the products together. For example, in the equation $X = 3(2 + 4)$, the addition inside the parentheses would normally be performed first as shown.

$$X = 3(6) = 18$$

But the distributive property allows the multiplication to be performed first, meaning 3 would be multiplied by 2, and 3 would also be multiplied by 4.

$$X = ([3 \times 2] + [3 \times 4])$$

Those two products would then be added together, and the answer would remain the same as if calculated by adding the two values before multiplying.

$$X = (6 + 12) = 18$$

The answer is the same as if calculated the earlier way because multiplication is *distributive*.

The **commutative property** allows for the operations of multiplication and addition to be completed in any order. The sums or products will be the same no matter the order of values being multiplied. For example, take 6 + 4.

$$6 + 4 = 10$$
$$4 + 6 = 10$$

The answers are the same. For multiplication, the same rule applies.

$$6 \times 4 = 24$$
$$4 \times 6 = 24$$

Either way, the product is 24.

6.1.2 Mean, Median, and Mode Values

The terms mean, median, and mode are often used when working with mathematical values related to the HVACR trade, such as temperature, humidity, and airflow. **Mode** is the value in a series of values that is seen most often. **Mean** is the average of the values. Like any average, mean represents the sum of the values divided by the number of the values in the group.

$$\frac{A + B + C}{N} = X$$

where

N = the number of values being added

Median is the midpoint or the middle of the group of values, with half of the values being lower than the median and half of the values being higher than the median. For example, temperature readings of a walk-in cooler were recorded every other hour for a 24-hour period. The list of readings shows a variance in measured temperature.

Cooler #1

Time	Temperature	Time	Temperature
2 a.m.	34°F (1.1°C)	2 p.m.	42°F (5.5°C)
4 a.m.	36°F (2.2°C)	4 p.m.	41°F (5°C)
6 a.m.	36°F (2.2°C)	6 p.m.	37°F (2.7°C)
8 a.m.	40°F (4.4°C)	8 p.m.	36°F (2.2°C)
10 a.m.	41°F (5°C)	10 p.m.	36°F (2.2°C)
12 p.m.	39°F (3.9°C)	12 a.m.	35°F (1.6°C)

Goodheart-Willcox Publisher

6

The mean temperature of the 24-hour period shown would be an average of all of the readings. Thus, the sum of the readings divided by the number of readings.

$$\text{Mean temperature} = \frac{\text{sum of all temperature readings}}{\text{number of readings}}$$

$$\text{Mean temperature} = \frac{453}{12}$$

$$\text{Mean temperature} = 37.75°F$$

The median temperature (the middle of all of the readings) would require the list to be rearranged in numerical order by temperature, rather than time.

Cooler #1

Time	Temperature	Time	Temperature
2 a.m.	34°F (1.1°C)	6 p.m.	37°F (2.7°C)
12 a.m.	35°F (1.6°C)	12 p.m.	39°F (3.9°C)
4 a.m.	36°F (2.2°C)	8 a.m.	40°F (4.4°C)
6 a.m.	36°F (2.2°C)	10 a.m.	41°F (5°C)
8 p.m.	36°F (2.2°C)	4 p.m.	41°F (5°C)
10 p.m.	36°F (2.2°C)	2 p.m.	42°F (5.5°C)

Goodheart-Willcox Publisher

The median of the list is the middle, and because this list has an even number of values, the middle is between two of those values. Six of the values will be lower than the median, and six of the values will be higher than the median. The median, therefore, will be between 36°F (2.2°C) and 37°F (2.7°C). When the number of values is even, the median is the average of the two values closest to the middle. Therefore, the median temperature will be 36.5°F (2.45°C). In situations where there are an odd number of values, the median will simply be the value in the middle of the list. In this list, the mode, the value seen most often, is 36°F.

6.2 Working with Formulas and Equations

In solving equations, the goal is often to simplify the expression on one side of the equals sign in order to find the value of an unknown variable on the other side of the equals sign. This may involve more than one mathematical operation. In order to calculate the correct value, you must complete the operations in the proper order.

6.2.1 Order of Operation

When completing a calculation involving multiple operations, the order of operation is the sequence in which mathematical operations are performed. This is critical to finding the correct answer. While addition and multiplication have properties that allow the numbers to be added or multiplied in any order, subtraction and division do not have those same properties.

The acronym **PEMDAS** can be used to help remember the proper order for completing multiple operations in formulas and equations.

- **P**arentheses—any operations inside parentheses are completed first.
- **E**xponents—any numbers containing exponents are completed second.
- **M**ultiplication/**D**ivision—multiplication and division are completed in left to right order.
- **A**ddition/**S**ubtraction—addition and subtraction are completed in left to right order.

6.2.2 Solving for Unknown Values

Algebraic equations often use multiple variables, but that is seldom encountered in the HVACR field. However, it is often necessary to solve for a single unknown or variable in the trades. In the simplest form, solving for the unknown may require only arithmetic, such as the addition of a column of numbers.

For example, if a plumber needed to know the amount of pipe required for installation of a hot water heating system, a list of the various lengths of pipe required may appear as shown.

A.	Kitchen	20 feet
B.	Living room	35 feet
C.	Bedrooms	42 feet
D.	Den	18 feet
E.	Bathrooms	27 feet
F.	Hall/Foyer	14 feet
G.	Misc.	33 feet
	Total	189 feet

A written formula or equation would not be necessary in this case, as most anyone would know that the sum of all of the lengths of pipe would be the total amount of pipe required. But if an equation for this calculation was written, it would look like this:

$$X = A + B + C + D + E + F + G$$

Solving for the unknown (X) would be accomplished by simply adding all of the lengths of pipe as shown in the equation. However, in other situations, solving for the unknown value may be more complex, requiring the use of an equation to correctly complete the calculation.

For example, when sizing a heating system, a formula for calculating sensible heat is used. *Sensible heat* is heat that causes a temperature change without affecting the moisture content of the air. As the US Customary unit of measurement for heat is the Btu (British thermal unit), the unknown in this formula is the Btu/hr on the left side of the equation. The sensible heat formula is as shown.

$$\text{Sensible heat (Btu/hr)} = \text{specific heat} \times \text{specific density} \times 60 \text{ min/hr} \times q \times \Delta T$$

where

q = cfm (cubic feet per minute of airflow)

ΔT = the change in temperature of the air

specific heat = the amount of heat required to raise the temperature of 1 lb of a substance by 1°F or the temperature of 1 gram of a substance by 1°C (Note that the specific heat values depend on the substance being warmed or cooled. Substances commonly used as a heat medium, such as air and water, have different specific heat values.)

specific density = the mass of air in a unit volume (measured in pounds per cubic foot) [under standard conditions, 1 lb of air occupies 13.33 ft³, and 1 ft³ of air weighs 0.075 lb (1/13.33 ft³)]

Assuming the values to the right of the equals sign are known, the formula could be simplified as shown. In this example, the airflow is 1,000 cfm, and temperature difference is 20°F. Since the substance being warmed or cooled is air at standard air conditions, the specific heat value will be 0.24.

$$\text{Sensible heat} = 0.24 \times 0.075 \times 60 \times 1,000 \times 20$$

Multiplication of the values shown would result in an answer of:

$$\text{Sensible heat} = 21,600 \text{ Btu/hr}$$

In measuring and calculating air conditions (called the study of psychrometrics), several properties of moist air need to be considered: dry-bulb temperature, wet-bulb temperature, dew-point temperature, relative humidity, specific humidity, air volume/density, and enthalpy. While these can be measured and calculated for every application, instead of using actual conditions, engineers and technicians often use the values for standard air. **Standard air** for calculations is considered 70°F at 50% relative humidity and standard atmospheric pressure at sea level (14.696 psi) and has a specific heat of 0.24 and a specific density of 0.075 pounds per cubic foot.

6.2.3 Fan Affinity Laws

Fans and fan performance are an integral part of the HVACR system. Fans need routine maintenance and often need to be replaced. Replacement of a fan or fan motor can result in a drastic change in the system performance unless the technician ensures the replacement maintains the correct airflow.

As first discussed in Chapter 3, *Decimals*, airflow through a duct can be calculated by multiplying air velocity by the area of the duct.

$$\text{Airflow volume (in cfm)} = \text{velocity (fpm)} \times \text{area (ft}^2)$$

The airflow or volume of air produced by a centrifugal fan in an air handler is similarly calculated.

$$q = n \times d$$

where

q = volume (airflow) capacity in cfm (cubic feet per minute) or cubic meters per second

n = wheel velocity in rpm (revolutions per minute)

d = wheel diameter

This equation shows how both wheel velocity and wheel diameter of a centrifugal fan contribute to a system's airflow. The **affinity laws** show the relationship among variables involved in fan or pump operation. These variables include head (pressure), volumetric flow, speed, and power.

The fan affinity laws are used to ensure the new fan or motor provides the same level of system airflow. The *volume (flow) capacity* of a centrifugal fan can be expressed in the formula:

$$\frac{q_1}{q_2} = \left(\frac{n_1}{n_2}\right) \times \left(\frac{d_1}{d_2}\right)^3$$

where

q = volume (flow) capacity in cfm (cubic feet per minute) or cubic meters per second

n = wheel velocity in rpm (revolutions per minute)

d = wheel diameter

In this formula, the subscript numbers indicate different values of the same parameter. For example q_1 is the volume of the first fan, and q_2 is the volume of the second fan. Thus, n_1 is the wheel velocity of the first fan, while n_2 is the wheel velocity of the second fan, and so forth.

This formula is actually a ratio of the performance of the first fan compared to the performance of the second fan. It can be used when selecting a fan for replacement.

For example, if a fan in an air handler had failed and needed to be replaced, the values for the original fan might look like this:

$$\text{wheel diameter} = 36''$$

$$\text{wheel velocity} = 1{,}440 \text{ rpm}$$

$$\text{volume} = 1{,}200 \text{ cfm}$$

If the only replacement fan available has a diameter of 36", it will fit in the air handler; but if it runs at 1,600 rpm, how will that affect the airflow through the system? The formula to be used is as shown:

$$\frac{q_1}{q_2} = \left(\frac{n_1}{n_2}\right) \times \left(\frac{d_1}{d_2}\right)^3$$

Since the diameter of both fans is the same, the diameters can be taken out of the formula, resulting in a simpler calculation:

$$\frac{q_1}{q_2} = \frac{n_1}{n_2}$$

If the original fan is represented by $_1$ values and the replacement fan is represented by $_2$ values, the known values can be inserted, resulting in a formula that now looks like this:

$$\frac{1,200}{q_2} = \frac{1,440}{1,600}$$

Using the procedure for solving for an unknown (q_2), the formula can be reduced. Multiply each side by each side's denominator. Begin with q_2.

$$\frac{1,200 \times q_2}{q_2} = \frac{1,440 \times q_2}{1,600}$$

$$\frac{1,200 \times \cancel{q_2}}{\cancel{q_2}} = \frac{1,440 \times q_2}{1,600}$$

On the left, the q_2 above and below cancel out each other. Now multiply each side by 1,600.

$$1,200 \times 1,600 = \frac{1,440 \times q_2 \times 1,600}{1,600}$$

$$1,200 \times 1,600 = \frac{1,440 \times q_2 \times \cancel{1,600}}{\cancel{1,600}}$$

On the right, the 1,600 above and below cancel out each other.

$$1,920,000 = 1,440 \times q_2$$

Solve by isolating the variable q_2 on one side. To do this, divide each side by 1,440.

$$\frac{1,920,000}{1,440} = \frac{1,440 \times q_2}{1,440}$$

$$\frac{1,920,000}{1,440} = \frac{\cancel{1,440} \times q_2}{\cancel{1,440}}$$

On the right, the 1,440 above and below cancel out each other. To solve, divide the numbers on the left.

$$\frac{1,920,000}{1,440} = q_2$$

Thus,

$$1,333.33 = q_2$$

As seen, increasing the fan velocity while maintaining the fan size increased the amount of airflow from 1,200 cfm to 1,333 cfm. This change in airflow would affect the performance of the air handling system and must be taken into consideration.

Centrifugal Fan Pressure (Head) Formula

The *pressure* (sometimes called *head*) of a centrifugal fan can be calculated by this formula.

$$\frac{dp_1}{dp_2} = \left(\frac{n_1}{n_2}\right)^2 \times \left(\frac{d_1}{d_2}\right)^2$$

where

   dp = pressure (or head) in psi

   n = wheel velocity in rpm (revolutions per minute)

   d = wheel diameter

Centrifugal Fan Power Consumption Formula

The power consumption of a centrifugal fan can be calculated by this formula.

$$\frac{P_1}{P_2} = \left(\frac{n_1}{n_2}\right)^3 \times \left(\frac{d_1}{d_2}\right)^5$$

where

P = power in watts

n = wheel velocity in rpm (revolutions per minute)

d = wheel diameter

With any one factor remaining constant, the fan affinity laws can be simplified. If the fan impeller diameter remains constant,

- volume varies directly with the speed of the impeller.
- pressure varies with the square of the impeller speed.
- power varies with the cube of the impeller speed.

$$\text{volume} = \frac{q_1}{q_2} = \left(\frac{n_1}{n_2}\right)$$

$$\text{pressure} = \frac{dp_1}{dp_2} = \left(\frac{n_1}{n_2}\right)^2$$

$$\text{power} = \frac{P_1}{P_2} = \left(\frac{n_1}{n_2}\right)^3$$

If the fan speed remains constant,

- flow rate varies directly with the diameter of the impeller.
- pressure varies with the square of the impeller diameter.
- power varies proportional to the fifth power of the impeller diameter.

$$\text{volume} = \frac{q_1}{q_2} = \left(\frac{d_1}{d_2}\right)^3$$

$$\text{pressure} = \frac{dp_1}{dp_2} = \left(\frac{d_1}{d_2}\right)^2$$

$$\text{power} = \frac{P_1}{P_2} = \left(\frac{d_1}{d_2}\right)^5$$

The fan affinity laws also apply to pumps, such as used in hydronic heating systems, chilled water systems, and cooling towers. The formulas remain the same by substituting *cfm* with *gpm (gallons per minute)*.

6.2.4 Common HVACR Formulas

Many formulas are commonly used in the application of the mechanical trades. The formulas shown here are used in air handling and other HVACR calculations. Some will be used to complete the exercises that follow.

Specific Volume Formula

$$\text{Specific volume} = \frac{1}{\text{specific density}}$$

Specific volume is the amount of space that air occupies, and it is measured in cubic feet per pound of air (ft^3/lb). Density is the reciprocal of volume. It is measured in pounds per cubic foot (lb/ft³). Between these two variables, notice how the units have switched places.

For example, if the specific density of the air is known to be 0.069 pounds per cubic foot, the specific volume of the air can be calculated by using the specific volume formula.

$$\text{Specific volume} = \frac{1}{0.069 \text{ lb/ft}^3}$$

$$= 14.49 \text{ ft}^3/\text{lb}$$

Specific Density Formula

$$\text{Specific density} = \frac{1}{\text{specific volume}}$$

Specific density is the mass of the air, based on one cubic foot of space. It is measured in pounds per cubic foot of air (lb/ft³). Volume is the reciprocal of density (ft³/lb).

HVACR systems handle the movement and conditioning of air as a medium of heat transfer, making it necessary for technicians to understand all of the properties of the air that is being used to condition the space. The volume/density relationship is used in determining air movement requirements.

For example, if the specific volume of the air is known to be 13.67 cubic feet per pound, the density can be calculated by using the specific density formula:

$$\text{Specific density} = \frac{1}{13.67 \text{ ft}^3/\text{lb}}$$

$$= 0.0731528 \text{ lb/ft}^3$$

Sensible Heat Formula

$$\text{Sensible heat (Btu/hr)} = \text{specific heat} \times \text{specific density} \times 60 \text{ min/hr} \times q \times \Delta T$$

where

q = airflow in cfm (cubic feet per minute)

ΔT = the change in temperature of entering and leaving air

specific heat = the amount of heat required to raise the temperature of 1 lb of a substance by 1°F or the temperature of 1 gram of a substance by 1°C

specific density = the mass of air in a unit volume (measured in pounds per cubic foot) [under standard conditions, 1 lb of air occupies 13.33 ft³, and 1 ft³ of air weighs 0.075 lb (1/13.33 ft³)]

Sensible heat is heat that can be measured with a thermometer. It is heat that changes the temperature of a material. The sensible heat formula is used in situations where heating the space does not involve adding or removing moisture in the air.

For example, if air moves through the duct at 900 cfm and is heated from 90°F to 110°F, how many Btu of heat does the air contain? In this example, standard air values will be used. Thus, the specific heat will be 0.24 Btu, and the specific density will be 0.075 lb/ft³. Begin with determining the unknown variable of temperature difference (ΔT).

$$\Delta T = 110°F - 90°F$$

$$= 20°F$$

Arrange the variables into the formula and begin calculating the various operations.

Sensible heat (Btu/hr) = specific heat × specific density × 60 min/hr × q × ΔT

= 0.24 Btu × 0.075 lb/ft³ × 60 min/hr × 900 cfm × 20°F

= 19,440 Btu/hr

Thus, sensible heat is 19,440 Btu/hr.

Total Heat Formula

Total heat (Btu/hr) = specific density of dry air × 60 min/hr × q × ΔH

where

ΔH = change in enthalpy of entering and leaving air

q = airflow in cfm (cubic feet per minute)

Total heat, often called **enthalpy**, is the sum of sensible heat (heat of temperature change) and latent (hidden) heat. Latent heat is not associated with the temperature of the material, but with the change of the physical state of the material (among solid, liquid, and gas). As materials change state from liquid to vapor, for example, there is no change in temperature. A **state-change**, also called a *phase-change*, is when a material changes from one physical state to another, such as from gas to liquid or from liquid to gas. The heat absorbed or released during state-change is classified as latent heat. The total heat formula is used in situations where the heating or cooling of the space involves humidification or dehumidification of the air.

Assume a cooling system moves 500 cfm of air, with a change in total heat content (enthalpy) of the air of 8 Btu/lb. For this example, the density of the air has been determined to be 0.072 lb/ft³.

Total heat = 0.072 lb/ft³ × 60 min/hr × 500 cfm × 8 Btu/lb

= 17,280 Btu/hr

Standard Air Total Heat Formula

Total heat (Btu/hr) = 4.5 × q × ΔH

where

ΔH = change in enthalpy of entering and leaving air

q = airflow in cfm (cubic feet per minute)

Standard air is often used for calculations to save time and effort on the part of the technician. Rather than calculate the specific density of the air being used, standard conditions are used in the formula. Standard air has a density of 0.075 pounds per cubic foot (lb/ft³) and a volume of 13.33 cubic feet per pound (ft³/lb).

For example, if a cooling system moves 500 cfm of air with a change in total heat content (enthalpy) of the air of 8 Btu/pound, and a standard air density of 0.075 pounds per cubic foot, the calculations would be as follows:

Total heat = 0.075 lb/ft³ × 60 min/hr × 500 cfm × 8 ft³/lb

= 18,000 Btu/hr

6

Coil Bypass Factor Formula

$$\text{Bypass factor} = \frac{\text{leaving air dry-bulb temperature} - \text{coil temperature}}{\text{entering air dry-bulb temperature} - \text{coil temperature}}$$

Air-conditioning and heating coils seldom get to condition all of the air that passes through the coil. Air speed, coil depth, fin spacing, and coil condition are several of the factors that affect the amount of air that does not get conditioned. This air essentially bypasses the coil.

Bypass air is the air that passes through the space between and around air-conditioning coils but does not directly contact the coils. The coil bypass factor represents the amount of flowing air that does not actually touch the coil surface. The lower the bypass factor, the higher the efficiency of the coil. The bypass factor calculation results in a decimal answer, which can be converted to a percentage by multiplying it by 100.

For example, if the air enters the coil at 70°F and leaves the coil at 55°F, with a coil temperature of 40°F, the bypass factor is calculated as shown:

$$\text{Bypass factor} = \frac{50°F - 40°F}{70°F - 40°F}$$

$$= \frac{15°F}{30°F}$$

$$= 0.5$$

A coil bypass factor can be converted from a decimal to a percentage by multiplying by 100.

$$0.5 \times 100 = 50\%$$

Mixed Air Temperature Formula

$$\text{Mixture air temperature} = \frac{(q_{OA} \times \text{Temp}_{OA}) + (q_{RA} \times \text{Temp}_{RA})}{q_{OA} + q_{RA}}$$

where

q = airflow (in cfm)

OA = outside air

RA = return air

Air within a building is usually a combination of outside air and return air (air returning to the air handler from within the building). The combination of return air and outside air makes up supply air, which is the conditioned air that is supplied to the building. Air-handling systems also have to remove air from the building to make room for the outside air coming in. The air removed is called exhaust air.

For example, if the air outside a building is brought in at 550 cfm and 92°F, and the air returning from the building through the air handler is 74°F moving at a rate of 460 cfm, the mixed air temperature can be found as shown:

$$\text{Mixed air temperature} = \frac{(550 \text{ cfm} \times 92°F) + (460 \text{ cfm} \times 74°F)}{(550 \text{ cfm} + 460 \text{ cfm})}$$

$$= \frac{50{,}600 + 34{,}040}{1{,}010}$$

$$= \frac{84{,}640}{1{,}010}$$

$$= 83.8°F$$

Outside Air Percentage Formula

$$\text{Outside air \%} = \frac{\text{mixture temperature} - \text{return air temperature}}{\text{outside temperature} - \text{return air temperature} \times 100}$$

Using the same data from the Mixed Air example earlier, the outside air percentage can be calculated. Mixture temperature (from above example) is 83.8°F, the return air temperature is 74°F, and the outside air is 92°F.

$$\text{Outside air percentage} = \frac{83.8°\text{F} - 74°\text{F}}{92°\text{F} - 74°\text{F}} \times 100$$

$$= \left(\frac{9.8°\text{F}}{18°\text{F}}\right) \times 100$$

$$= 0.5444 \times 100$$

$$= 54.44\% \text{ outside air}$$

Pounds of Air Formula

$$\text{Pounds of air/hour} = q \times \text{specific density} \times \frac{60 \text{ min}}{\text{hr}}$$

where

$$q = \text{airflow (in cfm)}$$

$$\text{pounds/cubic feet} = \text{air density}$$

For example, if air is moving through the air-handling system at a rate of 1,200 cfm, and the specific density of the air is 0.073 lb/ft³, the pounds of air can be calculated thus:

$$\text{Pounds of air/hour} = 1,200 \text{ cfm} \times 0.073 \text{ lb/ft}^3 \times \frac{60 \text{ min}}{\text{hr}}$$

$$= 5,256 \text{ lb/hr}$$

Capacity Formula

$$\text{Capacity (Btu/hr)} = \text{lb/hr} \times \Delta H$$

where

$$\Delta H = \text{change in enthalpy}$$

Capacity is the ability of a heating or cooling system to handle the load of the conditioned space. The capacity formula is used to determine how much heat (in Btu/hr) is being moved by the system.

If the change in enthalpy of the air is 6 Btu/lb, the capacity can be calculated using 5,256 pounds per hour from the example above.

$$\text{Capacity} = 5,256 \text{ lb/hr} \times 6 \text{ Btu/lb}$$

$$= 31,536 \text{ Btu/hr}$$

6

Tons of Refrigeration Formula

$$\text{Tons} = \frac{\text{Btu/hr}}{12,000 \text{ Btu}}$$

A ton of refrigeration is a unit of measurement for cooling, based on the melting of one ton of saturated ice, meaning it is at 32°F or 0°C. To melt one ton of ice over a 24-hour period requires 288,000 Btu.

$$1 \text{ ton} = \frac{288,000 \text{ Btu}}{24 \text{ hours}}$$

HVACR systems are often rated by how much heat they can move per hour (Btu/hr), rather than per day. To determine how many Btus a 1-ton system can move per hour, divide the total Btus of one ton by 24 hours.

$$1 \text{ ton} = \frac{288,000 \text{ Btu}}{24 \text{ hours}}$$

$$= 288,000 \text{ Btu} \div 24 \text{ hours}$$

$$= \frac{12,000 \text{ Btu}}{\text{hr}}$$

Large air-conditioning and refrigeration systems are rated in tons rather than Btu/hr, though either number can be used. Using the values from the capacity formula example earlier, 31,536 Btu/hr can be converted to tons of refrigeration as follows:

$$\text{Tons} = \frac{31,536 \text{ Btu/hr}}{12,000 \text{ Btu}}$$

$$= 2.628 \text{ tons}$$

Coefficient of Performance (COP) Formula

$$\text{COP} = \frac{\text{Btu output}}{\text{Btu input}}$$

where

EER = Energy Efficiency Ratio

The COP, or coefficient of performance, is a comparison or ratio of the Btu input of a system to the Btu output of the system. This formula can be used to compare the system's actual performance to the design specifications.

For example, if an air-conditioning unit has an output of 5,000 Btu and an input of 1,800 Btu, the COP can be calculated as shown:

$$\text{COP} = \frac{5,000}{1,800}$$

$$= 2.78 \text{ (rounded)}$$

If any of the system's values available are in watts or kilowatts, convert to Btu.

1 watt (W) = 3.413 Btu

1 kilowatt (kW) = 3,413 Btu

If an electric heating system uses a bank of heaters that can produce 15 kW of power, multiply by the conversion factor to calculate the heat production potential.

1 kW = 3,413 Btu

15 kW × 3,413 Btu = 51,195 kW

Energy Efficiency Ratio (EER) Formula

$$EER = \frac{\text{Btu output}}{\text{watts input}}$$

The Energy Efficiency Ratio (EER) is a comparison of the amount of cooling accomplished (in Btu) compared to the amount of electricity used (in watts). The EER can be used to compare performance of various systems available.

An example of an EER calculation is an air-conditioning unit with an output of 48,000 Btu per hour, consuming 2,800 watts of electricity per hour of operation. The EER, thus, would be:

$$EER = \frac{48,000 \text{ Btu/hr}}{2,800 \text{ W}}$$

$$= 17.14 \text{ (rounded)}$$

Compression Ratio Formula

$$CR = \frac{\text{absolute discharge pressure}}{\text{absolute suction pressure}}$$

where

$$CR = \text{compression ratio}$$

Absolute pressure = gauge pressure reading plus atmospheric pressure

Note that atmospheric pressure at sea level is approximately 14.7 psi. Deduct 0.5 psi for every 1,000′ of elevation (or portion thereof) above sea level.

The compression ratio (CR) shows the amount of compression accomplished by a refrigeration or air-conditioning compressor. It compares the discharge pressure with the suction pressure, which then can be compared to the manufacturer's specifications for the compressor. When expressed as a ratio, the number determined by the formula becomes the first number in the ratio, and the second number is 1.

For example, if the absolute discharge pressure is 200 psia and the absolute suction pressure is 40 psia, the first number of the ratio would be 5 (reduced from 200). Thus the CR would be 5:1 (reduced from 200:40).

If a rooftop air-conditioning system that is approximately at sea level operates with a discharge pressure of 260 psig and a suction pressure of 70 psig, the compression ratio can be calculated as shown:

$$CR = \frac{260 \text{ psig} + 14.7 \text{ psi}}{70 \text{ psig} + 14.7 \text{ psi}}$$

$$= \frac{274.7}{84.7}$$

$$= 3.24 \text{ (rounded)}$$

If the same unit was operating at an elevation of 5,280′ (in Denver, Colorado, for example), the pressures and ratio would be different. Atmospheric pressure is reduced for every 1,000′ above sea level. Determine how many times to subtract 0.5 psi from atmospheric pressure by dividing the elevation by 1,000′.

$$5,280′ \div 1,000′ = 5.0 \text{ (rounded off)}$$

Since 0.5 psi is deducted from atmospheric pressure for every 1,000′ of elevation above sea level, calculate the total pressure drop to atmospheric pressure.

$$\text{Pressure drop} = 5 \times 0.5 \text{ psi}$$

$$= 2.5 \text{ psi}$$

Calculate local atmospheric pressure by adjusting for elevation by subtracting 2.5 psi.

$$\text{Atmospheric pressure} = 14.7 \text{ psi} - 2.5 \text{ psi}$$

$$= 12.2 \text{ psia}$$

Calculate absolute suction pressure and absolute discharge pressure by adding local atmospheric pressure to each value.

$$\text{Absolute suction pressure (psia)} = \text{Measured suction pressure (psig)} + 12.2 \text{ psi}$$

$$= 70 \text{ psig} + 12.2 \text{ psi}$$

$$= 82.2 \text{ psia}$$

$$\text{Absolute discharge pressure (psia)} = \text{Measured discharge pressure (psig)} + 12.2 \text{ psi}$$

$$= 260 \text{ psig} + 12.2 \text{ psi}$$

$$= 272.2 \text{ psia}$$

With suction and discharge values in absolute pressure according to elevation, the compression ratio may be determined.

$$CR = \frac{272.2 \text{ psia}}{82.2 \text{ psia}}$$

$$= 3.31 \text{ (rounded)}$$

Mixed Solution Formulas

Many water-based systems use a mixture of water and glycol as their heat-transfer medium. The ratio of water to glycol is determined based on the operating characteristics and conditions in which the system is used. The fluid volume of the system is calculated by the size and lengths of the tubing, valves, and other fluid-conveying parts of the system. The water-glycol ratio is then applied to the fluid volume of the system to determine the amount of deionized water and the amount of glycol to add to the system.

Due to miscalculations, leaks, and automatic refill mechanisms, the ratio of water to glycol in a system can change over time. When the ratio changes enough to affect operations or risk equipment damage, a technician needs to determine how much solution to drain from the system and how much of water or glycol to add. This can be calculated using a mixed solution formula.

There are two different arrangements for the mixed solution formula. The arrangement depends on which component part needs to be increased. For example, a hydronic system with water-glycol solution develops a leak. The mixed solution leaks out, and makeup water is added to make up the volume of leaked solution. This draining of solution and addition of makeup water changes the mixture into a weak solution, meaning it has a greater amount of water and a lesser amount of glycol than it should.

To bring this mixed solution back into proper balance, some of the solution will need to be drained and some pure glycol will need to be added. The formula for this circumstance looks like this:

$$A = V \times \frac{(D - P)}{(100 - P)}$$

where

A = the quantity of solution that must be drained from the system to make room for the additional glycol

V = the total system capacity

D = the percent of glycol desired in the system

P = the percent of glycol presently in the system

If a mixed solution in a system is too strong (contains more glycol and less water than it should), the formula would be changed to look as shown:

$$A = V \times \frac{(P - D)}{P}$$

For example, a system contains 1,200 gallons of solution. It is supposed to be 50% propylene glycol and 50% deionized water. A technician would add 600 gallons of each to the system upon initial filling. If, after filling, it was determined that the mixture was actually 48% glycol and 52% water, the formula to get the solution back to 50% glycol would be as shown:

$$A = \frac{1,200 \times (50 - 48)}{100 - 48}$$

$$= \frac{1,200 \times 2}{52}$$

$$= \frac{2,400}{52}$$

$$= 46.15 \text{ gallons of solution drained and glycol added}$$

If, on the other hand, the solution was found to contain 55% propylene glycol and 45% deionized water, the formula to return the solution to 50% glycol would be:

$$A = \frac{1,200 \times (55 - 50)}{55}$$

$$= \frac{1,200 \times 5}{55}$$

$$= \frac{6,000}{55}$$

$$= 109.09 \text{ gallons of solution drained and water added}$$

Condensate Return

Condensate return (often called just *condensate* or just *return* by boiler personnel) is a valuable commodity in a steam boiler operation. This condensed steam is nearly pure distilled water, carrying a tremendous amount of heat energy that is wasted if the steam or condensate is lost to the atmosphere. Boiler operators watch the percentage of condensate returned to the boilers in order to gauge the losses incurred in steam distribution and condensate returning to the boiler room. The formula shown is used when the conductivity of the makeup water (softened raw water), condensate return, and boiler feedwater (the combination of makeup and return) is known.

$$\% \text{ condensate} \atop \text{return} = \left(1 - \frac{\text{feedwater conductivity} - \text{condensate conductivity}}{\text{makeup water conductivity} - \text{condensate conductivity}}\right) \times 100$$

If it is impractical to collect a condensate sample, a simpler version of the formula can be used when just the conductivity of the makeup water and feedwater is known. This formula assumes the conductivity of the condensate return to be zero. While the conductivity of condensate return is never exactly zero, this simplified formula gives an approximate condensate return percentage.

$$\% \text{ condensate} \atop \text{return} = \left(1 - \frac{\text{feedwater conductivity}}{\text{makeup water conductivity}}\right) \times 100$$

When all the variables are available, it is best to calculate using the full formula. For example, a boiler system has the following conductivity levels:

- Makeup water: 390 micromhos
- Condensate return: 22 micromhos
- Feedwater: 173 micromhos

Using these values, calculate the % condensate return using the full formula.

$$\% \text{ condensate} \atop \text{return} = \left(1 - \frac{\text{feedwater conductivity} - \text{condensate conductivity}}{\text{makeup water conductivity} - \text{condensate conductivity}}\right) \times 100$$

$$= \left(1 - \frac{173 - 22}{390 - 22}\right) \times 100$$

$$= \left(1 - \frac{151}{368}\right) \times 100$$

$$= (1 - 0.41) \times 100$$

$$= 0.59 \times 100$$

$$= 59\%$$

Now calculate the % condensate return using the simplified formula.

$$\% \text{ condensate} \atop \text{return} = \left(1 - \frac{173}{390}\right) \times 100$$

$$= (1 - 0.44) \times 100$$

$$= 0.56 \times 100$$

$$= 56\%$$

In this example, notice how close the two percentages are. Using the longer formula, the answer was 59%, but the simplified formula's answer was only different by 3%.

Name _____ **Date** _____ **Class** _____

Mean and Median Value Exercises

Exercise 6-1

Find the mean and median value for each of the following sets of numbers.

1. 12, 27, 11, 41, 87, 1, 5

   Mean: _____

   Median: _____

2. 42, 99, 12, 3, 7

   Mean: _____

   Median: _____

3. 15, 6, 7, 111, 73, 4, 5

   Mean: _____

   Median: _____

4. 582, 345, 213, 12, 89

   Mean: _____

   Median: _____

5. 77, 1, 2,345, 54, 6

   Mean: _____

   Median: _____

6. 66, 77, 88, 99

   Mean: _____

   Median: _____

Unknown Value Exercises
Exercise 6-2
Solve the following equations by finding the unknown value.

1. $X = 3\,(47 + 2)$

   _____

2. $3Y = 9 \times 3 + 9$

   _____

3. $Z = 24 \times 7 \times 3 - 12$

   _____

4. $X = (23 \times 2) + (67 \times 11)$

   _____

5. $2Y = 65 - 33 + 3 \times 12$

   _____

6. $50Z = 42 \div 2 \times 7 + 3$

   _____

7. $X = (63 \div 21) \times (47 + 13) + (12 \div 4) - 7$

   _____

8. $Y = 82 - 23 - 7 + 147$

   _____

9. $Z = (12 \times 30 + 2) \div (24 \div 6)$

   _____

10. $6X = (48 \div 6 \times 12) - (96 \div 1)$

    _____

Name _____   **Date** _____   **Class** _____

Fan Affinity Law Exercises:

Exercise 6-3

Using the fan affinity laws, answer the following questions.

Original fan:

$$q = 2,000 \text{ cfm}$$
$$n = 1,440 \text{ rpm}$$
$$d = 24 \text{ inches}$$

1. If a replacement fan had the same diameter, but the technician wanted to increase the cfm to 2,400, how fast would the fan have to turn?

   _____

2. If a replacement fan turned at 2,000 rpm and had a diameter of 23", what would the cfm of the new fan be?

   _____

Practical Exercise 6-4

When a new room is added onto a building, the building owner wants to air-condition it using the existing air handler. The technician explains that an additional 600 cfm of airflow will be required to handle the new room, but the technician is not sure if the fan can supply that. The air handler's current fan is the same one as the original fan in the previous exercise.

1. Based on the fan affinity laws, what could be done in order to get an additional 600 cfm from the air handler?

   _____

   _____

   _____

   _____

   _____

HVACR Formula Exercises

Practical Exercise 6-5

A service technician working on an electric furnace takes some measurements and finds that air is leaving the duct at 1,800 cubic feet per minute, the entering air temperature is 69°F, and the leaving air temperature is 96°F.

1. How much heat in Btu/hr is being added to the air by the electric furnace? Hint: Because an electric furnace does not add or remove moisture, only sensible heat is added. Use the standard air value for specific heat.

   _____ Btu/hr

Practical Exercise 6-6

A service call on a residential air-conditioning system shows air leaving the system at 1,550 cubic feet per minute. The technician decides to use *standard air conditions* for the calculations.

1. For standard air conditions, what is the density of the air?

   _____ lb/ft³

2. How many pounds of air will pass over the evaporator coil in one hour?

   _____ lb

Name _____ **Date** _____ **Class** _____

Practical Exercise 6-7

A service technician is asked to determine the effectiveness of an air-conditioning system. Upon looking at the system, the technician decides to do a complete psychrometric analysis of the entering and leaving air. The psychrometric analysis results are shown here.

Entering Air Conditions

Dry Bulb temperature	80°F (26.6°C)
Wet Bulb temperature	63.5°F (17.5°C)
Relative Humidity	40%
Dew Point	53.6°F (12°C)
Specific Humidity	62 grains/pound
Specific Volume	13.78 cubic feet/lb
Enthalpy	28.94 Btu/lb
Airflow rate	1,800 cfm

Leaving Air Conditions

Dry Bulb temperature	60°F (15.5°C)
Wet Bulb temperature	53.5°F (11.9°C)
Relative Humidity	66%
Dew Point	48.7°F (9.3°C)
Specific Humidity	51 grains/pound
Specific Volume	13.25 cubic feet/lb
Enthalpy	22.3 Btu/lb
Airflow rate	1,800 cfm

Goodheart-Willcox Publisher

To determine the capacity of the system in tons, several formulas will have to be used.

1. First, calculate the pounds of air per hour leaving the system.

   _____ lb

2. Second, calculate the capacity of the system in Btu/hr. Round any decimal or fraction.

   _____ Btu/hr

3. Third, calculate the capacity of the system in tons. Round to two decimal places.

   _____ tons

Practical Exercise 6-8

A second technician working on the same system as described in Exercise 6-7 decides to use standard air conditions for the calculations, instead of the psychrometric analysis.

1. Calculate the capacity of the system in Btu/hr using standard air conditions.

   _____ Btu/hr

2. What is the difference between the capacity calculation using standard air conditions and the calculation using the psychrometric analysis?

   _____ Btu/hr

3. Calculate the capacity of the system in tons using standard air conditions. Round to two decimal places.

   _____ tons

4. What is the difference between the capacity in tons calculation using standard air conditions and the calculation using the psychrometric analysis?

   _____ tons

Name _____   **Date** _____   **Class** _____

Practical Exercise 6-9

When called to work on a commercial building's air handling system, the technician finds it necessary to determine the mixed air temperature of the system. Measurements show that 1,000 cfm of outside air (OA) at 95°F dry-bulb temperature and 75°F wet-bulb temperature is being mixed with 3,000 cfm of return air (RA) at 80°F dry-bulb temperature and 65°F wet-bulb temperature.

1. What is the dry-bulb temperature of the mixed air?

   _____°F

2. What is the wet-bulb temperature of the mixed air?

   _____°F

Practical Exercise 6-10

The correct amount of outside air is necessary to ensure good air quality within a building. Calculate the percentage of outside air (OA) under each of the conditions.

1. Summer conditions: outside air (OA) 100°F and return air (RA) 75°F for a mixture at 85°F.

   _____%

2. Winter conditions: outside air (OA) 30°F and return air (RA) 75°F for a mixture at 65°F.

   _____%

3. Economizer cycle conditions: outside air (OA) 40°F and return air (RA) 75°F for a mixture at 55°F.

   _____%

Practical Exercise 6-11

Calculate the coil bypass factor for each coil by using the following data.

RTU 1	
Leaving air temperature	52°F (11°C)
Entering air temperature	71°F (21.6°C)
Evaporator coil temperature	39°F (3.9°C)

RTU 2	
Leaving air temperature	49°F (9.4°C)
Entering air temperature	69°F (20.5°C)
Evaporator coil temperature	40°F (4.4°C)

Goodheart-Willcox Publisher

1. Using the data provided, calculate the bypass factor for the RTU 1 coil.

   _____

2. Using the data provided, calculate the bypass factor for the RTU 2 coil.

   _____

3. Which of these units has a more efficient evaporator coil?

   _____

Practical Exercise 6-12

A service technician is working on a walk-in freezer with a box temperature of 0°F. Upon completion of the initial inspection, the technician suspects that the compressor is not performing as it should. A check of the manufacturer's specifications for the compressor shows it should operate at a compression ratio of 8.45:1 when used with R-134a. The technician sees that the suction pressure is 4 psig, and the discharge pressure is 145 psig. The system is located at an elevation of approximately 550′ above sea level.

1. What is the actual compression ratio under the current operating conditions?

   _____

2. The manufacturer states that the actual compression ratio should be within 10% of the specification. Is the compressor operating within this range?

   _____

Name _____   **Date** _____   **Class** _____

Practical Exercise 6-13

The manufacturer's data on a 20-ton rooftop unit says the compressor should normally operate at a compression ratio as low as 3:1 and as high as 3.5:1 when running on R-410A.

1. If the suction pressure is maintained at 118 psig, what is the range of discharge (head) pressure that should be seen if the compressor is running within the established parameters? For calculations, assume this unit is at sea level.

_____

Practical Exercise 6-14

A residential air conditioner has a capacity of 4 tons, and the manufacturer's data sheet states it consumes 3,500 watts of electricity per hour during operation at EER specified conditions.

1. What is the Energy Efficiency Ratio of this unit?

_____

2. What is the Coefficient of Performance of this unit?

_____

Practical Exercise 6-15

A chilled water/glycol solution was specified for a manufacturing facility's process cooling system. The design engineer provided the following specifications to the HVACR company performing the glycol system installation:

System capacity	17,325 gallons
System fluid	50% HVAC inhibited propylene glycol 50% deionized water
Freeze point of glycol-water solution	−30°F

Using this information, the HVACR company installed the fluid, as specified, into the system. Once the system was operational, it was found that the solution was too viscous for the water jackets on the manufacturing process equipment. Therefore, it was decided to dilute the glycol solution to a freeze point of −20°F, requiring a solution of 46% propylene glycol and 56% deionized water.

1. How many gallons of the 50/50 solution will need to be drained from the system in order to add additional deionized water for dilution?

    _____ gallons

The 50/50 solution removed from this first system is to be used on another system within the same facility. This second system needs 3,615 gallons of solution that is 60% propylene glycol and 40% deionized water.

2. How much deionized water and how much 100% propylene glycol must be added to the removed 50/50 solution to fill the other system?

    _____ gallons of propylene glycol

    _____ gallons of deionized water

Name _____   **Date** _____   **Class** _____

Practical Exercise 6-16

A food manufacturing facility running several boilers is being monitored by an operator. The water analysis shows current conditions, as well as the control limits, for the boiler system.

Water Analysis
Fein's Fine Foods, Brooklyn, N.Y.

Property	Makeup Water	Condensate Return	Feedwater	Boiler 1	Boiler 2	Boiler 3	Boiler Control Limits
pH	7.1	7.5	7.7	10.4	10.0	10.3	10.5–11.0
Conductivity (micromhos)	390	17	170	2,910	2,770	3,006	2,800–3,000
Total Hardness (ppm as $CaCO_3$)	0	0	0	0	0	0	0
P Alkalinity (ppm as $CaCO_3$)	N/A	N/A	N/A	340	480	420	300–500
Phosphate (ppm as PO_4)	N/A	N/A	N/A	11	10	12	15–20
Sulfite (ppm as SO_3)	N/A	N/A	N/A	22	27	31	30–60

Goodheart-Willcox Publisher

1. What is the ratio of the conductivity of the feedwater to the conductivity of the water in boiler 1?

   _____

2. What is the ratio of the conductivity of the feedwater to the conductivity of the water in boiler 2?

   _____

3. What is the ratio of the conductivity of the feedwater to the conductivity of the water in boiler 3?

   _____

Water treatment programs often use "cycles of concentration" (C/C) as a guideline in boiler water chemistry. C/C is the ratio as determined above but without the ":1" and then rounded to the nearest whole number.

4. What is the CC of boiler 1?

    _____

5. What is the CC of boiler 2?

    _____

6. What is the CC of boiler 3?

    _____

Boiler feedwater (BFW) is a mixture of makeup water (softened raw water) and condensate return. By using the conductivity values of the makeup water, condensate return, and feedwater, a technician can determine what percentage of the feedwater is composed of makeup water and what percentage is composed of condensate return.

7. Using the values provided, determine what percentage of the feedwater is condensate return. Round to nearest whole percent. Since the conductivity of all three values is available, use the full formula for this calculation.

    Condensate return: _____ %

8. Imagine that the conductivity value of the condensate return was not available. Now use the simplified formula for calculating the percentage of feedwater that is composed of condensate return. Round to nearest whole percent.

    Condensate return: _____ %

CHAPTER 7

Geometric Functions

Objectives

Information in this chapter will enable you to:

- Recognize and understand lines, points, angles, and the various geometric terms and concepts used in HVACR work.
- Identify the various shapes found in HVACR work.
- Understand some of the inherent properties associated with different geometric shapes.
- Calculate perimeter for various types of polygons and circumference for circles.
- Calculate the area of circles and polygons and work with square units.
- Calculate the volume of circles and polygons and work with cubed units.

Technical Terms

acute angle	geometry	right angle
acute triangle	interior angle	right triangle
altitude	isosceles triangle	scalene triangle
angle	line	solid
arc	obtuse angle	square
base	obtuse triangle	square feet (ft²)
chord	parallelogram	square unit
circle	perimeter	straight angle
circumference	perpendicular	surface
cubic feet (ft³)	pi (π)	tangent
cubic unit	point	trapezoid
diameter	polygon	triangle
equilateral triangle	radius	vertex
exterior angle	rectangle	volume

7.1 Introduction to Geometry

Geometry is a branch of mathematics that deals with the measurement, properties, and relationships of points, lines, angles, surfaces, and solids. HVACR technicians continually encounter situations dealing with geometric functions.

The heating and cooling of a space begins with determining the amount of conditioned space involved. This requires measurements and calculations in cubic feet. Ductwork is designed and fabricated based on cubic foot per minute requirements. Fuel and water tank volume is determined by calculating the cubic feet and converting it to gallons. All of these procedures are based on the principles of geometry. Trigonometry, dealing with the angles and sides of triangles and their relationships, is discussed in Chapter 8, *Trigonometric Functions*.

7.1.1 Geometric Terms and Shapes

A **line**, as used in geometry, is a narrow strip or border that divides or connects areas or objects. Lines in geometry normally have both a starting and ending point. Lines can be either straight or curved.

Goodheart-Willcox Publisher

A **point** is a definite position on a line. The point may be at the end of the line or anywhere along the line. A point is often used for reference, such as Point A or Point B.

Point A　　　　　　　　　　　　　Point B

Goodheart-Willcox Publisher

An **angle** is the figure formed by the intersection of two straight lines, and it determines the distance between the lines as they diverge from a common point. Angles are measured in degrees and have specific names that describe the type of angle. An **acute angle** is an angle that measures more than 0° but less than 90°.

45°

Acute Angle
Goodheart-Willcox Publisher

A **right angle** is formed by the intersection of two lines that form a 90° angle. Two lines forming a 90° angle are **perpendicular** to each other. All right angles measure 90°, thus two right angles equal 180°, which is a straight line.

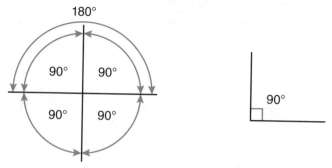

Goodheart-Willcox Publisher

A right angle is designated by placing a square at the intersection, showing the angle to be 90°. An **obtuse angle** is an angle that measures more than 90° but less than 180°. A **straight angle** measures exactly 180°.

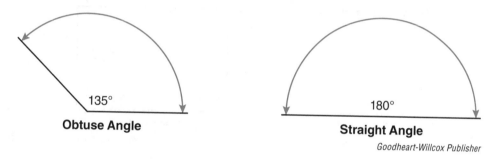

Obtuse Angle

Straight Angle

Goodheart-Willcox Publisher

In geometry, a **surface** is defined as a two-dimensional plane. An example is *surface area*, which is the surface of the outermost boundary of a three-dimensional object.

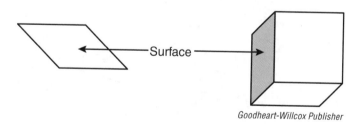

Goodheart-Willcox Publisher

A **polygon** is a two-dimensional closed plane with any number of straight sides. See examples of common polygons in the following table:

Common Polygons

Name	Triangle	Quadrilateral	Pentagon	Hexagon	Heptagon	Octagon
Number of Sides	3	4	5	6	7	8
Shape	△	□	⬠	⬡	⬡	⯃

Goodheart-Willcox Publisher

A **square** is a polygon that has all four sides equal in length. A **rectangle** is a polygon with opposite sides equal in length and adjacent sides unequal in length.

Square

Rectangle
Goodheart-Willcox Publisher

A **triangle** is a polygon with three sides. The sides may or may not be equal in length. Triangles are classified by their angles, the sum of which always equals 180°.

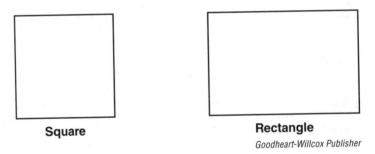

Goodheart-Willcox Publisher

An **interior angle** of a triangle is an angle inside the triangle. A triangle's **exterior angle** is an angle between the extension of a side of the triangle and its adjacent side. The **vertex** is a corner of the triangle. All triangles have three vertices (plural for vertex).

The **base** of a triangle is any one of the sides of a triangle. The **altitude** is a perpendicular line from a triangle's base to the opposite vertex of the triangle. With some triangles, the base may need to be extended in order to draw the perpendicular line.

An **equilateral triangle** is a triangle with all three sides equal in length and all angles equal (thus 60° each). An **isosceles triangle** is a triangle with two equal sides. The angles opposite those sides are also equal. A **scalene triangle** is a triangle with no equal sides and no equal angles.

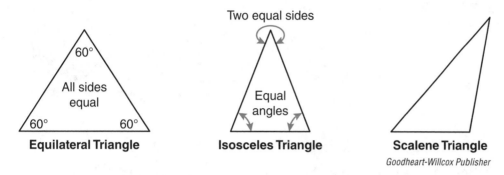

Goodheart-Willcox Publisher

A **right triangle** is a triangle with one angle of 90°. An **acute triangle** is a triangle with all angles less than 90°. An **obtuse triangle** is a triangle with one angle that is more than 90°.

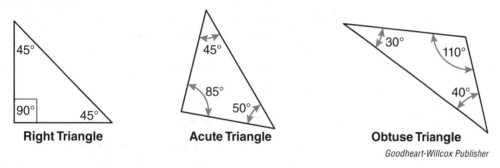

Goodheart-Willcox Publisher

A **circle** is a closed curve with all points on the curve equidistant from the center. The distance around the outside of a circle is called the **circumference**. The distance from the center to an edge of the circle at any point is called the **radius**. The distance across the circle going through the center is called the **diameter**. The diameter is always twice the radius.

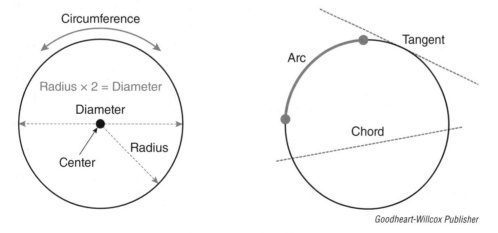

Goodheart-Willcox Publisher

A **chord** is a line that touches two points along the circumference of a circle without going through the center. A chord is always shorter than the diameter. A **tangent** is a straight line intersecting the circumference without entering the circle. An **arc** is a portion of the circumference.

In geometry, a solid is a three-dimensional (3D) object, such as a cube, cylinder, pyramid, or sphere. The measurement of the size of the content within a solid is called its *volume*. The face of the solid is called its *surface area*.

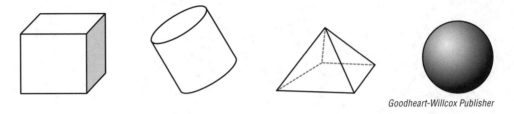

Goodheart-Willcox Publisher

7.2 Working with Geometric Shapes

The HVACR trade is built around the geometric shapes that fashion the buildings, equipment, and service tools used in the profession. Buildings may be any shape, and they are constructed of squares, rectangles, triangles, and even circles. For example, when trying to determine the area of a building, a technician may encounter a variety of geometric shapes within the building envelope.

Piping is typically round, though the tanks and vessels associated with the piping system may be of any shape or size. Ductwork encompasses a variety of shapes, including square and round. Therefore, the engineer, installer, and technician must be accustomed to working with a multitude of geometric shapes and the principles and formulas associated with those shapes.

7.2.1 Perimeter and Circumference

The perimeter of a shape is the distance around the outside of the shape. Perimeter is determined by adding together the lengths of the sides of the shape. When all sides are equal length, the length of the side times the number of sides equals the perimeter. However, many shapes do not have sides that are equal in length. For example, if a room measures 16′ wide by 24′ long, the perimeter would be calculated as shown.

$$16' + 24' + 16' + 24' = 80'$$

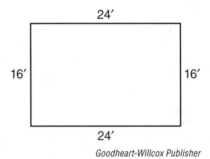

Goodheart-Willcox Publisher

Since this room is rectangular (having two walls the same size and two other walls the same size), its perimeter could be calculated another way as shown.

$$
\begin{aligned}
2 \text{ walls} \times 16' &= 32' \\
+ 2 \text{ walls} \times 24' &= 48' \\
\hline
&80'
\end{aligned}
$$

Regardless of the method used, the perimeter, or the distance around the outside of the room, is 80′.

The perimeter of a circle is called its *circumference*. It is determined by use of either of the formulas shown.

$$C = \pi d = 2\pi r$$

where

C = circumference

π = pi (3.14159)

d = diameter

r = radius

The constant **pi (π)** is a mathematical determination of the relationship between the circumference and the diameter of a circle that never changes. It is the quotient of the division of the circumference of the circle divided by the diameter. The number of pi has been mathematically determined to continue infinitely without repeating any sequence of digits, but it is typically shortened to 3.14 for calculation purposes.

$$\text{Circumference} \div \text{diameter} = \pi$$

For example, if the diameter of a round cooling tower water sump is 16′, the circumference, or distance around the outside edge of the tank, would be calculated using the formula $C = \pi d$.

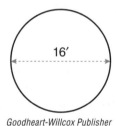

16′

Goodheart-Willcox Publisher

$$C = (3.14)16′$$

Placing the parentheses around the 3.14, with the 16 outside the parentheses, simply indicates that the two values are to be multiplied.

$$C = 50.24′$$

The circumference of a 16′ diameter tank is 50.24′.

7.2.2 Area of Plane Surfaces

The area of a plane surface is the amount of space that is occupied or covered by that surface. Area is measured in **square units**, such as square inches (in^2) or square feet (ft^2). For example, in a room that measures 16′ by 24′, the perimeter is 80′.

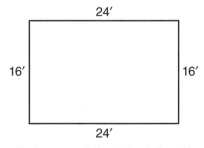

24′

16′   16′

24′

Perimeter = 24′ + 16′ + 24′ + 16′

Goodheart-Willcox Publisher

Since this is a rectangular area with two walls being the same length and two other walls being the same length, the area is calculated by using the formula shown.

$$\text{Area } (A) = \text{length } (l) \times \text{width } (w)$$

This formula is used for any square or rectangular polygon. In a room that measures 16′ by 24′, the calculation of area would be as shown.

$$A = 16′ \times 24′$$
$$= 384 \text{ ft}^2$$

Any number multiplied by itself is referred to as squared, so when a unit is multiplied by the same unit, it becomes that unit squared. In this example, feet are multiplied by feet, so the product is in **square feet (ft²)**. Thus, 16′ × 24′ equals 384 ft². Square feet may be abbreviated as either sq ft or ft².

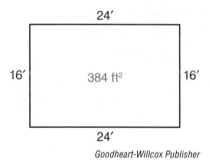

Goodheart-Willcox Publisher

A **parallelogram** is a four-sided figure with opposite sides that are parallel. Its area calculation is the same as for a rectangle or a square, but with a parallelogram, the width is called *height*. A perpendicular line must be drawn from the base to obtain the correct measurement of height. Therefore, the formula is as shown.

$$\text{Area } (A) = \text{length } (l) \times \text{height } (h)$$
$$A = l \times h$$

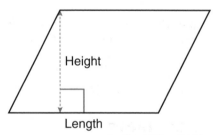

Goodheart-Willcox Publisher

For example, if the length is 40′ and the height is 20′, the area of the parallelogram would be 800 ft².

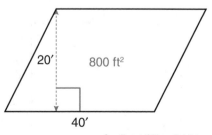

Goodheart-Willcox Publisher

$$40′ \times 20′ = 800 \text{ ft}^2$$

A **trapezoid** is another four-sided polygon, with two parallel sides, and adjacent sides that may or may not be parallel to each other.

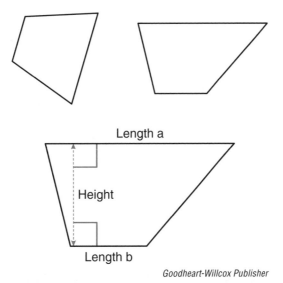

To calculate the area of a trapezoid, the formula requires knowing the height of the trapezoid, the same as in a parallelogram. A line perpendicular to the parallel sides is drawn to establish the height measurement.

The length of the two parallel sides is then added together, and the height is multiplied times the combined length. One half of that product will equal the area of the trapezoid. Therefore, the formula for the area of a trapezoid is as shown.

$$\text{Area } (A) = \frac{(\text{length a} + \text{length b}) \times \text{height}}{2}$$

$$A = \frac{(l_a + l_b) \times h}{2}$$

For example, if length *a* is 20′, length *b* is 12′, and the height is 14′, then the calculation would be 20′ plus 12′ times 14′, and that product divided by 2.

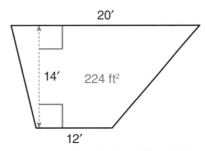

$$A = \frac{(20' + 12') \times 14'}{2}$$

$$= \frac{(32') \times 14'}{2}$$

$$= \frac{448 \text{ ft}^2}{2}$$

$$= 224 \text{ ft}^2$$

Any triangle can be considered to be one-half of a rectangle, so the formula for the area of a triangle uses one half the length times the width. In triangles, however, the length is called the *base*, and the width is called *height*.

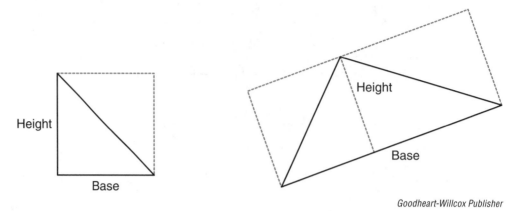

The base of a triangle is any one of the sides of the triangle, and the height (also called the altitude) is a perpendicular line from the base to the opposite angle of the triangle. With some triangles, the base may have to be extended in order to draw the perpendicular line. With any right triangle, the perpendicular line is already established at the right angle. The formula for calculating the area of a triangle is shown here.

$$A = \frac{b \times h}{2}$$

For example, if a triangle has a base that measures 20″, and a height that measures 12″, the calculation would be 20″ times 12″ divided by 2.

$$A = \frac{20'' \times 12''}{2}$$

$$A = 120 \text{ in}^2$$

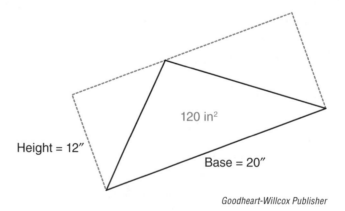

The area and volume of polygons and different shapes can be converted to different units using conversion factors, such as those shown in this table.

Area and Volume Conversions

Multiply:	by	To Obtain:
square feet	144	square inches
square feet	0.111	square yards
square feet	0.092903	square meters
square inches	0.006944	square feet
square inches	645.16	square millimeters
square inches	0.0007716	square yards
square yards	9	square feet
cubic feet	1,728	cubic inches
cubic inches	16,387.064	cubic millimeters
cubic feet	0.028	cubic meters
cubic meters	35.315	cubic feet
cubic millimeters	0.000061	cubic inches
cubic millimeters	0.000000035	cubic feet
cubic yards	27	cubic feet
Divide:	**by**	**To Obtain:**
square inches	144	square feet
cubic inches	1,728	cubic feet

Goodheart-Willcox Publisher

7.2.3 Area of a Circle

The area of a circle can be calculated by using the formula $A = \pi r^2$, which is area equals pi times the radius squared. To calculate the area of the bottom of a tank that measures 16′ in diameter, the formula would be as shown.

$$A = \pi r^2$$

Because the diameter is known to be 16′ and the radius is 1/2 of the diameter, the radius of the tank would be 8′. The radius (8) squared is 64.

$$A = \pi 8'^2$$
$$= 3.14(64 \text{ ft}^2)$$
$$= 200.96 \text{ ft}^2$$

Therefore, the area of the base of a tank that measures 16′ in diameter is 200.96 ft².

Goodheart-Willcox Publisher

7.2.4 Volume

Volume can be defined as the amount of space that is occupied by a three-dimensional object. Because an object has three dimensions, volume is measured in **cubic units**, such as cubic inches (in³) or cubic feet (ft³).

Volume of a Cube

Volume of a cube is calculated by using the following formula:

$$\text{Volume } (V) = \text{length } (l) \times \text{width } (w) \times \text{height } (h)$$

$$V = l \times w \times h$$

This formula is used for any rectangular three-dimensional object. To calculate volume, the three dimensions (length, width, and height) are multiplied by each other. For example, in a room that measures 16′ by 24′ by 8′, the calculation of area would be length times width, which results in 384 ft².

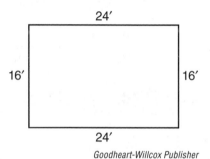

Goodheart-Willcox Publisher

$$A = 16' \times 24'$$

$$= 384 \text{ ft}^2$$

When the third dimension (height) is added, the object takes on another aspect: volume.

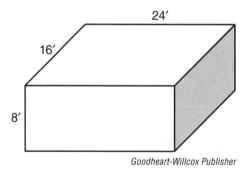

Goodheart-Willcox Publisher

Just as any number multiplied by itself is called squared, any number that is multiplied by itself two times is cubed. When square feet is multiplied by feet, the product is in **cubic feet (ft³)**. For example, 16′ times 24′ equals 384 ft², and when multiplied by 8′, it equals 3,072 ft³. Cubic feet may be abbreviated as either cu ft or ft³.

$$V = l \times w \times h$$

$$= 16' \times 24' \times 8'$$

$$= 3,072 \text{ ft}^3$$

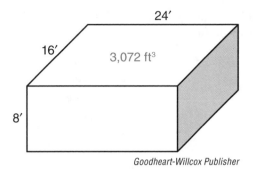

Volume of a Cylinder

The volume of a cylinder, or a cylindrical space, will often be a necessary calculation in the HVACR trade. Tanks are commonly used in water heating and cooling systems, and piping system capacity may need to be figured as well.

To calculate the volume of a tank or any cylinder, the radius or diameter of the cylinder must be known. Once the radius is known, the area of the end of the cylinder can be calculated using the formula $A = \pi r^2$.

For example, to calculate the area of the base of a tank that measures 16′ in diameter, the formula can be applied as follows. Because the diameter is known to be 16′ and the radius is 1/2 of the diameter, the radius of the tank would be 8′.

$$A = \pi(8'^2)$$
$$= 3.14(64 \text{ ft}^2)$$
$$= 200.96 \text{ ft}^2$$

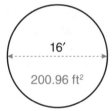

The area of the base of a tank that measures 16′ in diameter, therefore, is 200.96 ft². The formula used for the volume of a cylinder will be volume = area of the base times the length (or height) of the cylinder.

$$V = A \times l$$
$$= (\pi \times r^2) \times l$$

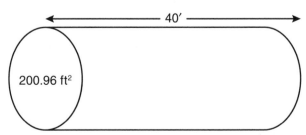

Continuing with the above example, if the tank has a diameter of 16′ and is 40′ long (or deep), the formula for volume would be as shown.

$$V = \pi \times r^2 \times l$$
$$= \pi \times 8'^2 \times 40'$$
$$= \pi \times 64 \text{ ft}^2 \times 40'$$
$$= 200.96 \text{ ft}^2 \times 40'$$
$$= 8{,}038.40 \text{ ft}^3$$

The volume of the tank, therefore, is 8,038.40 ft³.

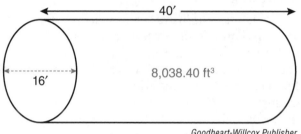

Goodheart-Willcox Publisher

When volume calculations are made for tanks and piping, the amount of cubic feet or cubic meters often needs to be converted to liquid measure, such as gallons or liters. Both square and round tank capacity can be determined by first calculating the volume in cubic units and then converting to liquid measure if necessary.

With water, 1 cubic foot equals 7.48 gallons or 28.32 liters, and 1 cubic meter equals 1000 liters (227.02 gallons). Pipe capacity can be calculated in the same manner by using the inside diameter (ID) of the pipe to determine the area, which can be multiplied by the pipe length to establish the volume. To save time in estimating, charts are available that give the technician the amount of fluid held by various pipe sizes.

Name _____ **Date** _____ **Class** _____

Perimeter and Circumference Exercises

Exercise 7-1

Calculate the perimeter of each of the following polygons.

1. _____

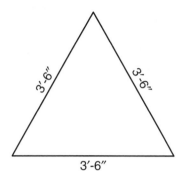

2. _____

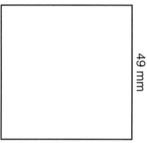

3. _____

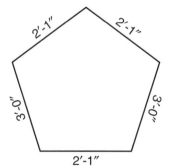

4. _____

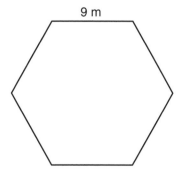

(Continued)

5. _____

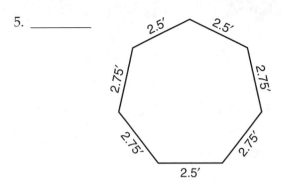

6. _____

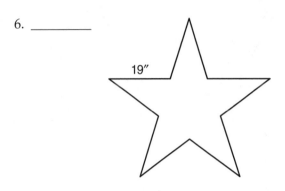

7. _____

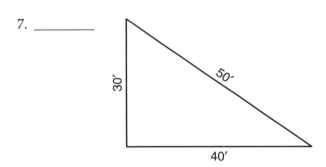

8. _____

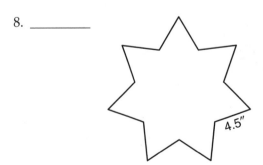

Name _____ **Date** _____ **Class** _____

Exercise 7-2

Examine each circle in this exercise. Then calculate and record their three major values: circumference, diameter, and radius.

1. Circumference: _____

   Diameter: _____

   Radius: _____

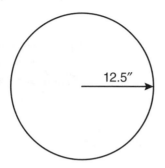

2. Circumference: _____

   Diameter: _____

   Radius: _____

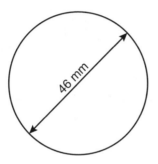

3. Circumference: _____

   Diameter: _____

   Radius: _____

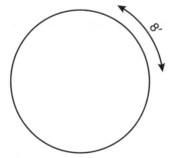

4. Circumference: _____

   Diameter: _____

   Radius: _____

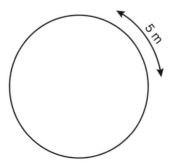

Goodheart-Willcox Publisher

Practical Exercise 7-3

A sheet metal technician is taping the joints of a duct system. In order to make sure there is enough joint tape, the technician counted the number of joints to be covered and listed the diameter of each section of ductwork. From the chart below, calculate the length of duct tape necessary to seal the joints on the different types of ductwork.

Air Handling System #1

Duct Size	Number of Joints
6′ × 8′ rectangular	14
48″ square	17
48″ round	21
36″ round	11
24″ × 18″ rectangular	8
12″ round	20
6″ round	13

Goodheart-Willcox Publisher

1. How much tape in inches is necessary to seal the 6′ × 8′ rectangular ducts?

   _____ inches

2. How much tape in feet is necessary to seal the 6′ × 8′ rectangular ducts?

   _____ feet

3. How much tape in inches is necessary to seal the 48″ square ducts?

   _____ inches

4. How much tape in feet is necessary to seal the 48″ square ducts?

   _____ feet

Name _____ **Date** _____ **Class** _____

5. How much tape in inches is necessary to seal the 48″ round ducts?

   _____ inches

6. How much tape in feet is necessary to seal the 48″ round ducts?

   _____ feet

7. How much tape in inches is necessary to seal the 36″ round ducts?

   _____ inches

8. How much tape in feet is necessary to seal the 36″ round ducts?

   _____ feet

9. How much tape in inches is necessary to seal the 24″ × 18″ rectangular ducts?

   _____ inches

10. How much tape in feet is necessary to seal the 24″ × 18″ rectangular ducts?

   _____ feet

(Continued)

11. How much tape in inches is necessary to seal the 12″ round ducts?

_____ inches

12. How much tape in feet is necessary to seal the 12″ round ducts?

_____ feet

13. How much tape in inches is necessary to seal the 6″ round ducts?

_____ inches

14. How much tape in feet is necessary to seal the 6″ round ducts?

_____ feet

15. How many inches of tape are necessary to seal all of the joints?

_____ inches

16. How many feet of tape are necessary to seal all of the joints? Round up to the nearest foot.

_____ feet

17. The local supply house sells joint tape in rolls that are 50 yards in length. How many rolls of tape are needed to seal all of the joints in this system?

_____ rolls

Name _____   **Date** _____   **Class** _____

Polygon Area Exercises

Exercise 7-4

Calculate the area of the following polygons.

1. Area: _____

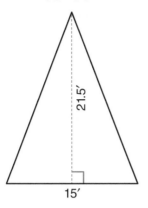

2. Area: _____

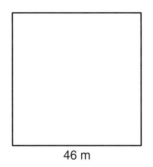

3. Area: _____

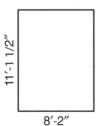

Goodheart-Willcox Publisher

(Continued)

4. Area: _____

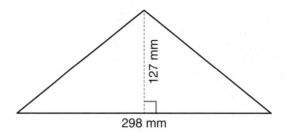

127 mm

298 mm

5. Area: _____

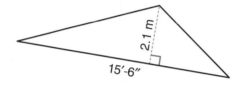

2.1 m

15′-6″

6. Area: _____

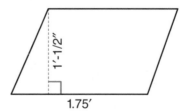

1′-1/2″

1.75′

Name _____   **Date** _____   **Class** _____

7. Area: _____

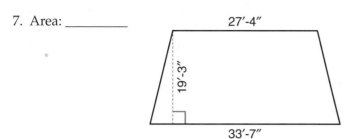

8. Area: _____

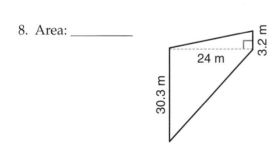

Practical Exercise 7-5

The owners of Cayuga Consolidated, Inc. have requested a quotation for the installation of a new cooling system for their office building. Using the dimensions shown on the drawing provided, calculate the following space allocations for the HVAC estimator.

1. What is the area of the Chairman's Office?

   _____

2. How much area is allocated as a Waiting Room?

   _____

3. If a standard 10′ by 10′ office cubicle is used, how many cubicles will comfortably fit in the area so designated?

   _____

Name _____ **Date** _____ **Class** _____

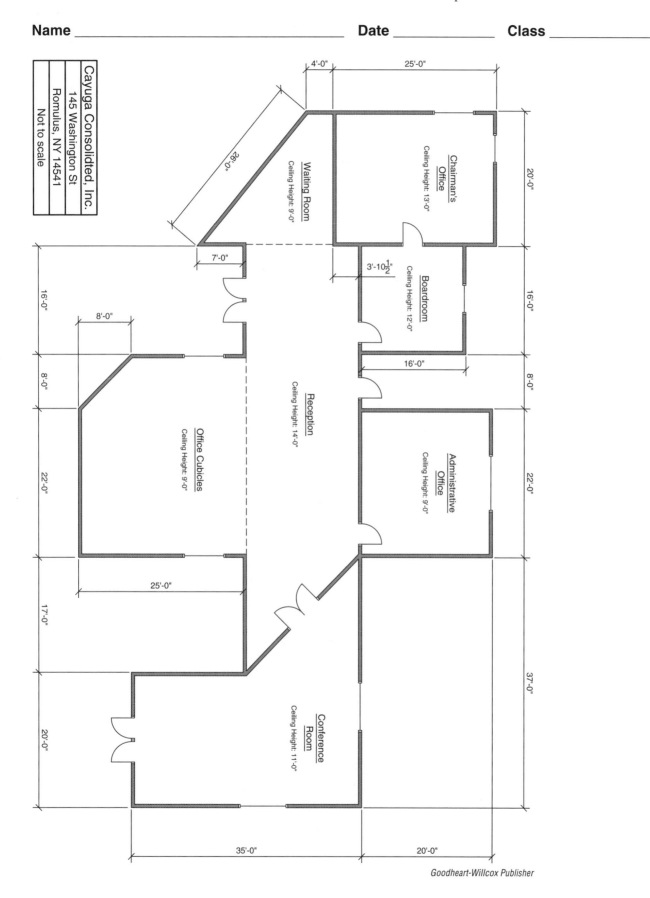

Cayuga Consolicited, Inc.
145 Washington St
Romulus, NY 14541
Not to scale

Waiting Room
Ceiling Height: 9'-0"

Chairman's Office
Ceiling Height: 13'-0"

Boardroom
Ceiling Height: 12'-0"

Reception
Ceiling Height: 14'-0"

Office Cubicles
Ceiling Height: 9'-0"

Administrative Office
Ceiling Height: 9'-0"

Conference Room
Ceiling Height: 11'-0"

4'-0" 25'-0"
26'-0"
7'-0"
20'-0"
16'-0"
3'-10½"
16'-0"
16'-0"
8'-0"
8'-0"
8'-0"
22'-0"
22'-0"
25'-0"
17'-0"
37'-0"
20'-0"
35'-0" 20'-0"

Goodheart-Willcox Publisher

For use with Practical Exercises 7-5 and 7-8.

(Continued)

4. What is the area of the Conference Room?

   _____

5. What is the total area of the entire building?

   _____

Name _____ **Date** _____ **Class** _____

    In the HVACR trade, determining system requirements can be accomplished in several ways. Every method, however, involves some measure of estimation. In this next question, round the tonnage answer to the whole ton so no fraction or decimal values remain.

6. If the air-conditioning system is estimated at 1 ton of cooling per 450 ft^2 of private office space and 1 ton per 350 ft^2 of public space, what is the approximate air-conditioning tonnage required to cool this building? Round your answer.

    _____

Combined Area Exercises
Exercise 7-6
Calculate the area of the following shapes.

1. Area: _____

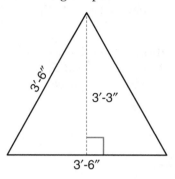

2. Area: _____

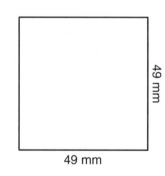

3. Area: _____

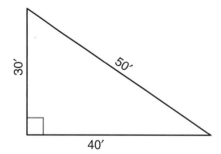

Name _____   **Date** _____   **Class** _____

4. Area: _____

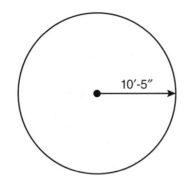

5. Area: _____

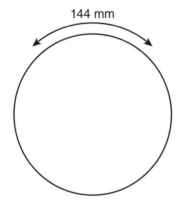

6. Area: _____

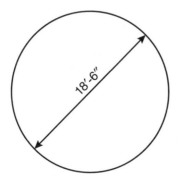

Cubic Volume Exercises

Exercise 7-7

Calculate the volume of the following cubes.

1. Volume: _____

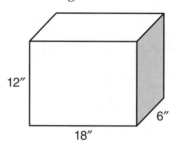

2. Volume: _____

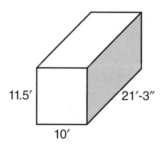

3. Volume: _____

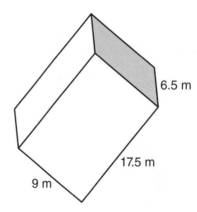

4. Volume: _____

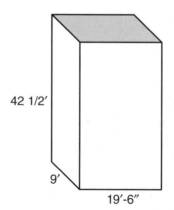

Name _____   **Date** _____   **Class** _____

Practical Exercise 7-8

Your company has been contracted by Cayuga Consolidated, Inc. to provide a quotation on HVAC equipment for their office building, which will be heated and cooled by a geothermal hydronic system. Refer to the building floor plan provided with Practical Exercise 7-5.

   A single zone will be used for the general areas of the building, which includes the Reception Area, Waiting Room, and Office Cubicles. Calculate the volume of each space separately. Also, determine the total volume of these general areas combined.

1. Calculate the volume of the Reception Area.

   _____ ft^3

2. Calculate the volume of the Waiting Room.

   _____ ft^3

3. Calculate the volume of the Office Cubicles.

   _____ ft^3

4. Calculate the total volume of the general areas (Reception Area, Waiting Room, and Office Cubicles).

   _____ ft^3

(Continued)

The Chairman's Office, the Boardroom, and the Administrative Office will each have its own zone in the HVAC system. Determine the volume of each of these spaces.

5. Calculate the volume of the Chairman's Office.

_____ ft³

6. Calculate the volume of the Boardroom.

_____ ft³

7. Calculate the volume of the Administrative Office.

_____ ft³

8. The Conference Room will also be a separate zone. Calculate the volume of this space.

_____ ft³

9. What is the total volume of the building?

_____ ft³

Name _____   **Date** _____   **Class** _____

Cylindrical Volume Exercises

Exercise 7-9

Calculate the volume of each of the following cylinders.

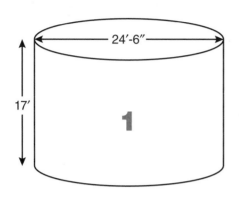

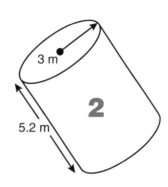

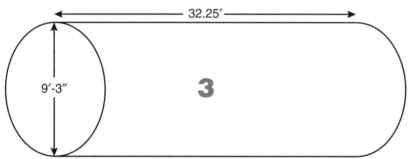

1. Calculate the volume for cylinder 1.

   _____

2. Calculate the volume for cylinder 2.

   _____

3. Calculate the volume for cylinder 3.

   _____

Practical Exercise 7-10

A geothermal water-source heating system is being installed in a new building. The plans call for the components listed.

- **Boiler:** fire tube design, cylindrical, 4′ diameter × 6′ length, fluid capacity will be 75% of total boiler volume.
- **Expansion Tank:** 2.5′ diameter, 4.25′ length, fluid capacity will be 50% of tank volume.
- **Piping:** 4″ ID: 650′
- **Piping:** 2″ ID: 1,870′
- **Piping:** 1″ ID: 4,326′

1. Calculate the total fluid capacity of the heating system in cubic feet.

   _____

2. Calculate the total fluid capacity of the heating system in gallons.

   _____

3. Calculate the total fluid capacity of the heating system in liters.

   _____

4. The specifications call for the system to be filled with a solution of 30% propylene glycol and 70% deionized water. The propylene glycol is purchased as 100% fluid in 55-gallon drums. How many drums of glycol must be purchased for this installation?

   _____

CHAPTER 8

Trigonometric Functions

Objectives

Information in this chapter will enable you to:

- Understand trigonometry as it relates to shapes and angles found in the HVACR trade.
- Distinguish between regular polygons and irregular polygons.
- Understand the relationship between apothem and incircle and also the relationship between radius and circumcircle in regular polygons.
- Use sine, cosine, tangent, and a trigonometric chart to determine unknown angles of a right triangle.
- Calculate unknown lengths of a right triangle using the Pythagorean Theorem.
- Calculate the apothem and radius of regular polygons.
- Calculate the area of polygons.

Technical Terms

apothem	irregular polygon	sine (sin)
circumcircle	Pythagorean Theorem	tangent (tan)
cosine (cos)	radius	trigonometry
incircle	regular polygon	vertex

8.1 Introduction to Trigonometry

Trigonometry is defined as a branch of mathematics dealing with the angles and sides of triangles and their relationships. In the previous chapter, geometric shapes and their properties were discussed thoroughly. However, trigonometry comes into play when the shapes encountered by HVACR professionals are not regular squares, rectangles, and cubes.

Modern buildings are often designed with irregularly shaped areas, and the determination of the area and volume of these spaces may be necessary in the calculation of heating and cooling system requirements. This chapter continues the discussion of shapes encountered in the mechanical trades.

8.1.1 Polygons

The area of polygons that are not rectangles or triangles can be calculated, but in the HVACR trade, exact calculation of the area of these polygons will seldom be necessary. Since estimation is often used in the field, understanding the calculation of a polygon's area will result in more accurate estimations.

Regular polygons are shapes that have equal sides and equal angles. **Irregular polygons** have sides and angles of different measurements.

Regular Polygons — Equal Sides and Angles

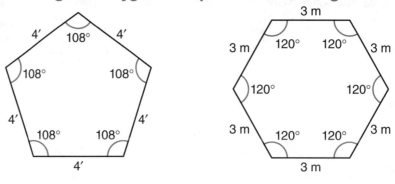

Irregular Polygons — Unequal Sides and Angles

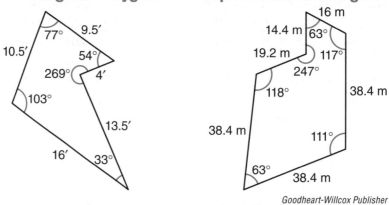

Goodheart-Willcox Publisher

For regular polygons, such as a pentagon or a hexagon, the formula used will include the term **apothem**, which is the distance from the center of the polygon to the midpoint of any one of the sides. The apothem will form a right angle with the side.

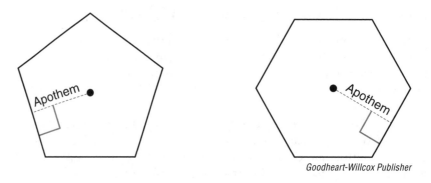

Goodheart-Willcox Publisher

A line drawn from the center of a regular polygon to any **vertex** (a place where two lines meet) is called the **radius**. Because the vertex is farther away from the center of a polygon than is the midpoint of any of its sides, the radius is always longer than the apothem of a given polygon.

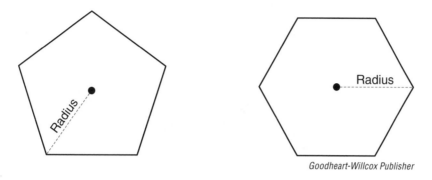

Goodheart-Willcox Publisher

An **incircle** is a circle inscribed to touch each of the sides of a regular polygon at its midpoints. The apothem is the radius of the incircle. A **circumcircle** is a circle inscribed to touch all of the vertices of a regular polygon. Therefore, the radius of the circumcircle is the same as the radius of the polygon.

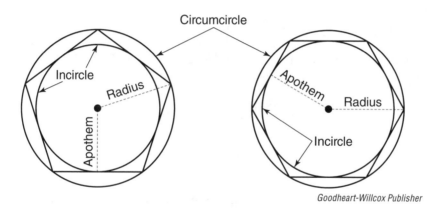

Goodheart-Willcox Publisher

If the apothem for each side of the polygon and the radius for each vertex is drawn, the polygon becomes a series of triangles. The area for each triangle can be calculated, and the sum of the triangle areas will equal the area of the polygon.

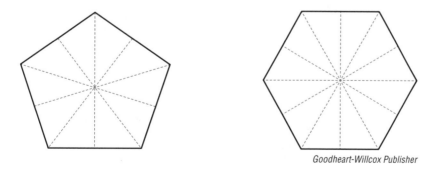

Goodheart-Willcox Publisher

If it is impossible to secure a field measurement of the length of the apothem, a formula that uses basic trigonometric functions can be used. For these calculations, a scientific calculator will often be used, though a chart of trigonometric values may be used instead. A basic understanding of trigonometric terms is necessary.

8.1.2 Trigonometric Functions

As defined by a right triangle, **sine (sin)** is a number that represents the ratio of the length of the side opposite any angle divided by the length of the longest side (hypotenuse).

$$\sin = \frac{\text{opposite side}}{\text{hypotenuse}}$$

Height (adjacent side to Angle *A*)

Angle *A*

Hypotenuse (longest side)

Base (opposite side to Angle *A*)

Goodheart-Willcox Publisher

In this triangle, the sine of Angle *A* would be the length of the base divided by the length of the hypotenuse. For example, if the length of the base is 3′, and the length of the hypotenuse is 5′, the calculation of the sine of Angle *A* would be 3 divided by 5 to get 0.6. The formula would be written as shown.

$$\sin A = \frac{\text{base}}{\text{hypotenuse}}$$

$$\sin A = \frac{3}{5}$$

$$\sin A = 0.6$$

By use of a trigonometric chart, it can be determined that Angle *A* is approximately 37°. The exact angle (by calculation) is 36.87°, but this level of accuracy is not needed in the field.

Cosine (cos) is a number that represents the ratio of the length of the side adjacent to the angle divided by the length of the hypotenuse.

$$\cos = \frac{\text{adjacent side}}{\text{hypotenuse}}$$

Height (opposite side to Angle *B*)

Hypotenuse (longest side)

Angle *B*

Base (adjacent side to Angle *B*)

Goodheart-Willcox Publisher

Trigonometric Chart

Angle	Radian Measure	Sin	Cos	Tan	Angle	Radian Measure	Sin	Cos	Tan
0	0.00000	0.00000	1.00000	0.00000	46	0.80285	0.71934	0.69466	1.03553
1	0.01745	0.01745	0.99985	0.01746	47	0.82030	0.73135	0.68200	1.07237
2	0.03491	0.03490	0.99939	0.03492	48	0.83776	0.74314	0.66913	1.11061
3	0.05236	0.05234	0.99863	0.05241	49	0.85521	0.75471	0.65606	1.15037
4	0.06981	0.06976	0.99756	0.06993	50	0.87266	0.76604	0.64279	1.19175
5	0.08727	0.08716	0.99619	0.08749	51	0.89012	0.77715	0.62932	1.23490
6	0.10472	0.10453	0.99452	0.10510	52	0.90757	0.78801	0.61566	1.27994
7	0.12217	0.12187	0.99255	0.12278	53	0.92502	0.79864	0.60182	1.32704
8	0.13963	0.13917	0.99027	0.14054	54	0.94248	0.80902	0.58779	1.37638
9	0.15708	0.15643	0.98769	0.15838	55	0.95993	0.81915	0.57358	1.42815
10	0.17453	0.17365	0.98481	0.17633	56	0.97738	0.82904	0.55919	1.48256
11	0.19199	0.19081	0.98163	0.19438	57	0.99484	0.83867	0.54464	1.53986
12	0.20944	0.20791	0.97815	0.21256	58	1.01229	0.84805	0.52992	1.60033
13	0.22689	0.22495	0.97437	0.23087	59	1.02974	0.85717	0.51504	1.66428
14	0.24435	0.24192	0.97030	0.24933	60	1.04720	0.86603	0.50000	1.73205
15	0.26180	0.25882	0.96593	0.26795	61	1.06465	0.87462	0.48481	1.80405
16	0.27925	0.27564	0.96126	0.28675	62	1.08210	0.88295	0.46947	1.88073
17	0.29671	0.29237	0.95630	0.30573	63	1.09956	0.89101	0.45399	1.96261
18	0.31416	0.30902	0.95106	0.32492	64	1.11701	0.89879	0.43837	2.05030
19	0.33161	0.32557	0.94552	0.34433	65	1.13446	0.90631	0.42262	2.14451
20	0.34907	0.34202	0.93969	0.36397	66	1.15192	0.91355	0.40674	2.24604
21	0.36652	0.35837	0.93358	0.38386	67	1.16937	0.92050	0.39073	2.35585
22	0.38397	0.37461	0.92718	0.40403	68	1.18682	0.92718	0.37461	2.47509
23	0.40143	0.39073	0.92050	0.42447	69	1.20428	0.93358	0.35837	2.60509
24	0.41888	0.40674	0.91355	0.44523	70	1.22173	0.93969	0.34202	2.74748
25	0.43633	0.42262	0.90631	0.46631	71	1.23918	0.94552	0.32557	2.90421
26	0.45379	0.43837	0.89879	0.48773	72	1.25664	0.95106	0.30902	3.07768
27	0.47124	0.45399	0.89101	0.50953	73	1.27409	0.95630	0.29237	3.27085
28	0.48869	0.46947	0.88295	0.53171	74	1.29154	0.96126	0.27564	3.48741
29	0.50615	0.48481	0.87462	0.55431	75	1.30900	0.96593	0.25882	3.73205
30	0.52360	0.50000	0.86603	0.57735	76	1.32645	0.97030	0.24192	4.01078
31	0.54105	0.51504	0.85717	0.60086	77	1.34390	0.97437	0.22495	4.33148
32	0.55851	0.52992	0.84805	0.62487	78	1.36136	0.97815	0.20791	4.70463
33	0.57596	0.54464	0.83867	0.64941	79	1.37881	0.98163	0.19081	5.14455
34	0.59341	0.55919	0.82904	0.67451	80	1.39626	0.98481	0.17365	5.67128
35	0.61087	0.57358	0.81915	0.70021	81	1.41372	0.98769	0.15643	6.31375
36	0.62832	0.58779	0.80902	0.72654	82	1.43117	0.99027	0.13917	7.11537
37	0.64577	0.60182	0.79864	0.75355	83	1.44862	0.99255	0.12187	8.14435
38	0.66323	0.61566	0.78801	0.78129	84	1.46608	0.99452	0.10453	9.51436
39	0.68068	0.62932	0.77715	0.80978	85	1.48353	0.99619	0.08716	11.43005
40	0.69813	0.64279	0.76604	0.83910	86	1.50098	0.99756	0.06976	14.30067
41	0.71558	0.65606	0.75471	0.86929	87	1.51844	0.99863	0.05234	19.08114
42	0.73304	0.66913	0.74314	0.90040	88	1.53589	0.99939	0.03490	28.63625
43	0.75049	0.68200	0.73135	0.93252	89	1.55334	0.99985	0.01745	57.28996
44	0.76794	0.69466	0.71934	0.96569	90	1.57080	1.00000	0.00000	
45	0.78540	0.70711	0.70711	1.00000					

8

Goodheart-Willcox Publisher

In the triangle shown, the cosine of Angle *B* would be the length of the base divided by the length of the hypotenuse. For example, if the length of the base is 3′, and the length of the hypotenuse is 5′, then the calculation of the cosine of Angle *B* would be 3 divided by 5. This would equal 0.6. The formula would be written as shown.

$$\cos B = \frac{\text{base}}{\text{hypotenuse}}$$

$$\cos B = \frac{3}{5}$$

$$\cos B = 0.6$$

By use of the trigonometric chart, it can be determined that Angle *B* is approximately 53°. The exact angle (by calculation) is 53.13°.

Tangent (tan) is a number that represents the ratio of the length of the side opposite the angle divided by the length of the side adjacent to the angle.

$$\tan = \frac{\text{opposite side}}{\text{adjacent side}}$$

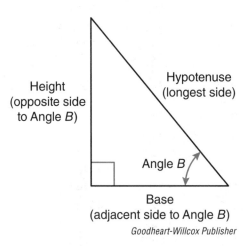

Height
(opposite side to Angle *B*)

Hypotenuse
(longest side)

Angle *B*

Base
(adjacent side to Angle *B*)

Goodheart-Willcox Publisher

In the triangle shown, the tangent of Angle *B* would be the length of the height divided by the length of the base. For example, if the length of the base is 3′, and the length of the height is 4′, the calculation of the tangent of Angle *B* would be 4 divided by 3. This would equal 1.3333. The formula would be written as shown.

$$\tan B = \frac{\text{height}}{\text{base}}$$

$$\tan B = \frac{4}{3}$$

$$\tan B = 1.3333$$

By use of the trigonometric chart, it can be determined that Angle *B* is approximately 53°. Note that both the cosine calculation and the tangent calculation resulted in determining Angle *B* to be the same. In practice, however, only one of those calculations would be necessary.

In triangles, the sum of the three angles must always equal 180°. In this example, only the right angle (90°) was known. By calculating either the sine, cosine, or tangent, the values of the unknown angles were determined, and the total of the three angles equals 180°.

Right angle	90.00°
Angle A	36.87°
Angle B	53.13°
Total	180.00°

8.1.3 Pythagorean Theorem

Pythagoras, a Greek mathematician who lived about 2,500 years ago, is credited with discovering the fact that in a right triangle, the square of the hypotenuse is equal to the sum of the squares of the other two sides. This formula is called the **Pythagorean Theorem**. It is written as $a^2 + b^2 = c^2$, where a and b are the lengths of the two shorter sides of a right triangle and c is the length of the hypotenuse.

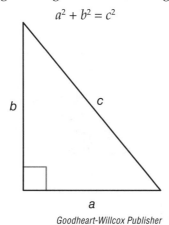

$$a^2 + b^2 = c^2$$

Goodheart-Willcox Publisher

The Pythagorean Theorem is often used in the mechanical and building trades to ensure that corners are a right angle (90°). By using a triangle that measures in increments of 3, 4, and 5, where 3 and 4 are the short sides and 5 is the hypotenuse, a right angle is proven. Thus, if a measures 3′ and b measures 4′, then c must be 5′.

$$3^2 + 4^2 = 5^2$$

$$9 + 16 = 25$$

8

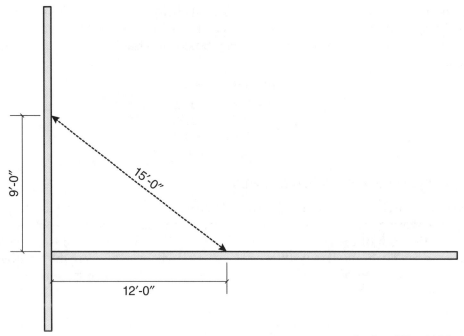

In the diagram shown, if one wall is marked at a position of 9′ from the corner and the other wall is marked at 12′ from the corner, a measurement between the two marks will equal 15′ if the corner is square (a 90° angle). Any multiples of 3-4-5 can be used in this manner to prove that a corner is a right angle.

$$9^2 + 12^2 = 15^2$$
$$81 + 144 = 225$$

8.2 Finding Unknown Values in Polygons

In polygons, the apothem (the distance from the center of the polygon to the midpoint of any side) and the radius (the distance from the center of the polygon to the vertex of any two sides) may be unknown. While the need to determine either one of these values may be infrequent, it is important to know that even though they may be unmeasurable in the field, both the apothem and the radius can be calculated.

8.2.1 Apothem in Regular Polygons

When the apothem of a polygon is unknown and unmeasurable in the field, trigonometry can be used to determine that measurement. The formula for finding the apothem of a regular polygon is the length of the side divided by 2 times the tangent of 180° divided by the number of sides of the polygon.

$$\frac{l}{2 \times \tan\left(\frac{180°}{n}\right)}$$

where

l = length of any side

n = number of sides

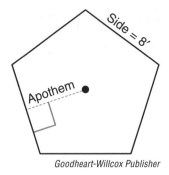

Goodheart-Willcox Publisher

For example, in a pentagon with a side length of 8′, the formula for finding the apothem would be as shown.

$$\text{apothem } (a) = \frac{8}{2 \times \tan\left(\frac{180°}{5}\right)}$$

Since the algebraic order of operation requires handling the math within the parentheses first, begin this equation by dividing 180° by the number of sides of the pentagon, which is 5.

$$\text{apothem } (a) = \frac{8}{2 \times \tan(36°)}$$

The trigonometric chart shows that the tangent of 36° is 0.7265.

$$\text{apothem } (a) = \frac{8}{2 \times 0.7265}$$

$$\text{apothem } (a) = \frac{8}{1.453}$$

$$\text{apothem } (a) = 5.5058′$$

The length of the apothem in this pentagon is 5.5058′ or 5′-6 1/16″.

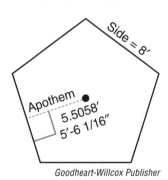

Goodheart-Willcox Publisher

8.2.2 Radius in Regular Polygons

To find the radius of a regular polygon, a different formula is used. The radius formula is the length of the side divided by 2 times the sine of 180° divided by the number of sides.

$$\text{radius } (r) = \frac{l}{2 \times \sin\left(\frac{180°}{n}\right)}$$

where

l = length of any side

n = number of sides

Using the same example, in a pentagon with a side length of 8′, the formula for finding the radius would be as shown.

$$\text{radius } (r) = \frac{8}{2 \times \sin\left(\frac{180°}{5}\right)}$$

$$\text{radius } (r) = \frac{8}{2 \times \sin(36°)}$$

The trigonometric chart shows that the sine of 36° is 0.5878.

$$\text{radius } (r) = \frac{8}{2 \times 0.5878}$$

$$\text{radius } (r) = \frac{8}{1.1756}$$

$$\text{radius } (r) = 6.8050′$$

The length of the radius in this pentagon is 6.8050′ or 6′-9 21/32″.

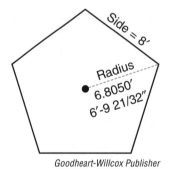

Goodheart-Willcox Publisher

Another method of finding the radius can be used if the length of the apothem is known. The formula for the radius is the apothem divided by the cosine of 180° divided by the number of sides of the polygon.

$$\text{radius } (r) = \frac{a}{\cos\left(\frac{180°}{n}\right)}$$

Where

a = apothem

n = number of sides

Using the same data from the previous example, the radius can be calculated.

$$\text{radius } (r) = \frac{5.5058}{\cos\left(\dfrac{180°}{5}\right)}$$

$$\text{radius } (r) = \frac{5.5058}{\cos (36°)}$$

The trigonometric chart (or a scientific calculator) shows that the cosine of 36° is 0.8090.

Thus,

$$\text{radius } (r) = \frac{5.5058}{0.8090}$$

$$\text{radius } (r) = 6.8057'$$

By this method of calculation, the length of the radius in the pentagon is 6.8057' or 6'-9 21/32". Note that though two different methods of determining the radius were used, the result is the same. In actual use, only one calculation would be necessary.

8.3 Area of a Polygon

The area of a polygon may need to be calculated in order to determine the size of a building space. Heating and cooling loads are affected by the size of the area to be conditioned, and rooms are not always square or rectangular. In these instances, it will be necessary to understand how the area of polygons, both regular and irregular, can be determined.

8.3.1 Area of Regular Polygons

Once the apothem is known, the area of a polygon can be calculated, using the formula:

$$A = \frac{a \times p}{2}$$

Where

A = area

a = apothem

p = perimeter

For example, take a pentagon that has sides that are 8' each. Multiply the number of sides (5) by the length (8') to get a perimeter of 40'. Knowing the value of the apothem (5.5058'), the area can be calculated.

$$\text{area } (A) = \frac{5.5058' \times 40'}{2}$$

$$= \frac{220.232}{2}$$

$$= 110.116 \text{ ft}^2$$

8

The area of the pentagon is 110.116 ft², which can be rounded off to 110 ft².

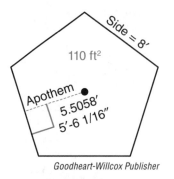

8.3.2 Area of Irregular Polygons

Because irregular polygons have sides and angles of various measurements, calculating an apothem and radius is impossible. There is no single area formula that will work for all types of irregular polygons, but finding the area of an irregular polygon will most likely be an infrequent task for workers in the mechanical trades. A basic understanding of irregular polygons is useful if a technician ever needs to calculate such an area or volume in the field. Irregular polygons may have any number of straight sides and any variation of angles.

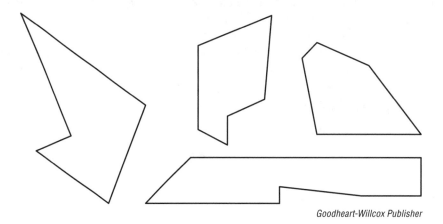

The simplest method of calculating the area of an irregular polygon is to divide the shape into triangles and rectangles, calculate the area of each shape, and then add those calculated areas together to obtain the total area of the polygon.

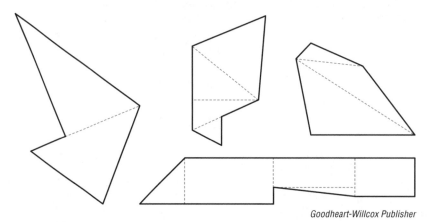

Name _____ **Date** _____ **Class** _____

Side and Angle Exercises

Exercise 8-1

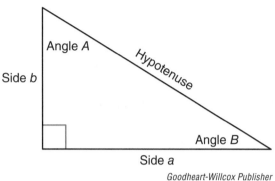

Angle A

Hypotenuse

Side b

Angle B

Side a

Goodheart-Willcox Publisher

Using the information provided for the triangle shown, find the measurement of the unknown angle by using the trigonometric chart found earlier in this chapter. Round the angle off to the nearest degree.

1. If Side *a* measures 10′, and the hypotenuse measures 15′, what is the measurement of Angle *A*?

   _____

2. If Side *b* measures 11.1′ and the hypotenuse measures 15′, what is the measurement of Angle *B*?

   _____

3. What is the total measurement of the three angles of this triangle?

   _____

4. If Side *a* measures 8′-6″, and Side *b* measures 21′, what is the measurement of Angle *A*?

   _____

(Continued)

5. If Side *a* measures 8′-6″ and the hypotenuse measures 22′-8″, what is the measurement of Angle *B*?

_____

6. What is the total measurement of the three angles of this triangle?

_____

7. If Side *b* measures 16′ and the hypotenuse measures 20′, what is the length of Side *a*?

_____

Exercises for Unknown Values of Polygons
Exercise 8-2
Find the apothem or radius of the following polygons.

1. Find the apothem of a pentagon whose side measures 12′.

_____

2. Find the radius of an octagon whose side measures 14′-6″.

_____

3. Find the apothem of an octagon whose side measures 6′.

_____

4. Find the radius of a hexagon whose side measures 11′.

_____

Name _____   **Date** _____   **Class** _____

Practical Exercise 8-3

The architects of the Museum of Modern Art have asked for a quotation on providing the ductwork for their new building. Using the plans provided in the diagram, calculate the values in these questions. To calculate the lengths of the ducts terminating at one of the three circular columns at the center of the rooms, find the radius or apothem of polygon (as appropriate) and then subtract one-half of the column's diameter.

1. The amount of 10″ diameter round duct required for Hexagon Hall.

   _____

2. The amount of 12″ diameter round duct required for Octagon Atrium.

   _____

3. The amount of 8″ diameter round duct required for Pentagon Place.

   _____

4. The amount 18″ diameter round duct for the entire perimeter loop.

   _____

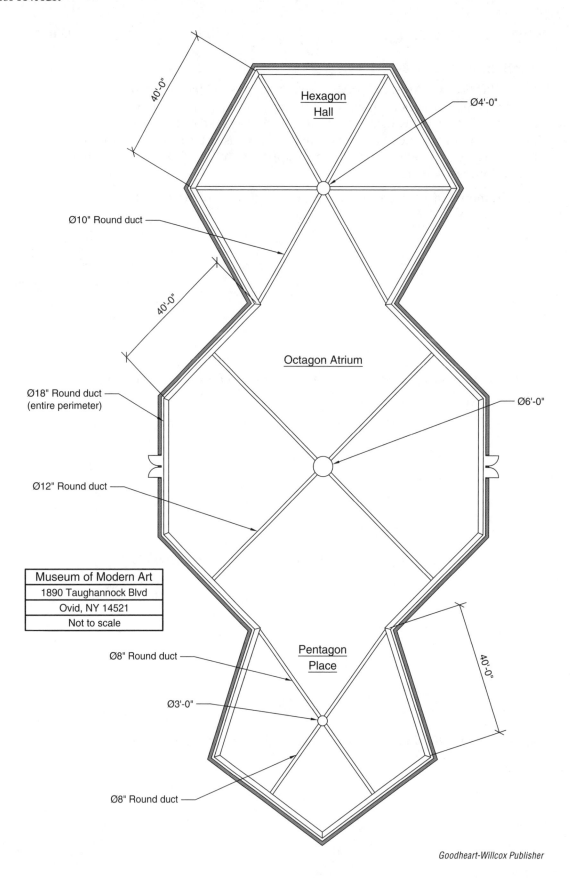

Hexagon
Hall

Ø4'-0"

40'-0"

Ø10" Round duct

40'-0"

Octagon Atrium

Ø18" Round duct
(entire perimeter)

Ø6'-0"

Ø12" Round duct

Museum of Modern Art
1890 Taughannock Blvd
Ovid, NY 14521
Not to scale

Pentagon
Place

Ø8" Round duct

40'-0"

Ø3'-0"

Ø8" Round duct

Goodheart-Willcox Publisher

Name _____   **Date** _____   **Class** _____

Practical Exercise 8-4

Using the building plans for the Museum of Modern Art in the previous diagram, calculate the total volume (in cubic feet) for each type of duct in the air-handling system. Assume each diameter shown is the inside diameter (ID) of the duct. Use the dimensions of the outer walls as the dimensions for the perimeter loop.

1. Calculate the volume of the 8″ round duct.

   _____ ft^3

2. Calculate the volume of the 10″ round duct.

   _____ ft^3

3. Calculate the volume of the 12″ round duct.

   _____ ft^3

4. Calculate the volume of the 18″ round duct.

   _____ ft^3

5. Calculate the total volume of all the ductwork.

   _____ ft^3

Exercise 8-5

Estimate the area of the following irregular polygons. In the field, exact measurements may not be possible, or even necessary. This exercise is to be done by estimation.

1. _____

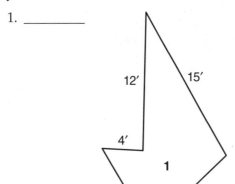

2. _____

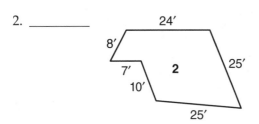

Name _____   **Date** _____   **Class** _____

3. _____

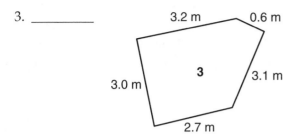

3.2 m   0.6 m

3

3.0 m   3.1 m

2.7 m

4. _____

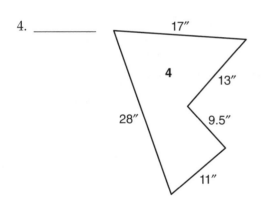

17"

4

13"

28"   9.5"

11"

Goodheart-Willcox Publisher

Practical Exercise 8-6

Use the diagram provided to estimate the amount of sheet metal required to build the plenum shown. Assume all sides are constructed of the same material. Do not include the dampers in the estimation, as these are purchased separately.

1. Estimate the total amount of sheet metal required for the east and west sides of the plenum.

      _____ ft^2

2. Estimate the total amount of sheet metal required for the top and bottom of the plenum.

      _____ ft^2

3. Estimate the total amount of sheet metal that would be cut out from the top and bottom sides of the plenum.

      _____ ft^2

4. Estimate the total amount of sheet metal that would be cut out from the east and west sides of the plenum.

      _____ ft^2

Name _____ **Date** _____ **Class** _____

5. Estimate the total amount of sheet metal that would be cut out from the four sides of the plenum.

   _____ ft²

6. Estimate the total amount of sheet metal required to build the plenum shown in the diagram.

   _____ ft²

7. The damper at the fan outlet has a free area of 85% when fully open. Calculate the value of this free area.

   _____ ft²

8. If the fan produces 1,200 fpm of airflow, calculate the cfm output just after the fan when the dampers are fully open.

   _____ cfm

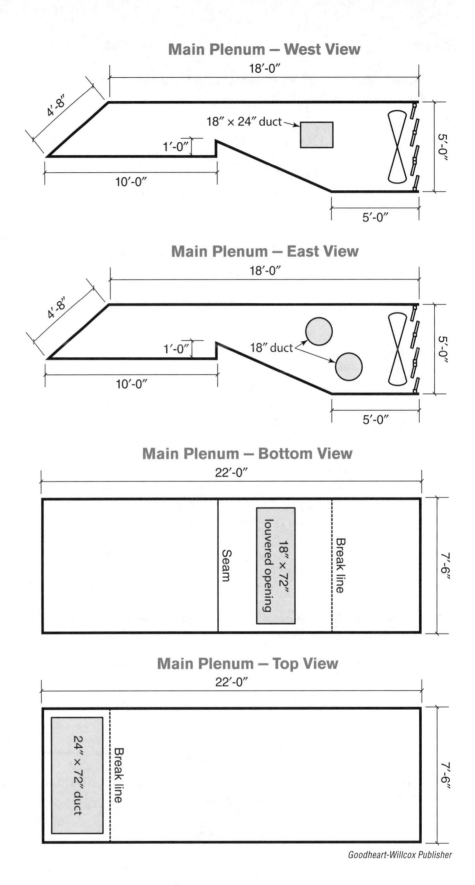

Main Plenum — West View

18'-0"

4'-8"

18" × 24" duct

1'-0"

10'-0"

5'-0"

5'-0"

Main Plenum — East View

18'-0"

4'-8"

1'-0"

18" duct

10'-0"

5'-0"

5'-0"

Main Plenum — Bottom View

22'-0"

Seam

18" × 72" louvered opening

Break line

7'-6"

Main Plenum — Top View

22'-0"

24" × 72" duct

Break line

7'-6"

Goodheart-Willcox Publisher

Name _____   **Date** _____   **Class** _____

Polygon Area Exercises

Practical Exercise 8-7

The Museum of Modern Art will require a specialized HVAC system to control temperature, humidity, and air quality in the building. In keeping with contemporary design considerations, the building will use a radiant in-floor hot water heating system, and a chilled water cooling system distributing air via overhead exposed ductwork. Using the drawing provided in Exercise 8-3 and assuming the length of each interior wall is 40′-0″, calculate the values in the questions presented.

1. What is the area of Hexagon Hall?

   _____

2. What is the area of Octagon Atrium?

   _____

3. What is the area of Pentagon Place?

   _____

4. What is the total area of the entire museum?

   _____

CHAPTER 9

Electrical Measurement and Calculation

Objectives

Information in this chapter will enable you to:

- Understand the importance of electrical skills when going on a service call.
- Properly measure ac and dc voltage using a meter.
- Properly measure alternating current and direct current using a meter.
- Recognize common amperage terminology in the HVACR industry, such as locked rotor amperage (LRA), full load amperage (FLA), and rated load amperage (RLA).
- Properly measure resistance using a meter.
- Use other common multimeter functions for system diagnosis, such as checking continuity, diodes, and capacitors.
- Calculate voltage, current, and resistance using Ohm's law.
- Calculate electrical power, voltage, and current using Watt's law.
- Explain power factor and the relationship among true power (P), reactive power (Q), and apparent power (S).
- Describe how inductive reactance and capacitive reactance contribute to reactive power and affect power factor.
- Recognize series, parallel, and series-parallel circuits.
- Understand why a series circuit exhibits its particular set of electrical characteristics.
- Use Ohm's law and Watt's law to calculate voltage, current, resistance, and power in a series circuit.
- Understand why a parallel circuit exhibits its particular set of electrical characteristics.
- Use Ohm's law and Watt's law to calculate voltage, current, resistance, and power in a parallel circuit.
- Understand why a series-parallel circuit exhibits its particular set of electrical characteristics.

Technical Terms

alternating current (ac)
ampere (A)
apparent power (S)
capacitive reactance
continuity
current (I)
diode check
direct current (dc)
electrical circuit
full load
   amperage (FLA)
hertz (Hz)
inductive reactance

locked rotor
   amperage (LRA)
multimeter
ohm (Ω)
Ohm's law
Ohm's law wheel
parallel circuit
power (P)
power factor
rated load
   amperage (RLA)
reactive power (Q)
resistance (R)

running load amperage
series circuit
series-parallel circuit
square root
true power (P)
VA (volt-amp)
VAR (volt-amp-reactive)
volt (V)
voltage (E)
voltmeter
watt (W)
Watt's law

9.1 Introduction to Electrical Measurement

For an HVACR technician, the proper use and understanding of electrical measurement is critical in the safe application of electrical test instruments. Misunderstanding a reading or improper use of an electrical test instrument can result in serious injury or death.

WARNING

This text is not meant to replace or supersede the information provided by the manufacturer of the test instruments used in any application. It is the responsibility of the technician to always ensure the proper instrument is used in a safe manner. Failure to follow the test procedures recommended by the manufacturer and the safety rules of NFPA 70E may result in serious injury or death by electrocution.

"Employees working in areas where electrical hazards are present shall be provided with, and shall use, PPE that is designed and constructed for the specific part of the body to be protected and for the work to be performed." NFPA 70E 130.

Technicians working on HVACR equipment often encounter electrical problems with power supplies, electrical components, and circuitry. As a result, the measurement of various electrical values is a common task. It is estimated that roughly 85% of all HVACR service calls are caused by an electrical issue. This statistic mandates that service personnel be experts in safely diagnosing the electrical side of an HVACR system.

9.2 Electrical Values

There are three major electrical values that are typically measured when working on HVACR equipment.

- Voltage.
- Current.
- Resistance.

The electromotive force (EMF) that causes electrons to flow through a conductor is called **voltage (E)**, and it is measured in **volts (V)**. Think of voltage as electrical pressure that causes electrons to move.

The flow of electrons through a conductor is called **current (I)**. The flow of electric current is measured in **amperes (A)**. In the field, this is commonly shortened to be called *amps*.

The opposition to current flow through a conductor is called **resistance (R)**. The amount of resistance in a circuit or component is measured in **ohms (Ω)**.

WARNING

HVACR service requires the use of a Category III (CAT III) or Category IV (CAT IV) rated meter, and the probes or electrodes must be of the same (or higher) Category rating.

Prior to making any electrical measurements, make sure you are familiar with the operation of the test meter being used. Read the manual that was provided by the manufacturer to ensure the meter is used in a proper and safe manner.

Failure to do so may result in serious injury or death.

9.2.1 Measuring Voltage

Voltage is measured with a **voltmeter**, which is very often just one function of a **multimeter**. Multimeters are instruments that can measure multiple electrical variables. Often, these include voltage, current, and resistance. Multimeters are generally digital, although some analog meters are still in use. A voltmeter may be analog or digital, as well.

Any multimeter used for HVACR service should be at least CAT III (600 V) safety rated, and it should be able to measure voltage, current, resistance, continuity, frequency, and capacitance. Additional measurement features may also be available, such as dc millivolts, a diode check, and temperature.

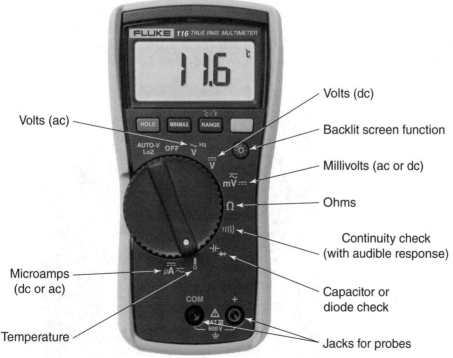

Fluke Corporation

A technician should know what value voltage a circuit should have before testing with a meter. For the lowest voltage readings, use a microvolt setting. For slightly higher voltage, use a millivolt setting. For anything that is to be 1 volt or higher, use the volts setting, unless more accurate ranges are available on the meter in use.

A voltmeter will have settings for ac (alternating current) voltage (Vac) and dc (direct current) voltage (Vdc). Prior to touching the probes to the component to be tested, always check to make sure the meter is set for the proper type of voltage in the circuit.

Note that Vdc is polarity-sensitive. The red probe should be closer to the positive side of the power source, and the black probe should be closer to the negative side of the power source. If these probes are reversed, the measurement will show a negative value. Vac is not polarity-sensitive, and probes can be placed without regard to negative or positive.

After ensuring the proper use of the correctly rated meter, place the electrodes on the contact points of the component to be tested. The meter will display the measured voltage.

9.2.2 Measuring Current

Current is measured in amperes (amps), and it is either alternating or direct. Alternating current (ac) is an electrical signal that regularly reverses its electron flow. It alternates between positive and negative along a cycle. Direct current (dc) is an electrical signal that is steady and maintains a set polarity with electron flow in only one direction. Before measuring current, determine which type of current is used in the circuit to be measured.

Current can be measured with a multimeter, an in-line ammeter, or a clamp-on ammeter. An in-line ammeter requires that the electrical circuit be opened so that the ammeter can be connected in line with the load it is measuring. To avoid having to disconnect any wiring, technicians often use a clamp-on ammeter.

With a clamp-on ammeter, the reading is taken by placing the meter's clamp around only one of the conductors connected to the equipment operating. The meter measures the magnetic field around a conductor. A magnetic field is produced by the current flowing through the conductor. This magnetism is then converted to a reading of amps. This type of measurement is primarily done when measuring alternating current and rarely done when measuring direct current.

Clamp-on
ammeter

Fluke Corporation

Several different current readings may be taken on motor-driven components, such as pumps, fans, and compressor.

- **Locked rotor amperage (LRA)** is the ampere draw of a motor on start-up. This amperage will be the highest amperage reading on that device, but it drops quickly once the motor begins to turn. Many ammeters have the capability of recording the LRA and then continuing to measure the amperage as it drops.
- **Full load amperage (FLA)** is the ampere draw of the motor at peak (full-load) torque and horsepower. This information is then used in calculations to determine wiring size, overload protection, and type of motor starter used. Note that FLA is used for electric motors, but that compressors do not include this value on their data plate. Compressor data plates include the RLA value instead.
- **Rated load amperage (RLA)** is the ampere draw of a compressor when operating at its rated load, rated voltage, and rated frequency. This information is used in calculations to determine wiring size, overload protection, and type of motor starter used. During normal operation, a compressor should be pulling RLA or lower.
- **Running load amperage** is the ampere draw of an electric motor under load. This reading will vary as the load changes. This is especially true with compressors operating in a range of heat loads and ambient temperatures.

9.2.3 Measuring Resistance

Resistance is measured with a multimeter set on the ohm (Ω) scale. If the resistance of a single component is to be measured, that component must be removed from the electrical circuit. Voltage cannot be applied when measuring resistance, as this could damage the meter. Resistance measurement is commonly used to check for an electrical short, a grounded connection, an open, or a higher than normal resistance.

9.2.4 Additional Measurements

Along with the measurement of voltage, current, and resistance, HVACR technicians will commonly encounter the need to check continuity of a circuit. **Continuity** means that there is a complete path for the electrons to flow through a circuit. When a circuit does not have continuity, there is a break in the circuit. This could be caused by a broken connection, an open switch, or a tripped safety device.

A **diode check** may also be necessary to determine if a diode is conducting current properly. A diode, like a check valve in a plumbing system, should allow flow only in one direction.

Capacitors in HVACR applications are used to start and run electric motors more efficiently. Motors may have a *start capacitor*, a *run capacitor*, or a combination *start/run capacitor*. Capacitors are rated in farads, but their capacity is usually low, so the microfarad measurement scale is used.

Frequency is the number of cycles per second in an alternating current (ac) electrical circuit. In the United States, ac current operates at 60 cycles, meaning 120 reversals of direction per second. Frequency is measured in **hertz (Hz)**.

9.3 Electrical Calculations

It may be necessary in the servicing of HVACR systems to calculate certain electrical values, such as the total resistance in a circuit, or the power demand of a particular load. An understanding of the relationship between electromotive force, current, and resistance is imperative, as is the knowledge of the difference between series and parallel circuits.

9

9.3.1 Ohm's Law

Ohm's law, named after nineteenth century German physicist Georg Ohm, describes the relationship of electromotive force, current, and resistance. Ohm determined by measurement that in an electrical circuit there is a direct relationship among these values.

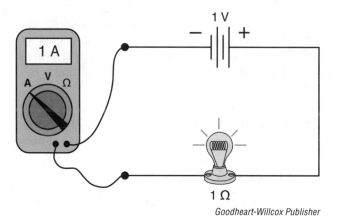

Goodheart-Willcox Publisher

Ohm's law can be stated mathematically as shown.

$$E = I \times R$$

where

E = electromotive force in volts (V)

I = intensity of the current flow in amps (A)

R = the resistance to current flow in ohms (Ω)

To find the electromotive force (E, measured in volts), simply multiply the current flow (I, measured in amps) by the resistance (R, measured in ohms).

To solve for I, the equation can be rewritten as shown.

$$\frac{E}{R} = I$$

To solve for R, the equation would be as shown.

$$\frac{E}{I} = R$$

Equations, such as Ohm's law, can always be changed in this manner by isolating the value to be determined on one side of the equal line. Therefore, if the formula is written as $E = I \times R$, and the unknown value is I, the formula can be changed by dividing both sides of the equation by R.

$$E = I \times R$$

$$\frac{E}{R} = \frac{I \times R}{R}$$

Since there is now an *R* both above and below the dividing line on the right side of the equal sign, they cancel each other.

$$\frac{E}{R} = \frac{I \times R}{R}$$

This leaves the *I* alone on the right side of the equal sign, making the calculation to solve for *I* to be *E* divided by *R*.

$$\frac{E}{R} = I$$

The same process can be used to solve for resistance.

$$E = I \times R$$

The variable *R* can be isolated by dividing both sides of the equation by *I*.

$$\frac{E}{I} = \frac{I \times R}{I}$$

With an *I* both above and below the dividing line on the right side of the equation, they cancel each other.

$$\frac{E}{I} = \frac{I \times R}{I}$$

Therefore, the formula for resistance is *E* divided by *I* equals *R*.

$$\frac{E}{I} = R$$

Many people rely on the **Ohm's law wheel** to help them remember the various formulas.

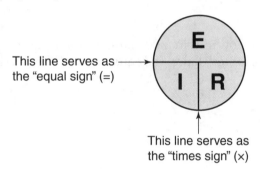

This line serves as the "equal sign" (=)

This line serves as the "times sign" (×)

Goodheart-Willcox Publisher

Thus, when viewed as a wheel, the equation still reads *E* = *I* × *R*. To find any unknown value when two values are known, simply cover up the unknown on the wheel, and the formula is easily revealed. For example, to find *E*, the formula is *I* × *R*.

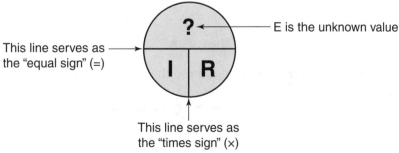

E is the unknown value

This line serves as the "equal sign" (=)

This line serves as the "times sign" (×)

Goodheart-Willcox Publisher

9

To find *R*, the formula is *E* divided by *I*.

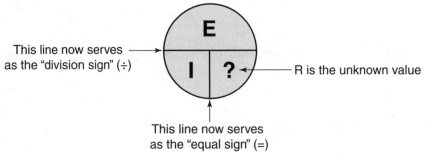

This line now serves as the "division sign" (÷)

R is the unknown value

This line now serves as the "equal sign" (=)

Goodheart-Willcox Publisher

To find *I*, the formula is *E* divided by *R*.

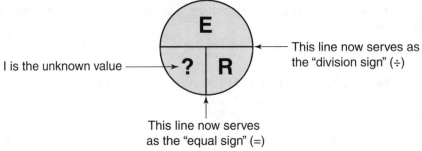

I is the unknown value

This line now serves as the "division sign" (÷)

This line now serves as the "equal sign" (=)

Goodheart-Willcox Publisher

For example, to calculate the current flow in a circuit that uses 9 volts of electromotive force to power a load with 36 ohms of resistance, the equation would be as shown.

$$I = \frac{E}{R}$$

? A

9 V

36 Ω

Goodheart-Willcox Publisher

$$I = \frac{9 \text{ V}}{36 \text{ Ω}}$$

$$I = 0.25 \text{ A}$$

Thus, 9 V can push 0.25 amps of current through 36 Ω of resistance.

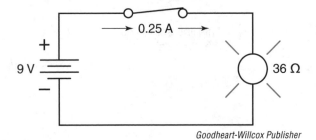

0.25 A

9 V

36 Ω

Goodheart-Willcox Publisher

9.3.2 Power Formula

Power (*P*) can be defined as the rate at which work is being done. Power is measured in **watts (W)**, named in honor of 18th century inventor James Watt. Because the watt is a relatively small unit of measurement, it is typically expressed in *kilowatts (kW)*, which is 1,000 watts, or *megawatts (MW)*, which is a million (1,000,000) watts.

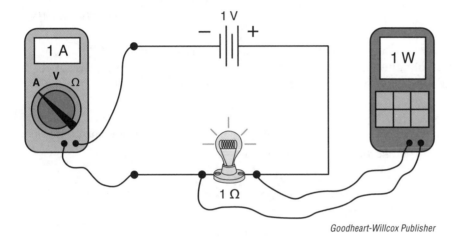

Power

One watt is the amount of power produced when one volt of electromotive force pushes one ampere of current through an electrical load.

Goodheart-Willcox Publisher

Just as Ohm's law was developed to describe the relationship among voltage, current, and resistance, **Watt's law** was developed to describe the relationship among power, current, and voltage. It can be stated mathematically as shown.

$$P = I \times E$$

where

P = power in watts (W)

I = intensity of the current flow in amps (A)

E = electromotive force in volts (V)

To find the power consumed by a load (*P*, measured in watts, simply multiply the current flow (*I*, measured in amps) by the electromotive force (*E*, measured in volts). Like Ohm's law, Watt's law can be rewritten to find any one of the three unknown values. To solve for *I*, the equation can be rewritten as shown.

$$I = \frac{P}{E}$$

To solve for *E*, the equation would be written as shown.

$$E = \frac{P}{I}$$

9

Like with Ohm's law, a wheel can be used to help remember the formula for solving for the unknown value in Watt's law.

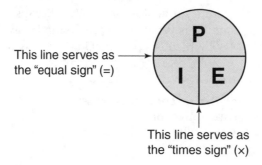

Thus, when viewed as a wheel, the equation still reads $P = I \times E$. To find any unknown when two values are known, simply cover up the unknown on the wheel, and the formula is easily revealed. For example, to find P, the formula is $I \times E$.

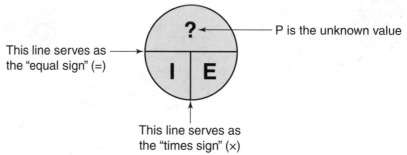

To find E, the formula is P divided by I.

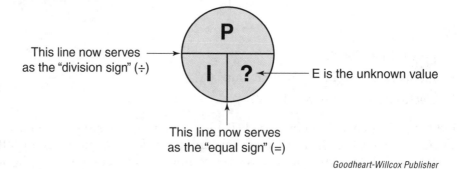

To find I, the formula is P divided by E.

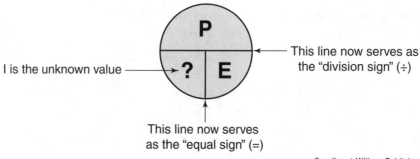

For example, to calculate the power in a circuit that uses 120 volts of electromotive force while measuring 12 amps, the equation would be as shown.

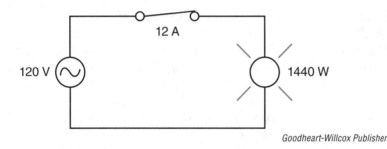

$$P = I \times E$$
$$= 120 \text{ V} \times 12 \text{ A}$$
$$= 1440 \text{ W}$$

Thus, a 120-volt circuit with a current flow of 12 amps has a load that is using 1440 watts.

9.3.3 Power Factor

Power in an alternating current electrical circuit can be thought of in three ways.

- **True power (P)** (or *real power*) is the capacity for a circuit to perform work, and it is the amount of power actually used by the load. True power is measured in watts (W).
- **Reactive power (Q)** is the power absorbed and returned by the circuit without doing any useful work. Reactive power is measured in **VAR (volt-amp-reactive).**
- **Apparent power (S)** is the total power (combination of true power and reactive power) in the circuit. Apparent power is measured in **VA (volt-amps).**

9

The power triangle can be used to demonstrate the relationship of true, apparent, and reactive power. With any two of the three factors known, trigonometry can be used to calculate the unknown value.

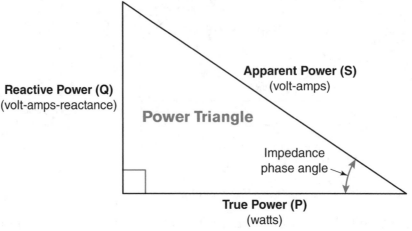

Goodheart-Willcox Publisher

Power factor is the ratio of *true power* (or real power) to *apparent power*. It is used in both single-phase and three-phase power calculations, as it takes into consideration the opposition to current flow. When this opposition is caused by magnetic fields, such as motors, it is called **inductive reactance**. When opposition to current flow is caused by the storage of electrons, it is called **capacitive reactance**. Both conditions can occur in HVACR electrical circuits.

If the load in a circuit is primarily resistive, such as electric heat, then the power factor may be very nearly perfect, or 1.0. However, if the load is inductive, such as motors and compressors, the power factor may be well below 1.0. The lower the power factor, the greater the amount of current that must be carried to handle the circuit's load.

Apparent power will be higher than true power unless the circuit is perfect (power factor = 1), when both numbers will be exactly the same.

The formula for power factor is as shown.

$$\text{Power factor} = \frac{\text{True power (watts)}}{\text{Apparent power (volt-amps)}}$$

In single-phase circuits, the power formula thus becomes:

$$P = I \times E \times \text{power factor}$$

In three-phase circuits, the formula accounts for the additional power available from all the phases, therefore an additive of 1.73 is used. Note that 1.73 is the **square root** of 3 ($\sqrt{3} = 1.73$).

$$P = I \times E \times 1.73 \times \text{power factor}$$

9.4 Electrical Circuits

An **electrical circuit** is a path designed to carry current from the electrical source to the load and back. They can be built as series circuits, parallel circuits, or series-parallel circuits (sometimes called *combination circuits*).

- **Series circuits** have just one path for electricity to flow. All the current in a circuit conducts along this single path. Series circuits are used for controls and safety devices, such as switches, relays, overloads, and limits.

- **Parallel circuits** have multiple individual paths to and from the power source for current to flow. The current divides among these paths, and some electrons follow one path, while other electrons follow the other paths. Parallel circuits are used to power electrical loads.

- **Series-parallel circuits** have a series portion and a parallel portion. The series portion includes the controls and safety devices, and the parallel portion provides power to the loads. HVACR equipment most often uses series-parallel circuits.

9.4.1 Series Circuits

Series circuits are primarily used for switches, relays, contactor coils, overloads, and limits because there is a single path for electron flow. Wired in this manner, each of the devices has the same authority to make or break the circuit. There are no devices that can override these devices. In the following diagram, each of the controls is wired in series with each other and in series with the load.

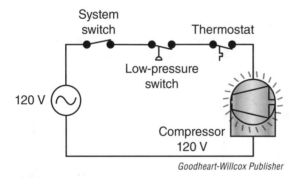

Goodheart-Willcox Publisher

Because all of the switches (system switch, low-pressure switch, and thermostat) are shown closed, power will flow to the compressor. If a single switch opens, such as the thermostat (see the following diagram), power will not flow to the load. A series circuit has only one path for electricity to flow.

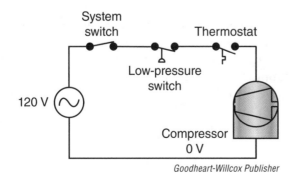

Goodheart-Willcox Publisher

9.4.2 Series Circuit Calculations

In a series circuit, the same amount of current (amperage) flows through the entire circuit. Thus, the same amount of current passes through each component in the circuit.

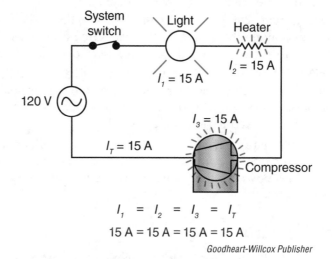

$$I_1 = I_2 = I_3 = I_T$$
$$15\ A = 15\ A = 15\ A = 15\ A$$

Goodheart-Willcox Publisher

In a series circuit, voltages are additive, meaning that the total applied voltage of the circuit is divided up among the loads wired in series. Each electrical load will have a voltage drop that is equivalent to the current passing through the device multiplied by the device's resistance.

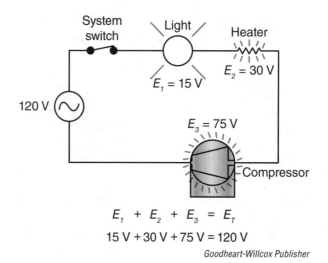

$$E_1 + E_2 + E_3 = E_T$$
$$15\ V + 30\ V + 75\ V = 120\ V$$

Goodheart-Willcox Publisher

Having a shared current and divided voltage are electrical characteristics that are undesirable in most applications. Most electrical loads are designed to operate on a specific voltage that is not intended to be affected by other loads in the circuit.

Like voltage drops, resistances in a series circuit are also additive. Thus, for calculating the total resistance, the resistance of each load is simply added to the others.

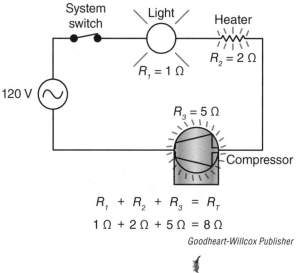

$$R_1 + R_2 + R_3 = R_T$$
$$1\,\Omega + 2\,\Omega + 5\,\Omega = 8\,\Omega$$

Goodheart-Willcox Publisher

9.4.3 Parallel Circuits

In parallel circuits, there is more than one path for electrons to flow. This allows access for multiple loads in the same circuit to the entire supplied voltage in the circuit. As shown in the following diagram, all three loads receive the same voltage, as they are wired in parallel.

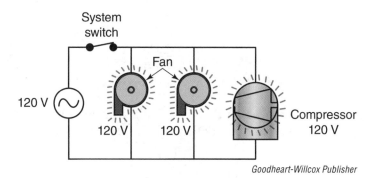

Goodheart-Willcox Publisher

If the system switch is open, as shown in the following diagram, the current flow to all three loads stops. Because the switch is wired in series to all of the loads and it is open, the circuit is broken. Therefore, voltage is not applied to the loads, so no current can flow.

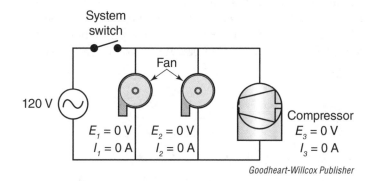

Goodheart-Willcox Publisher

9

9.4.4 Parallel Circuit Calculations

In a parallel circuit, all of the loads have the same amount of voltage, but the total circuit current is divided among the loads. Therefore, the total current flow (I_T) is the sum of the amperage in each of the branch circuits.

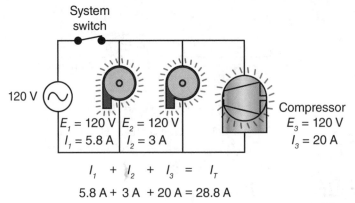

$$I_1 + I_2 + I_3 = I_T$$

$$5.8\,A + 3\,A + 20\,A = 28.8\,A$$

Goodheart-Willcox Publisher

The total resistance (R_T) of the circuit is calculated using Ohm's law. Divide total voltage (V_T) by total current (I_T).

$$R_T = \frac{V_T}{I_T}$$

$$= \frac{120\ V}{28.8\ A}$$

$$= 4.16\ \Omega$$

The resistance of each electrical load can be calculated using Ohm's law. Divide the applied voltage by the current flowing through the electrical load.

$$R_1 = \frac{E_1}{I_1} \qquad\qquad R_2 = \frac{E_2}{I_2} \qquad\qquad R_3 = \frac{E_3}{I_3}$$

$$= \frac{120\ V}{5.8\ A} \qquad\qquad = \frac{120\ V}{3\ A} \qquad\qquad = \frac{120\ V}{20\ A}$$

$$= 20.69\ \Omega \qquad\qquad = 40\ \Omega \qquad\qquad = 6\ \Omega$$

In series circuits, resistances are strictly additive. However, in parallel circuits, this is not the case. Total resistance in a parallel circuit is actually less than the resistance of the individual branches. This is because current has multiple paths to follow, which increases the overall conductivity of the circuit. When electrons have more ways to move through a circuit (higher conductivity), overall resistance decreases.

9.4.5 Series-Parallel (Combination) Circuits

Most HVACR systems involve series-parallel circuits, as the controls are wired in series and the loads are wired in parallel. In the following diagram, the system switch is in series with both fans and the compressor. Fan 1 is in parallel with fan 2 and the compressor. Fan 2 and the compressor are also in parallel. Thermostat 1 is in series with fan 1, and thermostat 2 is in series with fan 2 and the compressor. The pressure switch is in series with the compressor.

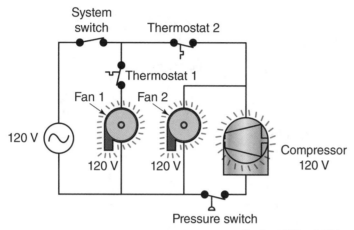

Goodheart-Willcox Publisher

In this diagram, all the switches are closed, allowing current to flow through each branch circuit. Thus, the compressor and both fans would be running. In the following diagram, the pressure switch is open, which would not allow current to flow through the compressor. However, both fans would still be running.

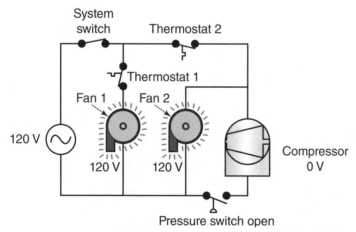

Goodheart-Willcox Publisher

9.4.6 Series-Parallel Circuit Calculations

When a series-parallel circuit is analyzed, the series portion follows the rules of a series circuit and the parallel portion follows the rules of a parallel circuit.

Work Space/Notes

Name _____ Date _____ Class _____

Electrical Measurement Exercises

Exercise 9-1

Using the multimeter supplied, answer the following questions.

1. What is the CAT rating of the meter (I, II, III, or IV)?

    _____

2. If the maximum voltage rating is shown, what is it?

    _____

3. List all of the values the multimeter can measure.

    _____

    _____

SAFETY NOTE ────────────────────────────────────

> Prior to completing this exercise, make sure you have read the instructions supplied with the meter and use appropriate PPE (personal protective equipment).

4. With the multimeter set to measure ac volts, measure the voltage of any power receptacle in the classroom or workshop. What is the voltage at the receptacle?

    _____

5. With the multimeter set to test frequency, check the frequency of the circuit that powers the receptacle. What is the frequency of this circuit?

    _____

6. With the multimeter set to measure dc volts, measure the voltage of a battery. What is the actual voltage of the battery?

    _____

7. What is the rated voltage of the battery?

    _____

8. Using a contactor that is not connected to a circuit, test the contacts for continuity with the contacts open. Then test the contacts with the contacts closed. Note and record the differences in the meter readings between open contacts and closed contacts.

    _____

    _____

9. Test the contactor coil for continuity. Is there continuity across the coil?

    _____

10. Using a capacitor that has been disconnected, safely discharge the capacitor by placing a high-resistance resistor (20 kΩ) across the terminals. With the multimeter, measure the capacitance of the capacitor.

_____

11. Examine the capacitor that was measured. What is the rated capacitance shown on the label?

_____

12. Based on the rated capacitance value and the measured capacitance value, is the tested capacitor within 100–110% of the rating?

_____

13. On an energized circuit that has a transformer, measure the incoming (primary) voltage to the transformer and the leaving (secondary) voltage from the transformer. What is the primary voltage?

_____

14. What is the secondary voltage on the transformer?

_____

15. Is this a step-up or step-down transformer?

_____

Using a diode that is disconnected from a circuit, check the diode for proper conductance. The diode should show voltage only when the red meter lead is connected to the diode's anode (positive) lead, and the black meter lead is connected to the diode's cathode (negative) lead. If the diode shows voltage with any other lead configuration, the diode is defective.

16. What does the meter read with the black lead connected to the diode's anode and the red lead connected to the diode's cathode?

_____

17. What does the meter read with the red lead connected to the diode's anode and the black lead connected to the diode's cathode?

_____

18. Is the diode good or bad?

_____

19. Remove the wires from a single-phase hermetic compressor's motor terminals, making sure to mark them so they can be put back in the same manner when completed. If the terminals are not labeled, mark them as X, Y, and Z. If they are already marked by the manufacturer as C, S, and R, skip Part 1 of this exercise and go to Part 2.

Name _____ **Date** _____ **Class** _____

Part 1:

20. What is the resistance between the terminals marked X and Y?

    _____ Ω

21. What is the resistance between the terminals marked X and Z?

    _____ Ω

22. What is the resistance between the terminals marked Y and Z?

    _____ Ω

    The highest reading should be between the start (S) and run (R) terminals. The second highest reading should be between the common (C) and start (S) terminals. The lowest reading should be between the common (C) and run (R) terminals.

23. Remark the terminals as C, S, and R according to the measurements taken.

Part 2:

24. What is the resistance between the common (C) terminal and the start (S) terminal?

    _____ Ω

25. What is the resistance between the common (C) terminal and the run (R) terminal?

    _____ Ω

26. A reading of infinity or overload indicates an open in the motor windings. Do either of the readings show ∞ (infinity) or OL (overload)? If they do, write them down.

    _____

27. If the manufacturer's specifications are available, review them. Is the resistance measurement of each winding approximately the same as the manufacturer's specifications?

    _____

28. A resistance reading substantially lower than specified (or near 0 Ω) indicates a shorted winding. Write down any windings that are shorted.

    _____

29. Have the instructor or a classmate confirm your windings measurements and initial below. If there are any differences in measurements taken, measure them again to determine the proper values.

    _____

Ohm's Law Exercise

Exercise 9-2

Using Ohm's law, find the missing value in each of the following sets of data. A calculator may be used for this exercise. Round voltage and current to the nearest whole number.

	E (volts)	I (amps)	R (ohms)
Circuit 1	115	30	
Circuit 2	115		5.75
Circuit 3		15	7.67
Circuit 4	115	40	
Circuit 5		40	5.75
Circuit 6	230		7.67
Circuit 7	230	20	
Circuit 8		15	15.33

Goodheart-Willcox Publisher

Name _____   **Date** _____   **Class** _____

Power Formula Exercises

Exercise 9-3

Using the power formula, find the missing value in each of the following sets of data. A calculator may be used for this exercise.

	E (volts)	I (amps)	P (watts)
Circuit 1	115	30	
Circuit 2	120		2,160
Circuit 3		15	1,800
Circuit 4	115	40	
Circuit 5		22	2,640
Circuit 6	220		4,400
Circuit 7	230	18	
Circuit 8		30	6,900

Goodheart-Willcox Publisher

Practical Exercise 9-4

A service technician is installing a new compressor in an existing rooftop air-conditioning unit at Mercy Hospital. Compressor number 1 failed and needs to be replaced, but due to the age of the system, an exact replacement compressor is no longer available.

Mercy Hospital - AHU Number 7

Compressor Number	Voltage	Phase	RPM	HP	RLA (amps)	LRA (amps)
1	230	3	3,450	10	33.3	239
2	230	3	3,450	7.5	25	184

Goodheart-Willcox Publisher

Two replacement compressors are available, but neither one matches the specification of the original compressor. The first option is to use the same model compressor as number 2, and the second option is to use a slightly larger compressor, rated as shown below.

Mercy Hospital - AHU Number 7

Compressor Number	Voltage	Phase	RPM	HP	RLA (amps)	LRA (amps)
Replacement	230	3	3,450	11.5	48.1	245

Goodheart-Willcox Publisher

1. With both of the original compressors running at full load at the same time, what was the power consumption of this unit?

    _____

2. What was the amp draw of the unit with compressor number 1 running at full load and compressor number 2 just starting?

    _____

Name _____   **Date** _____   **Class** _____

3. If the first option is chosen for the repair, what will be the power consumption of the unit at full load with both compressors running?

    _____

4. If the first option is chosen for the repair, what will the amp draw be if one compressor is running at full load and the second compressor starts?

    _____

5. If the second option is chosen for the repair, what will be the power consumption of the unit at full load with both compressors running?

    _____

6. If the second option is chosen for the repair, what will the amp draw be if the larger compressor is running at full load and the smaller compressor starts?

    _____

7. The original installation data shows the electrical service provided for this unit will allow for an amp draw of up to 110% of the original equipment specifications and a power consumption of up to 125% of the original equipment specifications. Which, if any, of the options will be acceptable? Explain your answer.

    _____

    _____

    _____

Power Factor Exercises

Exercise 9-5

Calculate the power factor in each of the following situations.

1. True power = 1,200 W. Apparent power = 1,300 VA.

   _____

2. True power = 1,750 W. Apparent power = 2,170 VA.

   _____

3. True power = 4,550 W. Apparent power = 4,600 VA.

   _____

Exercise 9-6

Calculate the power in watts for each of the following circuits using the information provided. Round to the nearest whole number.

Power Factor Exercise

	Phase	E (volts)	I (amps)	Power Factor	Power (watts)
Circuit 1	1	115	15	0.97	
Circuit 2	1	120	30	0.92	
Circuit 3	1	220	40	1.10	
Circuit 4	1	230	60	1.01	
Circuit 5	3	208	60	0.99	
Circuit 6	3	240	80	1.00	
Circuit 7	3	480	100	1.03	
Circuit 8	3	600	200	0.94	

Goodheart-Willcox Publisher

Name _____ **Date** _____ **Class** _____

Series Circuit Exercises

Exercise 9-7

In each of the following series circuits, find the missing values. A calculator may be used for this exercise. Round volts and watts to the nearest whole number.

Series Circuit Exercise #1

	E (volts)	I (amps)	R (ohms)	P (watts)	Power Factor
Circuit 1	120	10			1.00
Circuit 2	115		50		0.95
Circuit 3	230	7			0.90
Circuit 4		14		3,080	1.00

Goodheart-Willcox Publisher

Series Circuit Exercise #2

	E (volts)	I (amps)	R (ohms) Branch 1	R (ohms) Branch 2	R (ohms) Branch 3	Total R (ohms)	P (watts)	Power Factor
Circuit 5	120	10	2.5		5.7			1.02
Circuit 6	115			20.1	15.3	50		0.97
Circuit 7	230		8.31	11.94	8.5			0.99
Circuit 8		12	3.9		6.1	18.33		1.00

Goodheart-Willcox Publisher

Parallel Circuit Exercise

Exercise 9-8

In each of the parallel circuits shown below, find the missing values. A calculator may be used for this exercise. Round volts and watts to the nearest whole number.

Parallel Circuit Exercise

	E (volts)	I (amps) Branch 1	I (amps) Branch 2	I (amps) Branch 3	Total Current (I)	Total Resistance (R)	P (watts)	Power Factor
Circuit 1	120	3.0	2.5	Not used				1.00
Circuit 2		5.0	3.1	7.2		7.84		0.83
Circuit 3	230	7.5	2.5	Not used				0.91
Circuit 4	230	8.0	12.5	3.3				0.74

Goodheart-Willcox Publisher

Name _____   **Date** _____   **Class** _____

Series-Parallel Circuit Exercise

Exercise 9-9

Using the diagram and information for the air-conditioning system that follows, answer the following questions. A calculator may be used for this exercise.

Component	Voltage	Phase	RPM	HP	RLA (amps)	Watts
Fan 1	230	1	3,450	0.5	1.2	N/A
Fan 2	230	1	3,450	0.5	1.4	N/A
Compressor	230	1	3,450	3.5	4.5	N/A
Heater	230	N/A	N/A	N/A	N/A	250

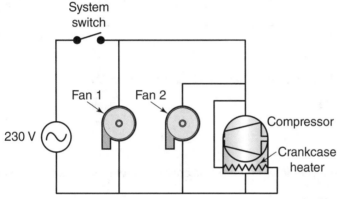

Goodheart-Willcox Publisher

1. When the circuit switch is closed, how many volts will be applied to fan 1?

    _____ V

2. When the circuit switch is closed, how many volts will be applied to fan 2?

    _____ V

3. When the circuit switch is closed, how many volts will be applied to the compressor?

    _____ V

4. When the circuit switch is closed, how many volts will be applied to the heater?

    _____ V

5. What is the ampere draw of the heater when operating?

    _____ A

6. What is the total resistance of the entire circuit?

    _____ Ω

Exercise 9-10

An inexperienced technician accidentally wires a new compressor and heater in series, instead of in parallel. This will affect several of the circuit's electrical characteristics and values. Perform the math required by the questions that follow. Note that this circuit is using the same fans, heater, and compressor as in the diagram in the previous exercise.

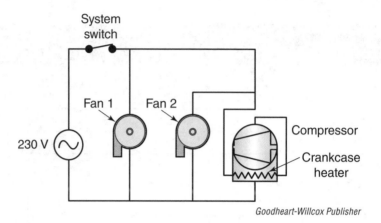

Goodheart-Willcox Publisher

1. Based on the previous voltage and current values, what is the resistance of fan 1?

    _____ Ω

2. Based on the previous voltage and current values, what is the resistance of fan 2?

    _____ Ω

3. Based on the previous voltage and current values, what is the resistance of the heater?

    _____ Ω

4. Based on the previous voltage and current values, what is the resistance of the compressor?

    _____ Ω

Name _____ **Date** _____ **Class** _____

5. Based on these values, what would be the combined resistance value of the heater and compressor connected in series?

_____ Ω

6. Based on these values and the applied voltage, what is the value of the current that would flow through the heater and compressor?

_____ A

7. Based on these values, what would be the total current in this improperly wired circuit?

_____ A

8. When the fans both turn on but the compressor sits idle, the technician realizes that something is wrong. What value will the technician measure if voltmeter leads are placed across the compressor?

_____ V

9. What value will the technician measure if voltmeter leads are placed across the heater?

_____ V

10. Based on these values what is the total power (in watts) consumed by this circuit?

_____ W

11. What is the calculated value of the total power (in watts) consumed by the original circuit that was properly wired?

_____ W

12. What is the difference (in watts) between the properly wired circuit and the improperly wired circuit?

_____ W

CHAPTER 10

Practical Applications

Objectives

Information in this chapter will enable you to:

- Apply concepts and operations involving whole numbers, common fractions, and decimal fractions in HVACR applications.
- Apply concepts and operations involved with percentages, ratios, and proportions in HVACR applications.
- Apply concepts, operations, and conversions of various systems of measurement, including linear, capacity, weight, temperature, heat, pressure, velocity in HVACR applications.
- Apply concepts and operations involved with algebraic functions, geometric functions, and trigonometric functions in HVACR applications.

10.1 Practical Exercises for HVACR

All of the various mathematical processes explained in this text—from simple arithmetic to complex trigonometry—have practical applications within the HVACR trade. The exercises contained in this chapter will replicate real-world situations.

Work Space/Notes

Name _____ **Date** _____ **Class** _____

Practical Exercise 10-1

An HVACR contractor is quoting the job of fabricating and installing the ductwork for the Museum of Modern Art. Use the building plan provided to answer the following questions. (Refer to Practical Exercise 8-3 for calculation of duct lengths.)

1. The sheet metal used to make the round ducts is sold by the square foot. How many square feet of material will be needed to build the ducts?

   _____

2. The sheet metal used to fabricate the ducts will cost $0.02 per square foot. What will be the cost for the materials to fabricate the ducts?

   _____

3. The insulation for the metal ductwork is sold by the running foot, based on the diameter of the ductwork. How many feet of insulation will be needed for each of the various duct diameters?

   _____ for 8″ diameter round duct

   _____ for 10″ diameter round duct

   _____ for 12″ diameter round duct

   _____ for 18″ diameter round duct

(Continued)

4. Using the following pricing, what is the total cost of the duct insulation for this job?

$_____ for 8″ diameter round duct

$_____ for 10″ diameter round duct

$_____ for 12″ diameter round duct

$_____ for 18″ diameter round duct

$_____ for all the duct insulation for the round ducts

Insulation Type	Cost
8″ round duct insulation	$0.75/foot
10″ round duct insulation	$0.85/foot
12″ round duct insulation	$1.20/foot
18″ round duct insulation	$1.95/foot

Goodheart-Willcox Publisher

5. The hanging of the ductwork will require one hanger per 10′ of duct. The price of the duct hangers is based on size as shown below. What is the total cost of the duct hangers for this job?

$_____

Hanger Type	Cost
8″ round duct hanger	$1.95/each
10″ round duct hanger	$2.13/each
12″ round duct hanger	$2.74/each
18″ round duct hanger	$3.35/each

Goodheart-Willcox Publisher

6. What is the total cost of the sheet metal, duct insulation, and duct hangers for this job?

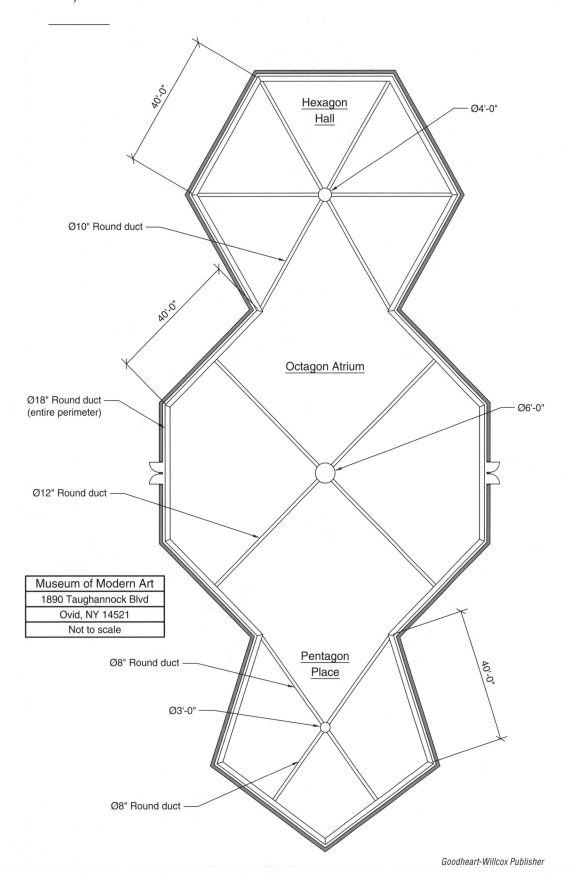

Hexagon Hall

Ø4'-0"

40'-0"

Ø10" Round duct

40'-0"

Octagon Atrium

Ø18" Round duct
(entire perimeter)

Ø6'-0"

Ø12" Round duct

| Museum of Modern Art |
| 1890 Taughannock Blvd |
| Ovid, NY 14521 |
| Not to scale |

Ø8" Round duct

Pentagon Place

40'-0"

Ø3'-0"

Ø8" Round duct

Goodheart-Willcox Publisher

10

Work Space/Notes

Name _____ **Date** _____ **Class** _____

Practical Exercise 10-2

A chilled water cooling system at a large pharmaceutical facility holds 24,000 gallons of chilled liquid solution. The solution is specified to be a mixture of 30% propylene glycol and 70% deionized water. This solution will protect the system from freezing at temperatures down to 10°F (–12.2°C).

A leak in the system caused a loss of fluid, which was replaced with untreated makeup water. The percentage of glycol in the system is now 16% (84% water), which means the system will now freeze if the temperature drops to 22°F (–5.6°C).

In order to bring the solution strength back to 30% glycol, water will be drained and 100% glycol added to the system.

1. According to the system specifications, what quantities of propylene glycol and deionized water should be in the cooling system?

   _____ gallons of propylene glycol

   _____ gallons of deionized water

2. How much dilute solution must be drained and replaced with 100% glycol to bring the solution back to 30% glycol and 70% water?

   _____ solution drained

   _____ glycol added

10

Work Space/Notes

Name _____   **Date** _____   **Class** _____

Practical Exercise 10-3

An HVAC contractor has been hired to install the hydronic heating system at the new offices of Dr. Nicholas Brent in Ovid, N.Y. Based on the building heating system drawings provided, the contractor needs to determine the number of gallons of water the heating system will hold. The system includes one expansion tank (not shown in drawing). The equipment schedule shows the following information.

Equipment Schedule

Item	Model Number	Info
Hot water boiler	ECB 85	Water capacity: 7.2 gallons
Expansion tank	PMET-14	Water capacity: 10.5 gallons
Unit heater	5PV46	Water capacity: 0.5 gallons
Baseboard fin-tube radiator	HTHB58	3/4″ Type L copper tubing
3/4″ tubing	Type K, copper	0.0227 gallons per linear foot
3/4″ tubing	Type L, copper	0.0251 gallons per linear foot

Goodheart-Willcox Publisher

1. What is the total water capacity of the hot water heating system?

    _____ gallons

(Continued)

10

2. In order to clean the system, a cleaning compound will be circulated throughout the system and then drained. The label directions on the cleaning compound recommend a solution of 1 part chemical to 10 parts water. How much chemical should be added to the system for cleaning? Round your answer to the nearest ounce.

_____ gallons and _____ ounces

3. Once the system has been cleaned and rinsed with clear water, a chemical will be added to prevent scale and corrosion within the system. The label directions recommend adding 1 pint of chemical for each 100 gallons of water in the system. How much chemical will be needed to protect this system? Round your answer to the nearest ounce.

_____

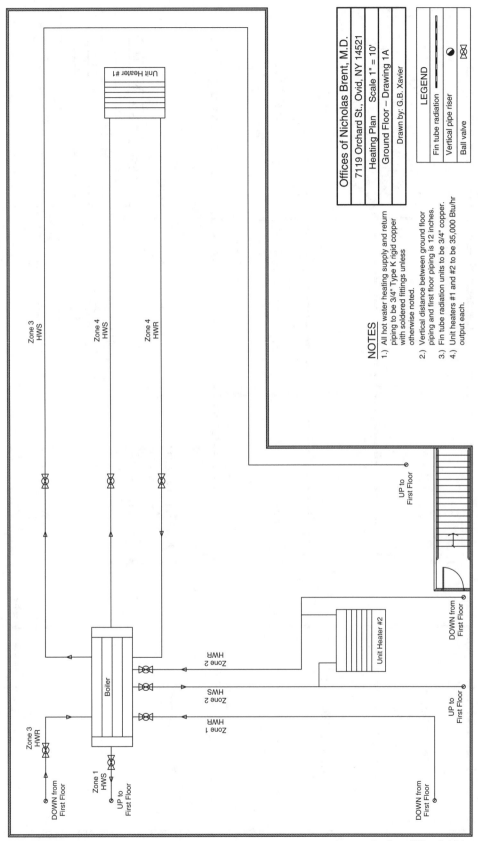

Offices of Nicholas Brent, M.D.

7119 Orchard St., Ovid, NY 14521

Heating Plan   Scale 1" = 10'

Ground Floor – Drawing 1A

Drawn by: G.B. Xavier

LEGEND

Fin tube radiation	▭▭▭
Vertical pipe riser	◖
Ball valve	◁▷

NOTES

1.) All hot water heating supply and return piping to be 3/4" Type K rigid copper with soldered fittings unless otherwise noted.

2.) Vertical distance between ground floor piping and first floor piping is 12 inches.

3.) Fin tube radiation units to be 3/4" copper.

4.) Unit heaters #1 and #2 to be 35,000 Btu/hr output each.

Goodheart-Willcox Publisher

(Continued)

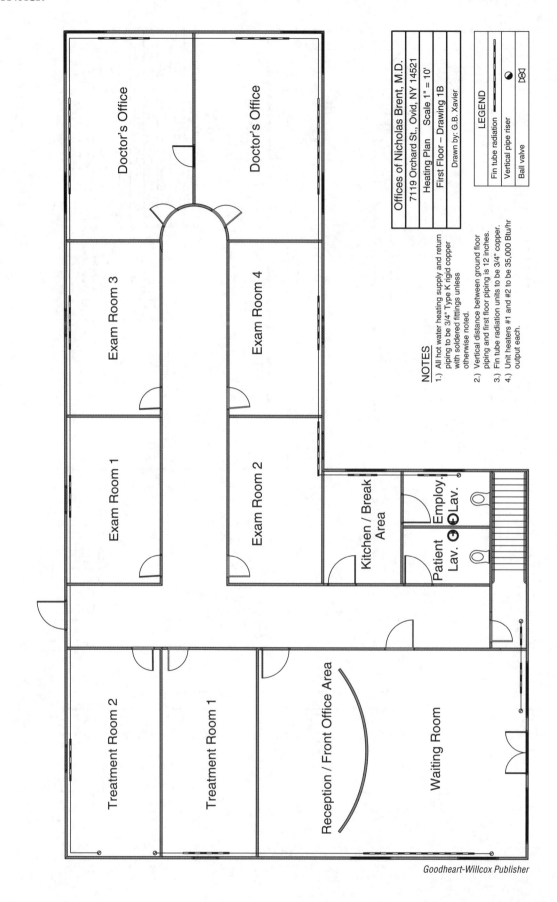

LEGEND

Fin tube radiation	—
Vertical pipe riser	◐
Ball valve	⋈

Offices of Nicholas Brent, M.D.

7119 Orchard St., Ovid, NY 14521

Heating Plan   Scale 1" = 10'

First Floor – Drawing 1B

Drawn by: G.B. Xavier

NOTES

1.) All hot water heating supply and return piping to be 3/4" Type K rigid copper with soldered fittings unless otherwise noted.

2.) Vertical distance between ground floor piping and first floor piping is 12 inches.

3.) Fin tube radiation units to be 3/4" copper.

4.) Unit heaters #1 and #2 to be 35,000 Btu/hr output each.

Doctor's Office

Doctor's Office

Exam Room 3

Exam Room 4

Exam Room 1

Exam Room 2

Kitchen / Break Area

Employ. Lav.

Patient Lav.

Treatment Room 2

Treatment Room 1

Reception / Front Office Area

Waiting Room

Goodheart-Willcox Publisher

Name _____   **Date** _____   **Class** _____

Practical Exercise 10-4

A contractor received the following invoice from the supplier for materials for an air-conditioning installation.

Brothers Mechanical Supply Company, Inc. **1734 Brady Street** **Golden, CO 80411** **(720) 555-3721**					
Sold to: Golden HVAC Services, LLC P.O. Box 3077 Golden, CO 80401			**Shipped to:** same		

Order Date	Date Shipped	Purchase Order #	Account Type	Invoice Date	Terms
5/11	5/27	X4749	Credit	6/1	1.5% 10 days / Net 30 / 2% added after 30 days

Item #	Quantity	Part #	Mfg.	Desc.	Unit Price	Total
1	1	538B	Zephyr Mfg.	5-ton heat pump	3,489.00	3,489.00
2	1	AZ-20	Koz Chem	R-410A 25 lb	92.40	92.40
3	1	57361	Gedde Gauge	gauge manifold	123.12	123.12
4						
5						
6						
7						
8						
9						
10						
Totals	3					$3,704.52

Goodheart-Willcox Publisher

1. The terms of the invoice state that there will be a 1.5% discount applied if the bill is paid within 10 days. If the bill is paid on June 9, what amount should be paid?

   _____

(Continued)

10

2. A finance charge will be added if the bill is not paid on time. What amount will be due if the bill is paid on July 15?

   _____

3. For accounting purposes, the only costs charged to the job will be for the heat pump and 1.5 pounds of R-410A. What is the cost of these items if paid for within 30 days?

   _____

4. The installation of the heat pump required two technicians. The senior installer worked 6.2 hours at a rate of $32.00 per hour. The second installer worked 5.3 hours at a rate of $21.00 per hour. What was the cost of the labor?

   _____

5. Travel time is charged at $18.00 per hour, per truck. The installers each drove to jobsite. The senior installer drove 25 minutes each way, and the second installer drove 45 minutes to the job and 30 minutes back. What are the travel charges?

   _____

6. What is the total cost of labor and travel charges for this installation?

   _____

The following miscellaneous items were used in the installation.

Miscellaneous Items Used

Supplies	Cost	Amount
Nitrogen (for pressure testing)	$1.19/pound	1.2 lb
Spray foam sealer	$10.20/can	1 can
Pipe insulation	$0.32/foot	27′

Goodheart-Willcox Publisher

7. What is the total cost of the miscellaneous items used?

   _____

8. What is the total cost of the labor, travel, and materials for this job?

   _____

9. The customer was charged $8,427.50 for this heat pump installation. What was the amount of gross profit on this job?

   _____

10. The owner of Golden HVAC Services, LLC calculates the overhead on their installation work at 25% of the cost of labor, travel, and materials. When the overhead is included in the cost of the work, what is the net profit on this job?

    _____

10

Work Space/Notes

Name _____   **Date** _____   **Class** _____

Practical Exercise 10-5

A mechanical contractor is working on a large cooling system that utilizes an array of cooling towers to cool the condenser water. It has been decided to add a sump tank to the cooling towers to provide additional water storage to help mitigate the effects of high afternoon temperatures. The tank must hold 15,000 gallons of water, plus room for an additional 20% by volume.

The space for the sump tank is limited, so the contractor needs to find a polyethylene tank that will fit within a space 12 feet by 12 feet. The tank will be placed in a pit beneath the surface of the ground, but the pit may not be any deeper than 20 feet.

The contractor would like to use a round tank (with flat top and bottom) but will use a square tank if necessary.

1. What is the maximum capacity of a round tank that will fit within the allowed space?

   _____

2. If only square tanks are available, what would be the depth of a square tank 12′ by 12′ of the necessary capacity? Round up to the nearest foot.

   _____

3. Would a 10′ by 10′ square tank 20′ deep be large enough for this job? Briefly explain your answer.

   _____

   _____

Work Space/Notes

Name _____   **Date** _____   **Class** _____

Practical Exercise 10-6

A homeowner's furnace has been diagnosed as needing major repairs, and the service technician has suggested it may be more practical to replace the furnace with a new, high-efficiency model. If the old furnace is repaired, the technician estimates it should run without further problems for at least another several years. The homeowner has asked the technician to provide a cost comparison of the options available.

The old furnace is rated at 82% AFUE (Annual Fuel Utilization Efficiency), and the homeowner used 965 gallons of LP gas last year. The cost of the gas was $2.36 per gallon. The cost estimate to repair the old furnace is $835.00 (Option #1).

The service technician offered two choices in new furnaces to the homeowner. The Gold Model furnace (Option #2) is rated at 94% AFUE and will burn LP gas. The cost of this furnace, including installation, is $2,795.00. The Silver Model furnace (Option #3) is rated at 88% AFUE and also burns LP gas. The cost of this furnace, including installation, is $2,170.00.

1. Assuming the cost of the LP gas does not change and the consumption is the same for the next year, what will be the cost of repairs plus fuel for the old furnace for the next year? (Option #1)

   _____

2. Assuming the cost of fuel does not change and the heating season is the same each year, how many years will it take for the homeowner to recover the cost of the Gold Model furnace in Option #2, compared to keeping the old one?

   _____

10

(Continued)

3. Assuming the cost of fuel does not change, and the heating season is the same each year, how many years will it take for the homeowner to recover the cost of the Silver Model furnace in Option #3, compared to keeping the old one?

_____

4. Which option do you think is best for the homeowner? Explain your answer.

_____

_____

_____

_____

Name _____   **Date** _____   **Class** _____

Practical Exercise 10-7

The boiler plant at Memorial Hospital consists of three watertube boilers, each capable of producing 75,000 pounds of saturated steam per hour at an operating pressure of 165 psig.

Saturated Steam Chart

| Gauge Pressure (psig) | Absolute Pressure (psia) | Temperature | Heat Content (Btu/lb) | | | Specific Volume Steam (ft³/lb) |
			Sensible (h_f)	Latent (h_{fg})	Total (h_g)	
150	164.7	365.9	338.6	858.0	1,196.6	2.76
155	169.7	368.3	341.1	855.95	1,197.0	2.68
160	174.7	370.7	343.6	853.9	1,197.5	2.61
165	179.7	368.3	346.05	851.85	1,198.0	2.55
170	184.7	375.2	348.5	849.8	1,198.3	2.48

- h_f denotes the specific enthalpy of the saturated water liquid, which accounts for the amount of heat required to raise the temperature (thus sensible heat) from 32°F to the boiling point (saturated temperature based on the pressure). Even though water is never brought into a boiler at 32°F, the heat added from where it changes from ice to water (32°F) must be accounted for.
- h_{fg} denotes the latent heat of vaporization (or evaporation), which is the amount of heat required to turn the water into steam from and at the saturation temperature. Saturated water turns into saturated steam.
- h_g denotes the total enthalpy of the saturated vapor, which is the sum of h_f and h_{fg}.

Goodheart-Willcox Publisher

Each boiler can burn either natural gas with a nominal heating value of 1,000 Btu/cubic foot or No. 2 fuel oil with a high heating value (HHV) of 141,800 Btu/gallon. It is up to the Chief Engineer to burn the most economical fuel each month, based on the anticipated boiler load and the current price of fuel. When the boilers run on natural gas, they can achieve 82% efficiency, but on No. 2 oil they can only accomplish a rate of 78%.

(Continued)

10

The chart supplied shows the fuel cost and the total expected load for each month of the year.

Fuel Price Comparison

Month	Mean Temperature	Steam (lb) / Hour Req'd.	Gas / MMBtu	Oil/Gallon
Jan	24	135,500	$8.00	$3.10
Feb	25	135,000	$7.80	$3.20
Mar	34	127,500	$8.00	$3.00
Apr	46	110,000	$7.20	$3.10
May	57	80,000	$6.80	$3.10
Jun	65	55,000	$5.10	$3.00
Jul	70	50,000	$4.50	$2.90
Aug	68	51,500	$4.00	$2.85
Sep	62	57,000	$4.80	$2.80
Oct	51	85,000	$4.60	$2.75
Nov	41	118,500	$4.50	$2.60
Dec	28	133,500	$4.50	$2.45

Goodheart-Willcox Publisher

1. If natural gas is burned, what will steam cost per 1,000 pounds in January?

   _____

2. What will the January cost per 1,000 pounds of steam be if oil is used?

   _____

3. Using the most economical fuel, what will the fuel cost be for the month of January?

   _____

4. Using the most economical fuel, what will the fuel cost be for the month of June?

   _____

10

Work Space/Notes

Name _____   **Date** _____   **Class** _____

Practical Exercise 10-8

An HVAC service technician is called to a small medical office building, where the temperature has increased dramatically over the last few hours. Upon arrival, the tech finds that there is no airflow through the building.

The building is served by a single air handler, and the fan is not running. Diagnosis reveals that the fan motor has burned out and needs to be replaced. The air handler fan and motor have the following specifications, and the unit normally operates at 12,000 cfm.

Centrifugal fan size	25″ × 25″
Nominal CFM	12,000
Maximum CFM	15,000
Fan speed RPM	550
Maximum RPM	900
Motor voltage	230 V, 3-phase
Motor HP	10.5
Motor shaft diameter	1 11/16″

Goodheart-Willcox Publisher

The technician finds that an exact replacement motor is not immediately available and will have to be ordered. Delivery of the new motor will be a minimum of 6 weeks. The unit needs to be repaired immediately or the building cannot be used, so the technician has investigated the available options. A viable option is one that can nearly replicate the airflow of the original fan/motor combination.

1. A motor is available that has the same voltage, frame, and shaft size, but the speed of the motor limits the fan speed to 400 rpm. If the original fan is used with this motor operating at the maximum rpm, what will the cfm of the unit be?

   _____ cfm

(Continued)

10

2. Another motor is available that has the same voltage, frame, and shaft size, but this motor minimum rpm is 900. If this motor is used, what will the cfm of the unit be?

_____ cfm

3. A third option available is to change both the motor and the fan. A new motor is available, and all the specifications except the shaft size are the same. The fan that will work with this motor is 22". This fan can be driven at 625 rpm. What will the cfm of this fan/motor combination be?

_____ cfm

4. Which option would most closely match the required airflow? Explain your answer.

_____

_____

_____

_____

Name _____   **Date** _____   **Class** _____

Practical Exercise 10-9

A hot-water heating system for an office building recently experienced contamination within the closed-loop recirculating system piping. The system needs to be drained and then cleaned with a solution of sodium hypochlorite, rinsed thoroughly, and chemically treated with sodium-nitrite corrosion inhibitor.

The system holds 8,473 gallons of water, circulating at a temperature of 140°F–180°F (60°C–82°C), depending on the outdoor temperature. The cleaning solution provided is a mixture of 3.25% sodium hypochlorite (active ingredient) and 96.75% deionized water (inert ingredient). The recommended dosage is to maintain 0.25% of active ingredient in the system and to circulate it for 24–36 hours.

1. Calculate the number of gallons of active ingredient that must be in the solution used for the cleaning of the system. Round your answer to the nearest whole number.

   _____ gallons

2. Calculate the number of gallons of cleaning solution that needs to be introduced into the system before it is refilled with water. Round your answer to the nearest gallon.

   _____ gallons

(Continued)

10

When the cleaning solution has been circulated and drained, the system will be rinsed with raw water, and then refilled with a mixture of raw water and chemical corrosion inhibitor. The supplier provided the following analysis of the chemical to be used:

Closed System Corrosion Inhibitor #0950

Active Ingredients	Sodium nitrite	18.25%
	Sodium borate	8.40%
	Tolytriazole	0.05%
Inert Ingredients		73.30%

The recommended dosage of Closed System Corrosion Inhibitor #0950 is 1,500 parts per million (ppm) of sodium nitrite in the system.

Goodheart-Willcox Publisher

3. Based on the information available, what quantity of sodium nitrite should there be in the system to meet the recommended dosage? Round your answer to the nearest gallon.

_____ gallons

4. Calculate the number of gallons of corrosion inhibitor that should be added to the system to meet the recommended dosage values. Round your answer to the nearest gallon.

_____ gallons

5. The chemical supplier says that as a general rule, they recommend adding 1 gallon of corrosion inhibitor for every 120 gallons of water in the system. If this rule is followed rather than the manufacturer's dosage recommendation, what will be the level (in ppm) of the sodium nitrite in the system?

_____ ppm

6. Compare the recommended ppm values of the manufacturer and of the chemical supplier. If you decide to follow the chemical supplier's recommendation, will you need to buy more gallons, fewer gallons, or the same amount of gallons of corrosion inhibitor? Show your math work and calculations. Briefly explain your answer.

_____

_____

Work Space/Notes

Name _____   **Date** _____   **Class** _____

Practical Exercise 10-10

The boiler system at Precious Plastic Products uses high-pressure steam for their production of molded plastic products. The steam is produced by three watertube, D-type boilers at a pressure of 165 psig. The water analysis shown details the current conditions, as well as the control limits, for the boiler system.

Water Analysis

Precious Plastic Products, Hayts Corners, N.Y.

Property	Makeup Water	Condensate Return	Feedwater	Boiler 1	Boiler 2	Boiler 3	Boiler Control Limits
pH	7.2	7.8	7.5	10.2	10.1	10.2	10.5–11.0
Conductivity (micromhos)	370	34	190	2,990	2,870	3,160	2,800–3,000
Total Hardness (ppm as $CaCO_3$)	0	0	0	0	0	0	0
P Alkalinity (ppm as $CaCO_3$)	N/A	N/A	N/A	440	380	450	300–500
Phosphate (ppm as PO_4)	N/A	N/A	N/A	12	10	14	15–20
Sulfite (ppm as SO_3)	N/A	N/A	N/A	30	25	35	30–60

Goodheart-Willcox Publisher

1. What is the ratio of the conductivity of the feedwater to the conductivity of the water in boiler 1?

   _____

2. What is the ratio of the conductivity of the feedwater to the conductivity of the water in boiler 2?

   _____

10

(Continued)

3. What is the ratio of the conductivity of the feedwater to the conductivity of the water in boiler 3?

_____

Water treatment programs often use "cycles of concentration" (C/C) as a guideline in boiler water chemistry. C/C is the ratio as determined above but without the ":1" and then rounded to the nearest whole number.

4. What is the CC of boiler 1?

_____

5. What is the CC of boiler 2?

_____

6. What is the CC of boiler 3?

_____

Boiler feedwater (BFW) is a mixture of makeup water (softened raw water) and condensate return. By using the conductivity values of the makeup water, condensate return, and feedwater, a technician can determine what percentage of the feedwater is composed of makeup water and what percentage is composed of condensate return.

7. Using the values provided, determine what percentage of the feedwater is condensate return. Round to nearest whole percent. Since the conductivity of all three values is available, use the full formula for this calculation.

Condensate return: _____%

8. Imagine that the conductivity value of the condensate return was not available. Now use the simplified formula for calculating the percentage of feedwater composed of condensate return. Round to the nearest whole percent.

Condensate return: _____%

10

Work Space/Notes

APPENDIX A

Common Decimal Equivalents

Fraction	Decimal	Fraction	Decimal	Fraction	Decimal	Fraction	Decimal
1/64	0.015625	17/64	0.265625	33/64	0.515625	49/64	0.765625
1/32	0.03125	9/32	0.28125	17/32	0.53125	25/32	0.78125
3/64	0.046875	19/64	0.296875	35/64	0.546875	51/64	0.796875
1/16	0.0625	5/16	0.3125	9/16	0.5625	13/16	0.8125
5/64	0.078125	21/64	0.328125	37/64	0.578125	53/64	0.828125
3/32	0.09375	11/32	0.34375	19/32	0.59375	27/32	0.84375
7/64	0.109375	23/64	0.359375	39/64	0.609375	55/64	0.859375
1/8	0.125	3/8	0.375	5/8	0.625	7/8	0.875
9/64	0.140625	25/64	0.390625	41/64	0.640625	57/64	0.890625
5/32	0.15625	13/32	0.40625	21/32	0.65625	29/32	0.90625
11/64	0.171875	27/64	0.421875	43/64	0.671875	59/64	0.921875
3/16	0.1875	7/16	0.4375	11/16	0.6875	15/16	0.9375
13/64	0.203125	29/64	0.453125	45/64	0.703125	61/64	0.953125
7/32	0.21875	15/32	0.46875	23/32	0.71875	31/32	0.96875
15/64	0.234375	31/64	0.484375	47/64	0.734375	63/64	0.984375
1/4	0.25	1/2	0.5	3/4	0.75	1	1.0

Goodheart-Willcox Publisher

Weights and Specific Heats

Material	Weight (lb/ft³)	Specific Heat (Btu/lb)
Gases		
Air (normal temp.)	0.075	0.24
Metals		
Aluminum	166.5	0.214
Copper	552	0.094
Iron	480	0.118
Lead	710	0.030
Mercury	847	0.033
Steel	492	0.117
Zinc	446	0.096
Liquids		
Alcohol	49.6	0.60
Glycerin	83.6	0.576
Oil	57.5	0.400
Water	62.4	1.000
Others		
Concrete	147	0.19
Cork	15	0.48
Glass	164	0.199
Ice	57.5	0.504
Masonry	112	0.200
Paper	58	0.324
Rubber	59	0.48
Sand	100	0.195
Stone	138–200	0.20
Tar	75	0.35
Wood, oak	48	0.57
Wood, pine	38	0.47

Goodheart-Willcox Publisher

APPENDIX C

Saturated Steam Chart

Gauge Pressure (psig)	Absolute Pressure (psia)	Temperature	Heat Content (Btu/lb)			Specific Volume Steam (ft³/lb)
			Sensible (h_f)	Latent (h_{fg})	Total (h_g)	
0	14.7	212.0	180.2	970.6	1150.8	26.80
5	19.7	227.4	195.5	960.8	1156.3	20.40
10	24.7	239.4	207.9	952.9	1160.8	16.50
12	26.7	243.7	212.3	950.1	1162.3	15.30
15	29.7	249.8	218.4	946.0	1164.4	13.90
20	34.7	258.8	227.5	940.1	1167.6	12.00
30	44.7	274.0	243.0	926.7	1172.7	9.46
40	54.7	286.7	256.1	920.4	1176.5	7.83
50	64.7	297.7	267.4	912.2	1179.6	6.68
60	74.7	307.4	277.1	905.3	1182.4	5.84
70	84.7	316.0	286.2	898.8	1185.0	5.19
80	94.7	323.9	294.5	892.7	1187.2	4.67
90	104.7	331.2	302.1	887.0	1189.1	4.25
100	114.7	337.9	309.0	881.6	1190.6	3.90
110	124.7	344.2	315.5	876.5	1192.0	3.60
120	134.7	350.1	321.8	871.5	1193.3	3.34
125	139.7	352.8	324.7	869.3	1194.0	3.23
130	144.7	355.6	327.6	866.9	1194.5	3.12
135	149.7	358.3	330.6	864.5	1195.1	3.02
140	154.7	360.9	333.2	862.5	1195.7	2.93
145	159.7	363.5	335.9	860.3	1196.2	2.84
150	164.7	365.9	338.6	858.0	1196.6	2.76
160	174.7	370.7	343.6	853.9	1197.5	2.61
170	184.7	375.2	348.5	849.8	1198.3	2.48
180	194.7	379.6	353.2	845.9	1199.1	2.35
190	204.7	383.7	357.6	842.2	1199.8	2.24
200	214.7	387.7	362.0	838.4	1200.4	2.14
220	234.7	395.5	370.3	831.2	1201.5	1.96
240	254.7	402.7	378.0	824.5	1202.5	1.81
260	274.7	409.3	385.3	817.9	1203.2	1.68
280	294.7	415.8	392.2	811.6	1203.9	1.57
300	314.7	421.7	398.9	805.5	1204.4	1.47
350	364.7	435.7	414.3	791.0	1205.3	1.27
400	414.7	448.1	428.2	777.4	1205.6	1.12
500	514.7	470.0	453.0	752.3	1205.3	0.902

Goodheart-Willcox Publisher

262

Glossary

The number in parentheses following each definition indicates the chapter in which the term can be found.

A

absolute pressure (psia). A pressure reading that includes atmospheric pressure as part of the value: gauge pressure (psig) + atmospheric pressure (usually 14.7 psi). (5)

acute angle. An angle that measures more than 0° but less than 90°. (7)

acute triangle. A triangle with all angles less than 90°. (7)

addition. The process of combining number values to find the sum of those values. (1)

affinity laws. Principles that show the relationship among variables involved in fan or pump operation, primarily head (pressure), volumetric flow, speed, and power. (6)

air velocity. A measurement of the distance the air moves in a specific length of time. (5)

algebra. A mathematical language used to calculate numerical values in situations where arithmetic alone will not suffice. (6)

alternating current (ac). An electrical signal that regularly reverses its electron flow. (9)

altitude. A length along a perpendicular line from a triangle's base to the opposite angle. (7)

ampere (A). A unit used to measure the flow of electric current. (9)

angle. A figure formed by the intersection of two straight lines emanating from a common point. (7)

apothem. The distance from the center of a regular polygon to the midpoint of any one of the sides, forming a right angle with the side it contacts. (8)

apparent power (S). The total power in an electrical circuit, which is a combination of true power and reactive power. Measured in VA (volt-amps). (9)

arc. A portion of a circle's circumference. (7)

associative property. A mathematical property that allows numbers to be added and multiplied regardless of how they are grouped in an equation. (6)

atmosphere (atm). An SI pressure unit that is approximately equal to 1 bar or 100 kilopascals or 14.7 psi or 760 torr. (5)

B

bar. A nonstandard SI pressure unit that is approximately equal to 1 atmosphere or 100 kPa or 14.5 psi or 750 torr. (5)

base. Any one side of a triangle. (7)

borrowing. In subtraction, the process of subtracting 1 from a place value and adding 10 to the next-lower place value that needs the 10 in order to be greater than the value of the digit being subtracted from it. (1)

British thermal unit (Btu). A US Customary unit of heat representing the amount of heat energy required to change the temperature of 1 lb of pure water by 1°F. (5)

Btu per hour (Btu/hr). A US Customary unit of heat representing the number of Btus moved in an hour. (5)

bypass air. Air that passes through the space between and around air-conditioning coils but does not directly contact the coils. (6)

bypass factor. A mathematical representation of the amount of flowing air that does not actually touch the coil surface in air handlers. (6)

C

calorie (cal). An SI unit of heat representing the amount of heat energy required to change the temperature of one gram of water by 1°C. (5)

capacitive reactance. The opposition to current flow that is caused by the storage of electrons. (9)

capacity. The amount of material a container can hold. (5)

carried over. In addition, a term describing a value transferred from a digit's column to the next-higher digit when such a value is available. (1)

Celsius scale. An SI scale of temperature that uses 0°C as the freezing point of water and 100°C as the boiling point. Also called the Centigrade scale. (5)

charge. The amount of heat-transfer fluid (refrigerant, water-glycol mixture, etc.) added to an HVACR system. (5)

chord. A line that touches two points along the circumference of a circle without going through the center. (7)

circle. A closed curve with all points on the curve equidistant from the center. (7)

circumcircle. A circle inscribed to touch all of the vertices of a regular polygon. (8)

circumference. The distance around the outside of a circle. (7)

common denominator. A denominator number that is the same for two or more fractions. (2)

commutative property. A mathematical property that allows for the operations of multiplication and addition to be completed in any order. (6)

continuity. Having a complete path for the electrons to flow through in a circuit. (9)

cosine (cos). In a right triangle, a number that represents the ratio of the length of the side adjacent to the angle divided by the length of the hypotenuse. (8)

critically charged. A description of an HVACR system that requires an exact charge of refrigerant. Any amount below or above the exact charge can negatively affect system performance and operation. (5)

cube. A value multiplied by itself twice. (1)

cubic feet (ft³). A measure of volume using units of feet that combines length, width, and height. (7)

cubic feet per minute (cfm). A US Customary unit of air volume representing the number of cubic feet of air moved in one minute. (5)

cubic meter per minute (m³/min). An SI unit of air volume representing the number of cubic meters of air moved in one minute. (5)

cubic unit. A unit used to describe volume, such as cubic feet or cubic meters. (7)

current (I). The flow of electrons. (9)

D

decimal. A fractional portion (less than one) of a number expressed using place values to the right of a decimal point. (3)

decimal equivalent. The decimal form of a fraction. (3)

decimal point. A mathematical symbol resembling a period that denotes the place between the whole number and the decimal number. For example: 1.25, where the (.) divides the whole number 1 from the decimal .25 (fraction of 1/4). A decimal point designates where place values change from positive to negative powers of 10. (3)

degree. A unit used in temperature measurement in the common temperature scales. (5)

denominator. The number located below the line in a fraction. (2)

diameter. The distance across a circle going through its center. (7)

difference. The answer to a subtraction equation. (1)

digit. Any of the ten number symbols (0, 1, 2, 3, 4, 5, 6, 7, 8, and 9) in the Arabic numbering system. (1)

diode check. A function available on some multimeters that can determine whether a diode is functioning properly. (9)

direct current (dc). An electrical signal that is steady and maintains a set polarity with electron flow in only one direction. (9)

distributive property. A mathematical property that means that multiplication of a sum can be accomplished by multiplying each of the addends and then adding the products together. (6)

dividend. The number to be divided in a division equation. (1)

division. The process of separating numbers into groups of smaller numbers. Often thought of as the opposite of multiplication. (1)

division sign (÷). A mathematic symbol indicating to perform division. (1)

divisor. The number of times a number (the dividend) is to be divided in a division equation. (1)

dry-bulb (db) temperature. A temperature measurement of the air without considering the amount of moisture present. This value represents only sensible heat (*not* latent heat). (5)

E

electrical circuit. A path designed to carry current from the electrical source to the load and back. (9)

enthalpy. The sum of sensible heat (heat of temperature change) and latent heat (moisture content). Also called *total heat*. (6)

equals sign (=). A mathematic symbol used to denote the answer to a calculation. (1)

equation. A comparison between two or more formulas or values. (6)

equilateral triangle. A triangle with all three sides equal in length and all angles equal (60° each). (7)

exponent. A number or symbol denoting the power to which another number is to be raised. (1)

exterior angle. An angle between the extension of a side of a shape and its adjacent side. (7)

extremes. In a ratio, the two numbers farthest from the equals sign. When expressed in the form of fractions, they are the lower-value numerator and the higher-value denominator. (4)

F

factor (fractions). A whole number that divides evenly into another whole number, especially when used to determine the lowest common denominator (LCD) of two or more fractions. (2)

factor (multiplication). In a multiplication equation, a number being multiplied. (1)

Fahrenheit scale. A US Customary scale of temperature that uses 32°F as the freezing point of water and 212°F as the boiling point. (5)

feet per minute (fpm). A US Customary unit of air velocity, representing the number of feet that air moves in one minute. (5)

foot (ft). A US Customary unit of linear measurement that is equivalent to 12 inches or 1/3 of a yard. (5)

formula. An expression of a mathematic procedure, establishing a method of completing the calculation. (6)

fraction. A portion of a whole number. (2)

full load amperage (FLA). The ampere draw of a motor at peak (full-load) torque and horsepower. (9)

G

gauge pressure (psig). A pressure reading that does *not* include atmospheric pressure as part of the value: absolute pressure (psia) – atmospheric pressure. At atmospheric pressure, a gauge reading psig will measure 0 psi. (5)

geometry. A branch of mathematics that deals with the measurement, properties, and relationships of points, lines, angles, surfaces, and solids. (7)

grain (gr). A US Customary unit of weight. When used to measure the moisture content of air, 1 grain is equal to 1/7,000 of a pound. When used to measure mineral content in water, 1 grain is equal to 17.1 parts per million (ppm) of hardness. (5)

gram (g). An SI unit of weight that is equal to 1/1000 of a kilogram. (5)

greatest common factor. The greatest possible factor of two or more whole numbers. (2)

H

heat. A measurement of the energy content of a material. (5)

hertz (Hz). A unit used to measure frequency. (9)

horsepower (hp). A US Customary unit of power and of heat, which is equal to the energy required to convert 34.5 lb of water into steam in one hour, when the water is starting from 212°F. (5)

I

improper fraction. A fraction in which the numerator is a larger number than the denominator. (2)

inch (in). The base unit of linear measurement in the US Customary system that is equivalent to 1/12 of a foot or 1/36 of a yard. (5)

inches of mercury (in. Hg). A US Customary unit of pressure used for vacuum and is determined by the height of the mercury column. (5)

inches of water column (in. WC). A US Customary unit of pressure used for very small pressure levels and for vacuum and determined by the difference in the heights of two columns of water. (5)

incircle. A circle inscribed to touch each of the sides of a regular polygon at its midpoints. (8)

inductive reactance. The opposition to current flow that is caused by magnetic fields. (9)

interior angle. An angle on the inside of a shape. (7)

irregular polygon. A shape that has sides and angles of different measurements, resulting in unequal sides and unequal angles. (8)

isosceles triangle. A triangle with two equal sides. (7)

J

joule (J). A small SI unit of heat. To change the temperature of one kilogram of water by 1°C, 4,187 joules are required. (5)

K

Kelvin scale. An SI scale of temperature that uses absolute zero as its baseline, and each degree has the same value as a Celsius degree. Also known as *Celsius absolute.* (5)

kilogram (kg). A standard unit of weight that serves as the base unit in the SI system. It is equal to 1000 grams. (5)

kilojoule (kJ). An SI unit of heat. To change the temperature of one kilogram of water by 1°C, 4.187 kilojoules are required. (5)

kilometer (km). An SI unit of linear measurement that is equal to 1000 meters. (5)

kilopascal (kPa). An SI unit of pressure commonly used in the HVACR field and is equal to 1000 pascals. (5)

L

latent heat. Heat that causes a change in a substance's physical state but does *not* affect the temperature of a substance. (5)

line. In geometry, a narrow strip or border that divides or connects area or objects. (7)

linear measurement. A measurement of the length, width, or depth of an object or the distance between two points. (5)

locked rotor amperage (LRA). The ampere draw of a motor on start-up, which should last only a short time and is significantly higher than full load amperage. (9)

lowest common denominator (LCD). When comparing two or more fractions, it is the lowest possible denominator to which each fraction can be raised. (2)

lowest terms. The least values to which two or more fractions can be reduced when used in a calculation. (2)

M

mass. The amount of something's matter. (5)

mean. The average value of a group of numbers that is calculated by adding together all the values in the group and then dividing the sum by the number of values in the group. (6)

means. In a ratio, the two numbers closest to the equals sign. When expressed in the form of fractions, they are the higher-value numerator and the lower-value denominator. (4)

median. The midpoint or the middle of the group of values, with half of the values being lower than the median and half of the values being higher than the median. (6)

meter (m). The base unit of linear measurement in the SI system. (5)

meter per minute (m/min). An SI unit of air velocity, representing the number of meters that air moves in one minute. (5)

micrometer. Another name for *micron*, which is an SI unit of pressure used for vacuum measurement and equal to 1/1000 of a millimeter or 1/1,000,000 of a meter. (5)

micron (μm). An SI unit of pressure used for vacuum measurement and equal to 1/1000 of a millimeter or 1/1,000,000 of a meter. Also may be called a *micrometer.* (5)

millibar (mbar). An SI unit of pressure that is equal to 1/1000 of a bar or 0.0001 atmospheres or 100 pascals or 0.0145038 psi or 0.75 torr. (5)

milligrams per cubic meter (mg/m^3). An SI unit of weight used to measure the moisture content of air that is equal to the number of milligrams within a volume of air that is one cubic meter in measure. (5)

millimeter (mm). An SI unit of linear measurement that is equal to 1/1000 of a meter. (5)

minus sign (−). A mathematic symbol indicating to perform subtraction. (1)

mixed number. A value consisting of a whole number and a fraction. (2)

mode. The value in a series of values that is seen most often. (6)

multimeter. An instrument that can measure multiple electrical variables, primarily voltage, resistance, and current. (9)

multiplication. A process of combining number values to get a total by combining factors. (1)

multiplication sign(×). A mathematic symbol indicating to perform multiplication. (1)

N

negative. A term describing numbers with a value less than zero. (1)

numerator. The number located above the line in a fraction. (2)

O

obtuse angle. An angle that measures more than 90° but less than 180°. (7)

obtuse triangle. A triangle with one angle that is more than 90°. (7)

ohm (Ω). A unit of electrical resistance. (9)

Ohm's law. A principle that describes the relationship of electromotive force, current, and resistance: E = I × R (voltage = current × resistance). (9)

Ohm's law wheel. A circular table using Ohm's law to depict the relationship of the variables of voltage, current, and resistance and shows how to calculate unknown values based on known values. (9)

order of operation. The sequence in which mathematical operations should be performed in an equation: parentheses, exponents, multiplication/division, and addition/subtraction (PEMDAS). (1)

ounce (oz). A US Customary unit of weight that is equal to 1/16 of a pound. (5)

P

parallel circuit. An electrical circuit that has multiple individual paths to and from the power source for current to flow. (9)

parallelogram. A four-sided figure with opposite sides that are parallel. (7)

parentheses (). Structures used in formulas and equations to set apart a certain set of numbers or to indicate which portion of the calculation shall be performed first. (6)

parts per million (ppm). A US Customary unit of weight that is used to describe the concentration of something within a solution or mixture, such as water. (5)

pascal (Pa). An SI unit of pressure that is equal to the amount of force of one newton pushing on one square meter of area. (5)

percentage. A portion of a whole that is expressed by using a percent sign, such as 25% or 50%. (4)

perimeter. The distance around the outside of a shape. (7)

perpendicular. A condition in which two lines form a right angle (90° angle). (7)

pi (π). A mathematical constant (often shortened to 3.14) that describes the relationship between the circumference and the diameter of a circle that never changes. (7)

place value. The location of a digit within a whole number, which determines the value assigned to that digit. (1)

plus sign (+). A mathematic symbol indicating to perform addition. (1)

point. A definite position on a line. (7)

polygon. A two-dimensional closed plane with any number of straight sides. (7)

positive. A term describing numbers with a value greater than zero. (1)

pound (lb). A standard unit of weight that serves as the base unit in the US Customary system. (5)

pounds of steam per hour. A US Customary unit of heat used for rating very large boilers. Also called *pounds/hour*. (5)

pounds per square inch (psi). A US Customary unit of pressure, representing the number of pounds of force applied to an area of one square inch. (5)

power (P). The rate at which work is being done. (9)

power factor. The ratio of true power (real power) to apparent power. (9)

powers of ten. A method of expressing values that uses exponents to denote to which power of ten a number should be multiplied. (1)

pressure. Force per unit of area and represented by the formula: Pressure = Force ÷ Area. (5)

prime number. A number that has only two factors (1 and itself). (2)

product. The result of a multiplication equation. (1)

proper fraction. A fraction in which the numerator is a smaller number than the denominator. (2)

proportion. A comparison of two ratios, usually separated by an equals sign. (4)

Pythagorean Theorem. A formula concerning right triangles stating that the square of the hypotenuse is equal to the sum of the squares of the other two sides ($a^2 + b^2 = c^2$, where a and b are the lengths of the two shorter sides of a right triangle and c is the length of the hypotenuse). (8)

Q

quotient. The result of a division equation. (1)

R

radius (in geometry). The distance from the center of a circle to any point along its edge. (7)

radius (in trigonometry). A line from the center of a regular polygon to a vertex (a place where two lines meet). (8)

Rankine scale. A US Customary scale of temperature that uses absolute zero as its baseline, and each degree has the same value as a Fahrenheit degree. Also known as *Fahrenheit absolute*. (5)

rated load amperage (RLA). The ampere draw of a compressor when operating at its rated load, rated voltage, and rated frequency. (9)

ratio. An expression of a comparison of two or more values that are separated by a colon. (4)

reactive power (Q). The power absorbed and returned by the circuit without doing any useful work. Measured in VAR (volt-amp-reactive). (9)

rectangle. A polygon with opposite sides equal in length and adjacent sides unequal in length. (7)

reducing. Lowering a fraction to its lowest possible numerator and denominator. (2)

regular polygon. A shape that has equal sides and equal angles. (8)

resistance (R). The opposition to the flow of electric current. (9)

right angle. A 90° angle formed by two intersecting lines. (7)

right triangle. A triangle with one angle of 90° and two angles of 45°. (7)

rounding. The process of increasing or decreasing the value of a number to the next digit. (1)

running load amperage. The ampere draw of an electric motor under load. This value can change depending on the load under which the motor is operating. (9)

S

scalene triangle. A triangle with no equal sides and no equal angles. (7)

scientific notation. A form of simplified writing of numbers that are too large or too small to be conveniently written in a standard format. (1)

sensible heat. Heat that affects temperature change of a substance. (5)

series circuit. An electrical circuit that has just one path for electricity to flow. (9)

series-parallel circuit. An electrical circuit that has a mixture of series and parallel pathways. (9)

sine (sin). In a right triangle, a number that represents the ratio of the length of the side opposite any angle divided by the length of the longest side (hypotenuse). (8)

SI system. The International System of Units (SI), which is based on standard units for length, weight, and volume with prefixes in powers of ten. Also called the *metric system*. (5)

solid. In geometry, a three-dimensional (3D) object, such as a cube, cylinder, pyramid, or sphere. (7)

specific density. The mass of air in a unit volume, often based on one cubic foot of space. (6)

specific gravity (SG). The ratio of the density of a substance to the density of a reference substance, which is usually water. (5)

specific volume. The amount of space that air occupies. (6)

square (mathematical function). A value multiplied by itself. (1)

square (shape). A polygon that has all four sides equal in length. (7)

square feet (ft²). A measure of area (length × width) in units of feet. (7)

square inches (in²). A measure of area (length × width) that is in units of inches. (5)

square meters (m²). A measure of area (length × width) that is in units of meters. (5)

square root. A divisor (r) of a number (x) that equals the number (x) when the divisor (r) is squared: $r^2 = x$. Therefore, $\sqrt{x} = r$. The square root function is represented by $\sqrt{}$. (9)

square unit. A unit used to describe area, such as square feet or square meters. (7)

standard air. A set of standard values for variables of air used to save time in calculating values in HVACR work. Standard air values are generally 70°F at 50% relative humidity and standard atmospheric pressure at sea level (14.696 psi), a specific heat of 0.24 Btu, and a specific density of 0.075 lb/ft³. (6)

state-change. A phenomenon in which a material changes from one physical state to another, such as from gas to liquid or from liquid to gas. Also called a *phase-change*. (6)

straight angle. An angle that is exactly 180°. (7)

subtraction. The process of removing, or taking away, number values from one another to find the difference between those values. (1)

sum. The answer to an addition equation. (1)

superscript. The writing of characters in a smaller size and raised above the bottom line. Commonly used for exponents as seen in squares and cubes: 5^2 and 6^3. (1)

surface. A two-dimensional plane. (7)

T

take-offs. An estimation of pipe length, fittings, equipment, and parts for a particular job in order to determine an approximate cost for figuring a bid for a particular job. (5)

tangent (in geometry). A straight line intersecting with the circumference of a circle but not entering the circle. (7)

tangent (tan) (in trigonometry). In a right triangle, a number that represents the ratio of the length of the side opposite the angle divided by the length of the side adjacent to the angle. (8)

tare weight. The weight of a cylinder when empty. This value is important to know and use when recovering refrigerant from and charging refrigerant into an HVACR system. (5)

temperature. The measurement of the intensity of the heat energy in a material. (5)

therm. A US Customary unit of heat equal to 100,000 Btu. (5)

ton (t). A US Customary unit of weight that is equal to 2,000 pounds. (5)

ton of refrigeration. A US Customary unit of heat used as a measure of heat transfer that is equal to the melting of one ton (2,000 lb) of ice at 32°F in 24 hours, which is equal to 288,000 Btu. This can also be reduced to a ton per hour for rating systems, which is equal to 12,000 Btu per hour. (5)

torr. An SI unit of pressure that is equal to 1000 microns. (5)

trapezoid. A four-sided polygon, with two parallel sides, and adjacent sides that may or may not be parallel to each other. (7)

triangle. A polygon with three sides. (7)

trigonometry. A branch of mathematics dealing with the angles and sides of triangles and their relationships. (8)

true power (P). The capacity for an electrical circuit to perform work and the amount of power actually used by the electrical load. Also called *real power*. Measured in watts. (9)

turndown ratio. A comparison of the maximum and minimum operational range of a device. (4)

U

unknown. An unknown value or quantity that is designated by a letter (such as X) in an equation or formula. Also called a *variable*. (6)

US Customary system. A standard system of centuries-old measurement units, such as the inch, the gallon, and the pound. Also called the *inch-pound (IP) system*. (5)

V

VA (volt-amp). A unit representing apparent power (combination of true power and reactive power in an electrical circuit). (9)

VAR (volt-amp-reactive). The unit in which reactive power (Q) is measured. (9)

variable. An unknown value or quantity that is designated by a letter (such as X) in an equation or formula. Also called an *unknown*. (6)

vertex (in geometry). A corner of a triangle. (7)

vertex (in trigonometry). A place where two lines meet, such as the sides of a polygon. (8)

volt (V). A unit used to measure electromotive force (EMF) or voltage (potential electrical difference). (9)

voltage (E). The electromotive force (EMF) that causes electrons to flow. (9)

voltmeter. A meter used to measure voltage. (9)

volume. The amount of space that is occupied by a three-dimensional object. (7)

W

watt (W). A unit of power. (9)

Watt's law. A principle that describes the relationship of electrical power, current, and electromotive force: $P = I \times E$ (power = current × voltage). (9)

weight. The value of the gravitational force exerted on a particular piece of matter. (5)

wet-bulb depression. The difference between dry-bulb temperature and wet-bulb temperature. (5)

wet-bulb (wb) temperature. A temperature measurement of the air that includes both the heat energy of the air and the heat energy of the moisture present. This value represents both sensible heat and latent heat. (5)

Y

yard (yd). A US Customary unit of linear measurement that is equivalent to 36 inches or 3 feet. (5)

Index

Answers to Odd-Numbered Questions

CHAPTER 1
Whole Numbers

Whole Number Exercises
Exercise 1-1
1. 8
3. 1
5. Hundreds
7. Tens

Exercise 1-2
1. 49,999
3. 799,999

Practical Exercise 1-3
1. 14,750,500

Practical Exercise 1-4
1. 999,999

Comparing Exercise
Exercise 1-5
1. <
3. >
5. <
7. >

Rounding Exercise
Practical Exercise 1-6
1. 870

Addition Exercises
Exercise 1-7
1. 37
3. 125
5. 91
7. 122

9. 488
11. 563
13. 759
15. 24,895
17. 100,981
19. 11,654

Practical Exercise 1-8
1. 197

Practical Exercise 1-9
1. 688

Subtraction Exercises
Exercise 1-10
1. 11
3. 1,783
5. 87,879
7. 889

Practical Exercise 1-11
1. $1,166.00

Practical Exercise 1-12
1. 13°F

Combined Exercises
Exercise 1-13
1. 108
3. 19,008
5. 59,882
7. 1,672,957,133
9. 324
11. 100,000

Practical Exercise 1-14
1. $847.00 [(7 × 2 × $47) + (7 × $27)]

Practical Exercise 1-15
1. Regular trucks daily: 3,400 miles
3. Regular trucks total: 68,000 miles
5. Emergency Sunday daily: 960 miles
7. Total: 78,560 miles

Division Exercises
Exercise 1-16
1. 5
3. 4.8
5. 158 R 6
7. 1,571
9. 4 R 4,068
Practical Exercise 1-17
1. 3 hours

Negative Number Exercise
Practical Exercise 1-18
1. 22°F (10°F − [−12°F] = 10°F + 12°F)
3. 30°F (10°F + 20°F = 10°F − [−20°F] = [10°F − (−12°F − 8°F)])

Combined Operations Exercise
Practical Exercise 1-19
1. 1,200
3. $110.63 (Rounded up from $110.625)
Practical Exercise 1-20
1. $726.80 [4 filters for each AHU × $7.90 = $31.60 (for each AHU) × 23 AHUs]
3. $17.28 per day ($17.2755) {$726.80 [4 filters for each AHU × $7.90 = $31.60 (for each AHU) × 23 AHUs] + $828 of labor [1/2 hour × 23 AHUs = 11.5 hours × $72/hour] = $1,554.80 ÷ 90 days = $17.28 per day}

CHAPTER 2
Fractions

Fractions Exercises
Exercise 2-1
1. 3/4
3. 3/4
5. 3/2 or 1 1/2
7. 3/5
9. 1/3
11. 1/3
Exercise 2-2
1. 3/4 (72/96)
3. 5/16 (30/96)
5. 1/16 (6/96)
7. 1/2 (48/96)
9. 9/16 (54/96)
11. 31/32 (93/96)
13. 11/16 (66/96)
15. 1/1 (96/96)
17. 15/16 (90/96)

Practical Exercise 2-3
The plumbing tubing will have a greater volume. Since the plumbing tubing is measured by inside diameter, it will have a 1/2-inch diameter of volume for the 100 feet of tubing. Since the ACR tubing is measured by outside diameter, it will have a volume of 1/2 inch minus its wall thickness for 100 feet. Since its inner diameter is calculated by subtracting its wall thickness from its outside diameter of 1/2 inch, its inside diameter will be less than 1/2 inch, which is less volume available than the plumbing tubing.

Addition and Subtraction Exercises
Exercise 2-4
1. 1 1/4 (5/4)
3. 3/10
5. 1/16
7. 11 1/4
9. 17 1/16
11. 10 11/16

Multiplication Exercises
Exercise 2-5
1. 7/16
3. 5/18
5. 92 3/16
7. 25/64
9. 11 3/8
11. 1 9/16

Division Exercises
Exercise 2-6
1. 1 (2/2)
3. 2 2/9
5. 1 3/4
7. 21/104
9. 11/16
11. 1 1/2
Practical Exercise 2-7
1. 25
Practical Exercise 2-8
1. 418 feet and 1 1/2 inches of 1/2-inch diameter suction line for all 18 units

CHAPTER 3
Decimals

Fraction to Decimal Conversion Exercises
Exercise 3-1
1. 0.300
3. 0.778
5. 0.833
7. 0.818
9. 0.955
11. 0.923

Exercise 3-2

Fractions from Lowest to Highest

5/1,000		3/10	
7/9		5/6	
11/12		47/50	

Decimal to Fraction Conversion Exercises
Exercise 3-3
1. 17/50
3. 7/10
5. 37/500
7. 181/10,000
9. 19/100
11. 17/5,000

Practical Exercise 3-4
1.

Total Refrigerant Charge

Unit	Refrigerant	Pounds	Pounds and Ounces
RTU 1	R-22	7.12	7 lb and 1 oz
RTU 2	R-134a	14.9	
RTU 3	R-410A	9.5	9 lb and 8 oz
AC 1	R-410A	3.16	
AC 2	R-134a	4.25	4 lb and 4 oz
AC 3	R-22	3.92	
WI 1	R-12	19.35	19 lb and 5 oz
WI 2	R-404A	22.1	
WI 3	R-134a	44.22	44 lb and 3 oz
IM 1	R-134a	0.94	
IM 2	R-410A	1.02	1 lb and 0 oz
IM 3	R-290	0.75	

Decimal Exercises
Practical Exercise 3-5
1. 4.8 fluid ounces
3. 6

Practical Exercise 3-6
1. 525 cfm (350 fpm × 2 ft^2 × 0.75)

Practical Exercise 3-7
1. 7.8°F (4.38°C)

Practical Exercise 3-8
1. 42.7 hours (42 hours and 42 minutes)
3. $25.36

Practical Exercise 3-9
1. 29 gallons
3. Boiler 1: 38.08 gallons
   Boiler 2: 31.62 gallons
   Boiler 3: 76.25 gallons
   Boiler 4: 69.09 gallons
   Boiler 5: 166.52 gallons
5. $1,240.07

Practical Exercise 3-10
1. 2.6 hours (13 hours ÷ 5 service calls)

Practical Exercise 3-11
1. 330 minutes (480 min − 150 min of travel)
3. 110 minutes (330 min ÷ 3 service calls)

CHAPTER 4
Percentages, Ratios, and Proportions

Conversion Exercises
Exercise 4-1
1. 0.13
3. 0.93
5. 1.0
7. 0.09
9. 0.012
11. 1.101

Percentage Exercises
Exercise 4-2
1. 78%
3. 10%
5. 100%
7. 8.9%
9. 0.32%
11. 3,000%

Practical Exercise 4-3
1. Yes
3. 1.4%
5. 1,112,412 Btu [12,300,000 Btu (100% possible output) × 0.133 (13.3% loss of efficiency) = 1,635,900 Btu × 0.68 (68%)]
7. $1.17 ($11.12 − $9.95)

Ratio and Proportion Exercises
Exercise 4-4
1. 10
3. 2
5. 16
7. 28
9. 6
11. 12

Practical Exercise 4-5
1. 4,800,000 Btu/hr
3. 9,000,000 Btu

CHAPTER 5
Measurement

Linear Measurement Exercises
Exercise 5-1
1–8. Answers will vary.

Exercise 5-2
1. 68'-5"
3. 283'-10"
5. 559'

Capacity Measurement Exercises
Exercise 5-3
1. 2 gal
3. 8 gal
5. 34 gal or 33 gal

Exercise 5-4
1. 12
3. 12

Weight Measurement Exercises
Exercise 5-5
1. 28.728 lb
3. Answer is based on individual measurement.
5. 312 lb (Since 24 lb must be added every 4 weeks, the system will be topped off 13 times a year: 13×24 lb = 312 lb)

Temperature Measurement Exercises
Exercise 5-6
1. Answer is based on individual measurement.
3. Answer is based on individual measurement.
5. Evaluate individual student responses.

Heat Measurement Exercises
Exercise 5-7
1. 3/4"
3. 86'
5. 49,020 + 70,000 = 119,020

Pressure Measurement Exercises
Exercise 5-8
1. Answer is based on individual measurement.
3. Answers will vary.
5. Answers will vary.

Velocity Measurement Exercises
Exercise 5-9
1. Answers will vary.
3. Evaluate individual student responses.

Conversion Exercises
Exercise 5-10
1. 0.3048; 8.2296
3. 3.281; 360.91
5. 0.4732; 5.4418
7. 0.028349; 13.409077
9. 2.2046; 274.03178
11. $(°F–32) \times 5/9$; 33.6°C
13. 34.5; 32,775
15. 0.001; 1,200
17. 252.16; 86,995.2
19. 2.036; –33.594
21. 0.0000102; 0.01275
23. 0.06895; 31.8549
25. 35.31; 8,297.85

CHAPTER 6
Algebraic Functions

Mean and Median Value Exercises
Exercise 6-1
1. Mean: 26.3
   Median: 12
3. Mean: 31.6
   Median: 7
5. Mean: 496.6
   Median: 54

Unknown Value Exercises
Exercise 6-2
1. $X = 147$
3. $Z = 492$
5. $Y = 34$
7. $X = 176$
9. $Z = 90.5$

Fan Affinity Law Exercises:
Exercise 6-3
1. 1,728 rpm (q_2 = 2,400 cfm $\times$ 1,440 rpm ÷ 2,000 cfm)

HVACR Formula Exercises
Practical Exercise 6-4
1. There are two possibilities: increase the fan diameter or increase the fan speed. If the air handler has the capacity for a larger fan, then the possible numerical answers are infinite. For example, if the air handler would handle a 26″ fan running at the same speed, the cfm would be 2,560 cfm. If the diameter of the fan has to remain the same because of the structure of the air handler, then only the speed could be changed. If the speed of the fan is increased to 1,800 rpm, then the 24″ fan would achieve 2,500 cfm.

Practical Exercise 6-5
1. 52,488 [0.24 Btu (specific heat of air) × 0.075 lb × 60 min) × 1,800 cfm × 27°F]

Practical Exercise 6-6
1. 0.075 lb/ft³

Practical Exercise 6-7
1. 8,151 (1,800 cfm × 0.075472 lb/ft³ × 60 min/hr. Note that specific density is calculated based on the specific volume of the leaving air: 1 ÷ 13.25 ft³/lb)
3. 4.51

Practical Exercise 6-8
1. 53,783
3. 4.48

Practical Exercise 6-9
1. 83.75°F

Practical Exercise 6-10
1. 40%
3. 57%

Practical Exercise 6-11
1. 0.40625 or 40.6%
3. RTU 2

Practical Exercise 6-12
1. 8.652

Practical Exercise 6-13
1. 383.4 psig to 449.75 psig (398.1 psia to 464.45 psia)

Practical Exercise 6-14
1. 13.7

Practical Exercise 6-15
1. 1,386 gallons

Use the formula $A = V \times [(P-D)/P]$

A = 17,325 gallons × [(50 − 46)/50]
17,325 gallons × [(4)/50]
17,325 gallons × 0.08
1,386 gallons

Practical Exercise 6-16
1. 17.12:1 [2,910 ÷ 170 = 17.11764705882353]
3. 17.68:1 [3,006 ÷ 170 = 17.68235294117647]
5. 16
7. 59%

% condensate return = 1 − (feedwater−condensate return)/(makeup water−condensate return) × 100
% condensate return = (1 − [(170-17)/(390-17)]) × 100
(1 − [153/373]) × 100
(1 − 0.4101876675603217 × 100
0.5898123324396783 × 100
58.98123% condensate return (rounded to 59%)

CHAPTER **7**
Geometric Functions

Perimeter and Circumference Exercises
Exercise 7-1
1. 10′ 6″
3. 12′ 3″
5. 18.5′ or 18′ 6″
7. 120′

Exercise 7-2
1. Circumference: 78.5″
   Diameter: 25″
   Radius: 12.5″
3. Circumference: 8′
   Diameter: 2.55′
   Radius: 1.27′

Practical Exercise 7-3
1. 4,704 (392′ × 12″/1′ = 4,704″)
3. 3,264 ([Perimeter: 48″ +48″ +48″ + 48″ = 192″] × 17 = 3,264″)
5. 3,165.12 ([Perimeter or Circumference: 48″ × 3.14 = 150.72″] × 21 = 3,165.12″)
7. 1,243.44 ([Perimeter or Circumference: 36″ × 3.14 = 113.04″] × 11 = 1,243.44″)
9. 672 ([Perimeter: 24″ +18″ + 24″ +18″ = 84″] × 8 joints = 672″)
11. 753.6 ([Perimeter or Circumference: 12″ × 3.14 = 37.68″] × 20 = 753.6″)
13. 244.92 ([Perimeter or Circumference: 6″ × 3.14 = 18.84″] × 13 = 244.92″)
15. 14,047.08 (4,704″ + 3,264″ + 3,165.12″ + 1,243.44″ + 672″ + 753.6″ + 244.92″)
17. 8 (1,171′ ÷ 150′ [50 yards × 3′] = 7.8067, round up to 8)

Polygon Area Exercises
Exercise 7-4
1. 161.25 ft² or 23,220 in²
3. 90.86 ft² or 13,083 in²
5. 53.395 ft² or 7,688.961 in² or 4.96 m²
7. 84,430.5 in² or 586.26 ft²

Practical Exercise 7-5
1. 500 ft² (20′ × 25′)
3. 4
5. 3,963 ft² [500 (Chairman) + 256 (Board) + 440 (Admin) + 246 (Wait) + 849 (Conference) + 954 (Reception) + 718 (Cubicles)]

Combined Area Exercises
Exercise 7-6
1. 5.69 ft² or 819 in²
3. 600 ft²
5. 1,650.96 m²

Cubic Volume Exercises
Exercise 7-7
1. 1,296 in³ or 0.75 ft³
3. 1,023.75 m³

Practical Exercise 7-8
1. 13,356
3. 6,462
5. 6,500
7. 3,960
9. 44,903

Cylindrical Volume Exercises
Exercise 7-9
1. 8,010.34 ft³
3. 2,166.123 ft³

Practical Exercise 7-10
1. 188 ft³ [56.52 ft³ (boiler) + 10.43 ft³ (tank) + 56.69 ft³ (4″-pipe) + 40.78 ft³ (2″-pipe) + 23.58 ft³ (1″-pipe)]
3. 5,324.16 liters (28.32 liters/cubic foot × 188 ft³)

CHAPTER 8
Trigonometric Functions

Side and Angle Exercises
Exercise 8-1
1. 42°
3. 180°
5. 68°
7. 12′

Exercises for Unknown Values of Polygons
Exercise 8-2
1. 8.26′ or 8′-3″
3. 7.242′ or 7′-3″

Practical Exercise 8-3
1. 228′
3. 117.1′ or 117′-1″

Practical Exercise 8-4
1. 40.86
3. 142.18
5. 1,366.79

Exercise 8-5
1. Approximately 91.8–112.2 ft²
3. Approximately 8.8–10.76 m²

Practical Exercise 8-6
1. 110 ft² or 72 ft² (depending on method used)
3. 21 ft²
5. 28 ft²
7. 31.875 ft²

Polygon Area Exercises
Practical Exercise 8-7
1. 4,156.92 ft² (no rounding) or 4,156.8 ft² (using rounding during calculation)
3. 2,752.8 ft² (or rounded to 2,753 ft²)

CHAPTER 9
Electrical Measurement and Calculation

Electrical Measurement Exercises
Exercise 9-1
1. Answers may vary and will depend on the meter used.
3. Answers may vary and will depend on the meter used.
5–7. Answers will vary.
9. Yes, there should be continuity across the contactor coil. If not, the coil has an open and should be replaced.
10–15. Answers will vary.
17. In this arrangement, the meter should show voltage.
19–29. Answers will vary.

Ohm's Law Exercise
Exercise 9-2

	E (volts)	I (amps)	R (ohms)
Circuit 1	115	30	**3.83**
Circuit 2	115		5.75
Circuit 3	**115**	15	7.67
Circuit 4	115	40	
Circuit 5	**230**	40	5.75
Circuit 6	230		7.67
Circuit 7	230	20	**11.5**
Circuit 8		15	15.33

Power Formula Exercises
Exercise 9-3

	E (volts)	I (amps)	P (watts)
Circuit 1	115	30	**3,450**
Circuit 2	120		2,160
Circuit 3	**120**	15	1,800
Circuit 4	115	40	
Circuit 5	**120**	22	2,640
Circuit 6	220		4,400
Circuit 7	230	18	**4,140**
Circuit 8		30	6,900

Practical Exercise 9-4
1. 13,409 W (7,659 W [230 V × 33.3 A] + 5,750 W [230 V × 25 A])
3. 11,500 W (5,750 W × 2)
5. 16,813 W (5,750 W [230 V × 25 A] + 11,063 W [230 V × 48.1 A])
7. Consult your instructor.

Power Factor Exercises
Exercise 9-5
1. 0.92
3. 0.99

Exercise 9-6

Power Factor Exercise

	Phase	E (volts)	I (amps)	Power Factor	Power (watts)
Circuit 1	1	115	15	0.97	**1,673**
Circuit 2	1	120	30	0.92	
Circuit 3	1	220	40	1.10	**9,680**
Circuit 4	1	230	60	1.01	
Circuit 5	3	208	60	0.99	**21,375**
Circuit 6	3	240	80	1.00	
Circuit 7	3	480	100	1.03	**85,531**
Circuit 8	3	600	200	0.94	

Circuit 1 $115 \text{ V} \times 15 \text{ A} = 1,725 \times 0.97 = 1,673.25 \sim 1,673 \text{ W}$
Circuit 3 $220 \text{ V} \times 40 \text{ A} = 8,800 \times 1.1 = 9,680 \text{ W}$
Circuit 5 $208 \text{ V} \times 60 \text{ A} = 12,480 \times 1.73 = 21,590.4 \times 0.99 = 21,374.496 \sim 21,375 \text{ W}$
Circuit 7 $480 \text{ V} \times 100 \text{ A} = 48,000 \times 1.73 = 83,040 \times 1.03 = 85,531.2 \sim 85,531 \text{ W}$

Series Circuit Exercises

Exercise 9-7

Series Circuit Exercise #1

	E (volts)	I (amps)	R (ohms)	P (watts)	Power Factor
Circuit 1	120	10	**12**	**1,200**	1.00
Circuit 2	115		50		0.95
Circuit 3	230	7	**32.86**	**1,449**	0.90
Circuit 4		14		3,080	1.00

Series Circuit Exercise #2

	E (volts)	I (amps)	R (ohms) Branch 1	R (ohms) Branch 2	R (ohms) Branch 3	Total R (ohms)	P (watts)	Power Factor
Circuit 5	120	10	2.5	**3.8**	5.7	**12**	**1,224**	1.02
Circuit 6	115			20.1	15.3	50		0.97
Circuit 7	230	**8**	8.31	11.94	8.5	**28.75**	**1,822**	0.99
Circuit 8		12	3.9		6.1	18.33		1.00

Parallel Circuit Exercise

Exercise 9-8

Parallel Circuit Exercise

	E (volts)	I (amps) Branch 1	I (amps) Branch 2	I (amps) Branch 3	Total Current (I)	Total Resistance (R)	P (watts)	Power Factor
Circuit 1	120	3.0	2.5	Not used	**5.5**	**21.82**	660	1.00
Circuit 2		5.0	3.1	7.2		7.84		0.83
Circuit 3	230	7.5	2.5	Not used	**10**	**23**	2,093	0.91
Circuit 4	230	8.0	12.5	3.3				0.74

Series-Parallel Circuit Exercise

Exercise 9-9

1. 230 V
3. 230 V
5. 1.09 A

Exercise 9-10

1. 191.67 Ω
3. 211 Ω
5. 262.1 Ω
7. 3.478 A
9. 185 V approximately
11. 1,884 W (rounded off to nearest whole number)

CHAPTER 10
Practical Applications

Practical Exercise 10-1

1. 4,237 ft^2 (rounded up from 4,236.4 ft^2)

   Multiply the diameter of each size of ductwork by π to get the circumference to use as the width to multiply by the lengths.

   Before multiplying to get the area of each sized duct, convert inches to feet.

   Multiply each length by its calculated width to get the square footage (ft^2) of each of the types of ducts.

   Add these square foot values together to get (approximately, depending on rounding) 4,236.4537 ft^2, which is rounded up to 4,237 ft^2.

3. 118' (rounded up from 117.1' or 117'-1") of 8" diameter round duct

   228' of 10" diameter round duct

   182' (rounded up from 181.12' or 181'- 1 1/2") of 12" diameter round duct

   600' of 18" diameter round duct

5. $325.45

   8" diameter round duct: 117.1' ÷ 10 = 11.71, round up to 12' × $1.95 = $23.40

   10" diameter round duct: 228' ÷ 10 = 22.8, round up to 23' × $2.13 = $48.99

   12" diameter round duct: 181.12' ÷ 10 = 18.112, round up to 19' × $2.74 = $52.06

   18" diameter round duct: 600' ÷ 10 = 60' × $3.35 = $201.00

Practical Exercise 10-2

1. 7,200 gallons of propylene glycol

   16,800 gallons of deionized water

Practical Exercise 10-3

1. 33.0 gallons total

3. 5 ounces

Practical Exercise 10-4

1. $3,648.95 ($3,704.52 – [$3,704.52 × 0.015])

3. $3,494.54

   $92.40 ÷ 25 lb (R-410A) = $3.696/lb

   $3.696/lb × 1.5 lb (R-410A) = $5.544 (drop the rightmost 4)

   $5.54 + $3,489.00 = $3,494.54

5. $37.50

   25 minutes × 2 (each way = 2) = 50 minutes

   45 minutes + 30 minutes = 75 minutes

   50 minutes + 75 minutes = 125 minutes

   125 minutes ÷ 60 minutes/hour = 2.1 hours

   2.1 hours × $18 = $37.80

7. $20.27 [$1.43 (nitrogen) + $10.20 (spray foam) + $8.64 (pipe insulation)]

9. $8,427.50 – $3,862.31 = $4,565.19

Practical Exercise 10-5

1. 12' × 12' space: 6' (radius)^2 = 36 × 3.14 (π) = 113.04 ft^2 × 20' = 2,260.8 ft^3 × 7.48 gal/ft^3 = 16,910.784 gallons

3. No, as it would only have a capacity of 14,960 gallons, which is 3,040 gallons short. (10' × 10' = 100 ft^2 × 20' = 2,000 ft^3 × 7.48 gallons/ft^3 = 14,960 gallons < 18,000 gallons)

Practical Exercise 10-6

1. $3,112.40

   $835.00 (repairs) + [$2.36/gal × 965 gal (yearly fuel cost)]

   $835.00 + $2,277.40

3. 9 years

	Repair	88%
Year 1	3,112.4	4,292.12
Fuel	2,277.4	2,122.12
Year 2	5,389.8	6,414.24
Fuel	2,277.4	2,122.12
Year 3	7,667.2	8,536.36
Fuel	2,277.4	2,122.12
Year 4	9,944.6	10,658.48
Fuel	2,277.4	2,122.12
Year 5	12,222	12,780.60
Fuel	2,277.4	2,122.12
Year 6	14,499.40	14,902.72
Fuel	2,277.4	2,122.12
Year 7	16,776.80	17,024.84
Fuel	2,277.4	2,122.12
Year 8	19,054.20	19,146.96
Fuel	2,277.4	2,122.12
Year 9	21,331.60	21,269.08

Practical Exercise 10-7

1. $11.69

   1,000,000 Btu × 0.82 (82% efficiency) = 820,000 Btu in steam

   $8 ÷ 820,000 Btu in steam = $0.000009756/Btu

   $0.000009756/Btu × 1,198 Btu (required for 165 psi) = $0.011687688/lb

   Multiply cost per pound by 1,000 to obtain cost per 1,000 pounds.

   $0.011687688/lb × 1,000 lb = $11.687688

   Round $11.687688 to nearest cent: $11.69

3. $1,178,492.28

   135,500 pph ÷ 1,000 = 135.5

   135.5 × 744 hours (24 hours × 31 days) = 100,812

   100,812 × $11.69 = $1,178,492.28

Practical Exercise 10-8

1. 8,727 cfm

   Applicable fan law = $(q_1/q_2) = (n_1/n_2)$

   12,000 cfm / ? cfm = 550 rpm / 400 rpm

   12,000 cfm × 400 rpm = 4,800,000

   4,800,000 ÷ 550 rpm = 8,727 cfm

3. 9,292.8 cfm

   Applicable fan law: $q_1 / q_2 = (n_1 / n_2) \times (d_1 / d_2)^3$

   12,000 cfm / ? cfm = (550 rpm / 625 rpm) × (25″/22″)³

   Calculate the fan size first.

   12,000 cfm / ? cfm = 550 rpm / 625 rpm × (1.136363636363636)³

   Then cube the calculated fan number.

   12,000 cfm / ? cfm = 550 rpm / 625 rpm × (1.467411720510893)

   Multiply fan times upper rpm value.

   12,000 cfm / ? cfm = 807.0764462809912 / 625 rpm

   Get rid of bottom rpm value on the right side and introduce it to the left side through multiplication.

   625 × 12,000 cfm / ? cfm = 625 × 807.0764462809912 / 625 rpm

   The 625 values on the right side cancel out each other. On the left, it multiplies in.

   7,500,000 / ? cfm = 807.0764462809912

   Divide the top left value by the value on the right side of the equation.

   7,500,000 ÷ 807.0764462809912 = 9,292.8 cfm

Practical Exercise 10-9

1. 22 gallons

   The system holds 8,473 gallons total, which needs to have an active ingredient of 0.25%. Therefore, multiply the total number of gallons by the decimal value needed.

   8,473 gallons × 0.0025 (0.25%) = 21.1825 gallons (round up to 22)

3. 13 gallons

   There are at least two ways to calculate this value: directly with ppm to gallons OR changing ppm to a percentage and then to gallons. Set up the values as shown below:

   $$\frac{1,500}{1,000,000} = \frac{X\%}{100\%} = \frac{X \text{ gals}}{8,473 \text{ gal}}$$

   $$\frac{1,500}{1,000,000} = \frac{0.15\% \ (0.0015)}{100\%} = \frac{12.7095 \text{ gal}}{8,473 \text{ gal}}$$

   To convert ppm to percentage, cross multiply and then divide. Multiply 1,500 ppm by 100: 1,500 × 100 = 150,000. Then divide by the last remaining known value of 1 million: 150,000 ÷ 1,000,000 = 0.15. This method shows that 1,500 parts per million is equal to 0.15%. Since we know the total quantity of the solution to fill the system (8,473 gallons) and we know that the sodium nitrite should make up 0.15% of that total solution, we can calculate the quantity of sodium nitrite using the same method of cross multiply and divide. Multiply 0.15 by the total solution filling the system (8,473 gallons): 0.15 × 8,473 = 1,270.95. Divide by 100: 1,270.95 ÷ 100 = 12.7095 gallons. Round this value up to the nearest whole number: 13.

5. 1,520.83

   Set up this calculation as a proportion.

   0.1825 (18.25% sodium nitrite) : 120 (gallons of water) = X (ppm) : 1,000,000

   Multiply the means and extremes.

   0.1825 × 1,000,000 = 120X

   182,500 = 120X

   Divide the whole number by the value-variable combination of 120X.

   182,500 ÷ 120 = 1,520.83 (rounded to two decimal places)

   Thus, X = 1520.83 ppm.

Practical Exercise 10-10

1. 15.74:1 [2,990 ÷ 190 = 15.736842]
3. 16.63:1 [3,160 ÷ 190 = 16.631578]
5. 15
7. 54%

   % condensate return = 1 – (feedwater–condensate return)/(makeup water–condensate return) × 100

   % condensate return = 1 – (190-34)/(370-34) × 100

   1 – 156/336 × 100

   1 – 0.4642857 × 100

   0.5357143 × 100

   53.57143% condensate return (rounded to 54%)